福建省软科学研究重大项目

雷德森 等著

海峡两岸科教创新探析

Haixia Liangan Kejiao Chuangxin Tanxi

人民出版社

课题组组成人员

课题负责人：雷德森

课题主持人：林炳承　雷德森

课题组成员：林　风　齐学群　黄敬前　张良强
陈雅兰　郑孝国　叶先宝　林共市
闫　伟　陈惦忠　曾宪楼

本书撰稿人：雷德森　张良强　郗永勤　林共市
陈雅兰

序 1

中国共产党十六届五中全会根据我国发展所面临的国内外形势,提出要转变发展观念,创新发展模式,提高发展质量,坚持以科学发展观统领经济社会发展全局,加快建设资源节约、环境友好、经济优质、社会和谐的社会。为此,必须深刻认识技术创新特别是自主创新在经济社会发展中的决定性力量,积极推进国家创新体系建设,加快建设创新型国家的步伐。

增强自主创新能力,建立国家创新体系既是适应国际经济竞争的需要,也是我国进入黄金发展期、改革攻坚期的需要。当前,经济全球化趋势持续发展,世界科技进步一日千里,综合国力竞争日趋激烈。国与国之间竞争的焦点是科学技术成果,竞争的战线明显前移,竞争的层次由企业上升到国家系统整合水平上,以推动各种科技成果为核心的国家创新体系成为提高综合国力的重要因素。国家创新体系是指由科研机构、大学、企业及政府等组成的网络,它能够更加有效地提升创新能力和创新效率,使得科学技术与社会经济融为一体,协调发展。在创新体系中,企业是创新的主体,科学研究机构和大学都是重要的技术创新源,教育培训是知识到生产、应用和传播的重要环节。从根本上说,创新依赖于人的素质及创新思维能力的提高。

当今世界各国的竞争,是综合国力的竞争,是科学技术的竞争,但说到底是人才的竞争,是人才数量和质量的竞争。在高新技术日新月异的情况下，综合国力的竞争越来越突出地表现在人才、智力资源的开发和使用上，经济与科技竞争力的关键在于人才，人才已成为经济和社会发展的第一资源。能否拥有大批高素质的创新人才，直接决定了一个国家在技术创新上的优势和在国际竞争中的主动权。教育是人才资源建设的基础，是整体性人才资源开发的核心，建设一支富有创新能力的高素质人才队伍，有赖于教育创新。

本课题从理论与实践的结合上探讨了海峡两岸协同促进科技、教育创新，同时把闽台的科技创新和教育创新的研究作为基础和重要内容。闽台之间不仅有互动优势，而且现实中有着更紧密的经贸、科技和文化方面的关系，闽台关系既是两岸关系的缩影，也是两岸关系发展历程的反映，对两岸协同推进科技教育创新的研究具有独特和实证的价值。课题组的同志在这方面做了许多工作，也取得了明显的成效。

围绕着从科技创新到教育创新的主题，从经济、科技全球化对两岸科教创新的影响、科技创新到教育创新对区域经济发展的推动、两岸科技教育创新的现状与发展趋势、两岸协同推进科技教育创新的可能性和制约因素及其相关政策等诸多方面，从新的视角，进行了多方面、多层次的学术研讨和实证分析。

书中提出“两岸协同发展应把构建创新体系作为提高两岸科技整体实力和经济竞争力的关键举措”、“借鉴发达国家或地区培育和延揽创新人才的经验，海峡两岸有必要在国际竞争环境下，协同培育和延揽创新人才”、“两岸携手，合作开发，发挥两岸集体智能，创造先进的技术标准，进军国际市场”、“闽台科技园的建设和协同发展，是促进闽台科技和经济合作的一个重要选择”，提出产业关联、核心强项联手、产业对接，以及加大海峡两岸民间科教交流与合作，创新交流与合作的组织内容与形式、完善科教政策与环境等策略，不仅有创意,而且具有可操作性。

西部开发、东北振兴、中部崛起、东部率先发展,四大经济板块根据资源环境承载能力、发展基础和潜力,有区别地确定各自的发展目标,是实施全面协调、可持续发展的区域发展战略、落实科学发展观的重大国策,必将为中国由大国走向强国奠定坚实的基础。从 1995 年福建省提出建设"海峡西岸繁荣带"到 2003 年提出建设"海峡西岸经济区",可以看出福建省经济发展策略的转变。20 世纪 80 年代珠三角靠特区政策闯出一条路,90 年代中央又将发展重点转向长三角,现在以福州、厦门为中心,以闽东南地区为主体,北起浙江温州,南至广东汕头的台海西部海域与陆地,不仅可以发挥对台优势,还可以对接长三角与珠三角,成为东部率先发展的重要组成部分。因此,海峡西岸经济区要率先提高自主创新能力,率先实现经济结构优化升级会增长方式转变,率先完善社会主义市场经济体制,增强国际竞争能力和可持续发展能力,在率先发展中带动和帮助中西部地区。

相信有海峡西岸经济区的独特优势,随着海峡两岸经贸的加速融合,科技、教育交流更加频繁,协同科教创新的不断推进,不仅能使海峡西岸经济区得到更快的发展,而且能为两岸共同繁荣发挥更大的作用。

冯之浚

(本序作者为全国人大常务委员会委员、中国软科学研究会副会长、教授、博士生导师)

序 2

当今世界科技的竞争、人才的竞争，最根本的是科技创新能力和教育创新能力的竞争。世界各国尤其是发达国家纷纷把推动科技进步和创新作为国家战略。我国实施科教兴国战略，把科学技术和教育真正摆在现代化建设中优先发展的战略地位，加快国家创新体系建设，增强自主创新能力，建设创新型国家。福建正在大力实施建设海峡西岸经济区战略，加强闽台交流与合作是海峡西岸经济区建设的重要内容。海峡两岸协同促进科技创新与教育创新，是建设创新型国家的实际举措，不仅丰富了两岸科技、教育交流与合作的内涵，而且有利于两岸共同提高科技与教育的创新能力，促进区域经济社会繁荣发展。"海峡两岸（闽台）协同促进科技、教育创新的研究"课题组，在理论与实践的结合上，对课题设计的目标与任务进行了有益的探索，研究成果对于两岸协同推进科技、教育创新，推进海峡西岸经济区建设具有积极意义。大力发展两岸经济、科技、文化的交流与合作，是大势所趋，人心所向。在海峡两岸协同促进科技、教育创新上还有许多问题，需要继续深入研讨。这本著作的出版，希望能引起科教界和广大读者的兴趣和更多关注，共同推进海峡两岸科技创新和教育创新的发展。

汪 毅 夫

（本序作者为福建省人民政府副省长、教授、博士生导师）

目　录

前 言

本课题是从协同发展的思路，在科技创新与教育创新、海峡两岸的两个热点和交汇点上进行探索，以闽台协同科教创新的实证分析为依据，探讨海峡两岸协同推进科教创新的策略和途径。

随着经济全球化进程的加快，世界经济激烈竞争日益取决于科技创新，特别是创新人才的培养和聚集，而造就创新人才又有赖于教育的创新和发展。海峡两岸在科技、教育方面有着共同的追求，也共同面临要加速科技创新和教育创新的任务，同时也存在着管理体制上科技和教育分离的制约，需要两岸的专家学者，根据当代经济和科教发展的新趋势，从新的视角，探讨如何解决从科技创新到教育创新的论题，通过科教创新和创新人才的培养与聚集，以促进海峡两岸经济、科技和教育的发展。

本课题以马克思主义、邓小平理论和“三个代表”重要思想为指导，综合应用系统科学、发展战略学、科技社会学、科技创新学和区域经济学等理论和方法，对海峡两岸协同科教创新论题进行了系统的理论与实证研究，形成的综合研究报告包括六个部分，这便是构成本书的基本框架和主要内容。

协同发展的理性思考。根据协同效应及反映这一效应内在机制的动力理论，提出“协同与合作是有区别的，协同是竞争与合作的统一”为两岸协同发展和推进科教创新提供理论依据。协同发展的实证与理念、双赢策略的应用、双赢的实证分析、协同发展中实现双赢。

科技教育创新理论与政策研究。通过对创新理论研究、科技和教育创新理论及政策分析、科技创新与教育创新关系的研究,探讨了科教创新理论与方法,以及与区域经济发展的关系。

两岸协同科技教育创新背景分析。科技全球化的迅速发展、知识经济发展的必然、经贸关系发展的走向、科技教育自身发展的需要。分析两岸共需推进科教创新的客观背景。然后以闽台协同科技教育创新为重点,对两岸协同科教创新进行了探析。

闽台协同科技创新研究。闽台科技发展的现状和态势、科技创新能力综合评价(建立了具有递阶层次结构的区域科技创新能力多目标决策及综合评价模型,对闽台进行综合评价和比较)、推进科技创新的可能性和制约因素、协同科技创新的典型调研与分析(漳州农业合作实验区),对促进闽台创新人才的交流与合作进行研究。

闽台协同教育创新的探索。闽台教育创新的现状、协同教育创新的内容及发展趋势、闽台教育创新的典型调研、教育产业态势等的分析,以及促进教育创新人才的交流与合作研究。

两岸协同推进科教创新的策略研究。构建两岸共进的创新体系、协同科教创新的策略、携手发展科技园区,以及加大民间的科教交流与合作、协同培育和延揽人才和实施知识产权战略。提出了推进海峡两岸(闽台)科教创新的策略与建议。

两岸的交往聚焦于"中国心、民族情、同发展"。选择闽台两地协同科教创新的实证分析为重点,原因在于80%的台湾同胞祖籍地在福建。闽台两地有割不断的地缘、血缘、法缘、文缘、商缘等独特的优势和渊源,以及紧密的经贸联系、直接"三通"、农业全面合作、旅游双向对接、文化深入交流、合作交流载体平台建设等方面不断推进的事实,从而为本课题研究提供了可靠依据。

课题组对课题总体设计和实施方案进行了充分讨论,在统一认识的基础上,从调查研究入手,朝着理论探索与实证研究、定性分析与定量研究、专题研究与会议交流相结合的方向,把研究不断引向深入,使研究成果的社会影响和作用不断扩展。

在综合研究报告初稿形成之后,为进一步扩展和深化本课题研究,课题组在福州成功地召开了海峡两岸专家学者参加的研讨会——“两岸科教创新论坛”。两岸科技界、教育界的知名专家学者于光远、何祚庥、冯之浚、方新,以及来自台湾中央大学和台湾中山大学的教授等八十多人参加了研讨。围绕着从科技创新到教育创新的主题,从经济、科技全球化对两岸科教创新的影响、科技创新到教育创新对区域经济发展的推动、两岸科技教育创新的现状与发展趋势、两岸协同推进科技教育创新的可能性和制约因素及其相关政策等诸多方面,从新的视角,进行了多方面、多层次和高水平的学术研讨和交流。这为研究报告修改和提高提供了难得的机会和实质性的指导与帮助。

本课题研究是在中国自然辩证法研究会、中国科学学与科技政策研究会、福建省科技厅、福建省教育厅,以及两岸许多高校、研究机构的领导和专家学者的关心、指导和帮助下完成的,是课题组全体同志共同劳动的结晶。但我们也清醒地认识到,由于台湾海峡两岸关系的变化复杂,有的研究内容尚需深化和推进,也由于我们的水平限制,不妥甚至错误之处,恳请专家学者和广大读者不吝指正。

第一章　协同发展的理性思考

理念是社会组织或群体精神和价值取向的体现，是其文化底蕴、历史特征、发展特色和美好追求的反映。它以一种文化氛围，一种精神力量，一种价值期望和一种理性目标的形式陶冶和激励组织或群体，不仅具有激励人的功能，也具有教育人、规范人和指导人的作用。

一个理念或一种思想的提出并受到广泛关注，一般来说需要具备四个条件：一是历史的底蕴。必须要有历史的根源和它的历史发展脉络；二是现实的基础。每一种基于现实而提出的思想都会因现实需要而被接受和发展；三是时代的特征。一种思想提出并受到关注、接受，特别是被人们倡导，必须具有时代的特征；四是实践意义。这种思想、理论对改变现实和指导实践要具有重要的价值。

协同发展理念，正反映了时代潮流的要求，顺应了时代发展，代表了发展的方向。因而总是最先被人感受到，最能引起人们的兴趣和关注。

第一节　协同发展的实证与理念

激烈竞争，以至对立的双方，能否在一个具体目标上相互协调、共求发展呢？首先要在理念上实现从你死我活的对立状态向协同发展的方向的转变。

一、协同发展的实证

看起来，无论是多么不同的运动现象系统，能否求得统一，并用统一的方式来处理相关问题呢？现实生活已给我们作出了肯定的回答，最有说服力的是莫过于全球抓“千年虫”这一创举。

一直受益于科学技术恩惠的人类，第一次在不经意间为自己埋下了千年隐患，这是当初那些只想节省存储空间的科学家怎么也想不到的。如同天灾显示大自然的无情一样，不容忽视的灾难，的确让人类猛醒，就连敌对者们都不得不暂时化干戈为玉帛，抛开不同的肤色、种族、理念、制度，坐到一起来消除这场共同的灾难。为了抓住这只“虫”，除夕之夜，整个星球上的人们一起彻夜守候到黎明；为了抓住这只“虫”，全球至少花费 2000 亿美元（有的专家估算还要多出 2 至 3 倍）的代价。在对付这场共同的灾难面前确实达到了同心同德的境地，无意间化解少许积怨。因此，仅仅是对立的思维和理念是很难阐明这一事实，而需要实现在理念上的突破。同时，也教会人们认识到一个事实：毕竟是同一星球上的同一人类，人们由衷地感到相互之间原来是如此紧密不可分。在新的世纪里，科学技术将继续进步，通讯将日益发达，电脑会更加智能化，网络会无限延伸，而最重要的是人类不得不越来越紧密。

人类的这一创举，在协同学里从理论的高度早已有了阐发，并给我们认识和处理处于对立状态的双方，如何在同一具体目标下，实现共求发展的思想、理念。笔者于 1992 年在《科学学研究》第 2 期上发表了《科学研究中的协同效应》一文，在一定程度上作出了比较具体的阐发。本课题研究，正是在这一理念的支配下开展台湾海峡两岸协同科教创新的研究的。

二、协同发展的理念

"协同"这个概念源远流长。无论是古老的东方哲学还是西方哲学,无论是现代的自然科学还是社会科学,都要研究人与自然、人与社会、人与人,乃至整个宇宙的协调发展问题,因而都涉及这一基本概念。中国古代哲学中十分强调协同的作用,阴阳学说就是企求在人生中获得两者之间完善的和谐,包含对人类、社会与自然之间的关系的深刻理解和丰富思想。西方的古代哲学思想中,同样十分重视整体内部的协同、和谐和一致性,对协同作用也提出了许多精辟的论断和思想。近代自然科学和经典作家则从不同侧面揭示了从宏观到微观,从机械运动到生命运动的和谐性和协同性。然而,在当代科学中,将各种协同作用进行综合研究并把它形成一门新的交叉学科的创始人,则是德国的哈肯(H. Haken)教授。

哈肯教授是德国斯图加特大学理论物理学家。他在探索完全不同的学科中存在的共同本质特征时,从研究系统内各部分之间自身协同作用入手,特别是把不同系统中的相变同激光类比,发现了各种系统和运动现象中从无序到有序转变的共同规律,建立了协同学。协同学的建立和其他自组织理论一起,给人们提供认识世界的新方法,推动了许多学科的发展,标志着人类探索事物复杂性的一个重要历程,并在解决实际问题中产生了重要作用。

哈肯教授于1969年在斯图加特大学的一次报告中首次引用了"协同"这个概念,提出协同学(Synergetics)是由希腊文所构成,意即协作的科学(Science of Cooperation)。后来,他在1977年出版的《协同学导论》一书中指出:协同概念,早在社会学和经济学领域内就被讨论了。进而他把协同学定义为协同作用的科学，研究系统慢快参量的竞争（分）和协同（合）。

协同作用是指一个复杂系统，由于参变量的数目繁多，不同的参变量在系统演化过程中具有不同的功能，系统各个参变量之间的相互竞争与合作就形成具有特定功能的自组织和有序的稳定结构。

参变量之间的相互竞争与合作，一般表现为两种情况：快慢变量之间的相互作用和序参量之间的相互作用。

快慢变量之间的相互作用。系统的稳定性总是要受两类变量的影响：一是阻力大、衰减快的快驰豫参量，亦称快变量，它对系统的演化不起主要作用；二是临界无阻力的慢驰豫参量，也称慢变量。它主导着系统演变过程，支配和控制着整个系统的状态，决定着系统相变的特点，决定着演化结果所出现的结构与功能，实际上是表示系统的有序度的序参量。两类变量相互联系、相互制约，表现出一种竞争与合作的协同运动。在宏观上，它表现为系统的自组织现象，使系统从无序到有序，以至于更新的有序状态的形成。

序参量之间的相互作用。一个复杂的系统，序参量繁多，其中每一序参量都决定着系统的一种宏观结构以及对应的微观状态。当系统处在不稳定的突变点时，系统面对着好几条道路可走，究竟整个系统走那条道路，形成何种有序结构，要由这些序参量的竞争与合作来决定。具体说来，一方面每个序参量都力图战胜对方，主宰系统，但由于它们衰减常数相近，处于势均力敌状态，因此，各个序参量只好合作，协同一致共同形成有序结构；另一方面，随着外界控制参量的继续变化，序参量之间竞争也会日趋激烈，当达到某一新的阀值时，其中只有一个序参量在竞争中最终取胜，由它支配着整个宏观结构，形成特定的自组织结构。

诚然，不同的运动现象和系统，参变量是显然不同的。然而，就参变量之间的竞争与合作，产生协同效应上却是类同的。

科学技术发展史实际上就是科学研究活动中竞争与合作既对立又统一的发展史。合作是对竞争的抑制，可以产生相对的公平和协调发展，但没有竞争就必然平庸，就会出现停滞；竞争是对合作的抵制，可以产生新科技和高效率，但没有合作就会加剧不公与混乱。科学共同体必须把二者统一起来，为科学技术的发展找到新的机制。在二者的统一中，如果说竞争是科学技术发展的一般特征，那么合作则是现代科学技术发展的基本特征。

现代科学技术的发展，全球一体化新趋势的加强，在竞争日益加剧的同时，为了增强竞争实力，也为了防止两败俱伤，又在促进联合，加上科学技术尖端化和研究规模的扩展，必然带来成本和风险的增加，在资金和技术上就需要部门、地区以至国家之间的合作。虽然竞争在不同领域、不同制度下有着不同的目的、性质、手段和特点，但在科学技术领域内，由于科学技术自身发展的需要，要求建立协同竞争的机制。在这个意义上，竞争与合作是统一的，一方面相互竞争，另一方面同舟共济。竞争中的互利促进了联合，形成了竞争中的协同效应。可以认为，现代科学技术发展内在机制的动力理论，也就是竞争与合作统一的动力理论，简称竞合论。

根据协同效应及反映这一效应内在机制的动力理论，笔者认为，协同与合作是有区别的，协同是竞争与合作的统一。协同所表明的是如下两种情况：一是客观事物发展过程中竞争与合作相互依存，竞争中有合作，合作中有竞争；二是在竞争与合作的对立统一中，促进对立双方的共同前进、共同发展。可见，协同不单是指合作，而是包含着竞争，同时，正是在竞争与合作的相互作用中促进客观事物的发展。因此，必须克服合作排除竞争，以及竞争排斥合作的观念，确立协同是竞争与合作统一的观念,协同是对立双方互惠互利、共同繁荣和进步的观念。

三、竞合的战略战术

协同理念正是科学认识所呈现的追求的无限性,是不断建立新目标和突破自然界的限制。协同各方既相互竞争,又相互利用、相互促进,它所呈现的互补性、需求性、普遍性等相关效应,旨在不但强调合作的必要性,更意味着共同繁荣、共同进步,使得现代科学研究工作和科技产业化无法离开它,同时,使社会每个角落都有它的影子。

互补性。在科学认识过程中,竞争与合作对促进科学认识是不可缺少的,并可以起到相互补偿的作用,以其一方的长处补另一方的短处,使之形成具体的、历史的协同作用。当然,这种补偿也必须是恰当的,过大和不及都会陷入认识的误区。另外,要达到理想的补偿也是一个过程。

需求性。协同作用所呈现的需求性,既表现为系统内在协同的需要,即系统各部分之间的协同,从科学认识来说,这是在给定的外界条件下,系统内各个部分要形成一定的稳定构型或模式;也表现为系统外在的需要,即系统之间的协同。从科学认识来说,这是在外界环境或参数变动至临界值的条件下,对系统的构型和模式要作出新的选择。可见,协同作用所呈现的需求性是不同层次和不同发展阶段上的区别,表现了科学认识中竞争与合作的统一,都是具体的、历史的统一。

普遍性。任何系统及其要素客观上总是在寻求一定的协同方式,协同作用的方式可以千差万别,但排斥和没有协同作用的系统是不存在的。协同作用不仅存在于任一系统内部的要素之间的相互作用，而且存在于系统之间的相互作用之中，同时，也存在于系统演化过程的始终，因此，协同作用具有普遍性。

在系统内要素之间，或系统之间所发生的协同作用，表现出对立双方的互补性、需求性和普遍性的特点。因此，在经济社会与科技活动中，竞合各方就需要有胸怀宽广的战略战术，才能在激烈的竞争中实现相互促进和共同发展。

现代科学研究成果浩如烟海，然而其最重要的研究成果，诸如基因论、生物遗传密码、元素周期表、量子力学等，其成功的思想基础都在于观念上的整体性、方法上的综合性与离散性的结合；从社会行为来说，则是群体协作与个体创造的结晶。以量子力学为例，它所面临的两难推论：因果描述和时空描述不可同时兼得。玻尔（N. Bohr）采用互补性描述，还把互补原理推广到整个物理领域以至整个自然界，进而建立了互补哲学。在一定意义上说，就是发挥了中国古代哲学中阴阳辩证思想，后来又把它推广到人类社会和思维的研究领域，成为解释社会、自然现象的重要手段，使互补原理影响着整个自然科学。难怪一些诺贝尔奖金获得者如玻尔、李政道、杨振宁、普里高津（I. Prigogine）、汤川秀树，还有协同论的创立者哈肯和突变论的创立者托姆（R. Thom）等，都声称他们的科学发现，不同程度地受到中国古代哲学思想的深刻影响。玻尔曾高度赞扬"太极图"的阴阳互补观念，肯定了中国古代辩证思维给他的启迪。普里高津则认为，现代科学的发展，更符合中国的哲学思想。中国思想对于那些扩大西方科学的范围和意义的哲学家和科学家来说，始终是个启迪。

科学研究活动中，研究能力不仅要计算出经费、设备、科学家的数量、全民族的科学教育水平、图书情报系统的效率等的总和，而且还要乘上一个把力量动员、组织起来，运用到适当方面的协同因子。

当代,随着现代科学技术整体化、综合化趋势的发展,一个对象马上就会被许多学科所研究,而一门学科又马上会研究一些不同的对象。科学探索的方式中,协作研究的趋势在迅速增强。社会学家们提到的两件事实就是证明:一是著书立说合作之风的兴起。据罗伯特·K. 默顿(R. K. Merton)对各种期刊做的一次调查,1920 年时合作署名的论文只占全部论文的 7%,到 1940 年时这类论文已增至 35%,而到 1960 年,竟上升到 74%;二是合作研究获奖的人数的百分比在迅速增长。据 H. 朱克曼(H. Zuckerman)的统计,在诺贝尔奖金设置的头 25 年,获奖人中合作研究的人数占 41%,在第二个 25 年,这个比例增至 65%,而到第三个 25 年,这个比例已达到 79%。另外,在被认为当代新科学之冠的非线性科学的发展中,出现了攻关协同化的趋势,一篇论文往往署名者有一串。至于高技术的发展,不仅有政府与民间的协攻,尚有对手公司的合攻,还有跨国合作,等等。可见,协作研究已经成为主要研究方式。系统综合的非加和性和创造性的特点,要求我们强调研究系统的优化、协同。当然,这并不是排斥个人的独创性——个人创造在任何时候都是必需的,而是倡导团队集体协作攻关中的个人努力,个人努力基础上的战斗集体。必须指出,协作研究的发展也正是为了提高科学共同体的竞争能力,是新形势下竞争与协作的统一。

在社会领域,当代经济竞争又以国际间的协调与合作为前提,仍是竞争与合作的统一,呈现出经济发展区域化和集团化的特点,这种协调与合作,又是为了更好地参与竞争。从维护世界和平上看,要有全球意识,即和平发展与竞争共处意识。在国际关系中,综合国力已经成为一个国家在一定时期所拥有的整体实力及其在国际上的影响力。其基本构成要素主要包括生存力、发展力和协同力。综合国力的比较,恰又是在不同范围、不同程度和不同层次上竞争与合作的统一的比较。

当今，各个国家或地区关起门来发展经济和科学技术的时代已成过去，就高技术及其产业的发展来说，即使是发达国家也难以占领所有的高技术重要领域，必须跟踪世界科学技术的发展，从而在各大国之间形成了既竞争又联合的新格局。发展中国家在发展科学技术研究和实现科技产业化的过程中，在提倡国内合作的同时，也需要大力推进国际交流和合作，取人之长，补己之短。就产业发展来说，生产社会化达到了登峰造极的程度。靠单个企业或部门的努力，已经很难推动整个产业的进步。高科技产业的发展更是这样，更需要协同攻关，群体突破。

现代世界科学技术日新月异，如果再停留在孤立发展，恶性竞争的状态下，不能迎头赶上，那么我们的高科技产业将陷入被动局面。应呼吁抛弃“同行是冤家”的陈旧观念，充分发挥群体的力量，加强各企业之间的相互交流与合作，实现群体突破，才是我国高科技产业的出路所在。这就意味着企业之间要形成一种新的关系——协同发展，即竞争与合作并存。各企业既是竞争对手又是合作伙伴，在竞争中求发展，在合作中求进步。只有我国高科技企业真正联合起来，将分散的力量凝聚到一起，实现强强联合，才能使我国在高科技及其产业化领域获得真正的突破，才能真正立于世界高科技产业之林。

台湾海峡之间，在经贸活动中正充分地表现出协同作用的互补性、需求性和普遍性的特点。虽然两岸在政治上还处于对立，经贸上存在着激烈的竞争，然而在激烈竞争中不断扩展经济活动。两岸直接经贸的发展情况见表1—1。

表 1—1　历年两岸经贸关系统计数字

一、历年两岸经贸统计表　　　单位:亿美元

年份	贸易总额	增长率%	对台出口	增长率%	自台进口	增长率%
1978 年	0.46	—	0.46	—	0	—
1979 年	0.77	67.4	0.56	21.7	0.21	
1980 年	3.11	303.9	0.76	35.7	2.35	1019.1
1981 年	4.59	47.6	0.75	-1.3	3.84	63.4
1982 年	2.78	-39.4	0.84	12	1.94	-49.5
1983 年	2.48	-10.8	0.9	7.1	1.58	-18.6
1984 年	5.53	123	1.28	42.2	4.25	169
1985 年	11.01	99.1	1.16	-9.4	9.85	131.8
1986 年	9.55	-13.3	1.44	24.1	8.11	-17.7
1987 年	15.16	58.7	2.89	100.7	12.27	51.3
1988 年	27.21	79.5	4.79	65.7	22.42	82.7
1989 年	34.84	28	5.87	22.5	28.97	29.2
1990 年	40.43	16.08	7.65	30.41	32.78	13.18
1991 年	57.93	43.26	11.26	47.11	46.67	42.36
1992 年	74.1	23.9	11.2	-0.6	62.9	34.7
1993 年	143.95	94.26	14.62	30.54	129.33	105.6
1994 年	163.3	13.44	22.4	53.21	140.8	8.87
1995 年	178.8	9.49	31	38.39	147.8	4.97
1996 年	189.8	6.1	28	-9.6	161.8	9.5
1997 年	198.38	4.5	33.96	21.2	164.42	1.6
1998 年	204.99	3.3	38.69	13.9	166.29	1.1
1999 年	234.79	14.5	39.5	2.1	195.29	17.4
2000 年	305.33	31.1	50.4	27.6	254.9	30.6
2001 年	323.4	5.9	50	-0.8	273.4	7.2
2002 年	446.6	38.1	65.9	31.7	380.3	39.3
2003 年	583.7	30.7	90	36.7	493.7	29.7
2004 年	783.3	34.2	135.5	50.4	647.8	31.28
累计	4045.75	—	651.78	—	3393.97	—

二、历年台商投资祖国大陆统计表　单位：亿美元

年份	台资项目	增长率%	合同台资	增长率%	实际利用	增长率%
1988 年以前	437	—	6	—	0.22	—
1989 年	540	23.57	4.32	-8.33	1.55	600
1990 年	1103	104.26	8.9	61.82	2.22	44.16
1991 年	1735	57.3	13.9	56.18	4.66	109.91
1992 年	6430	270.61	55.43	298.78	10.5	125.32
1993 年	10948	70.27	99.65	79.78	31.39	198.95
1994 年	6247	-42.94	53.95	-45.86	33.91	8.03
1995 年	4847	-22.4	58.49	8.4	31.61	-6.8
1996 年	3184	-34.3	51.41	-12.07	34.74	10.19
1997 年	3014	-5.3	28.14	-45.3	32.89	-5.54
1998 年	2970	-2.55	29.82	10.38	29.15	-7.43
1999 年	2499	-14.1	33.74	10.2	25.99	-13.82
2000 年	3108	22.16	40.42	16.49	22.96	-9.39
2001 年	4214	36.15	69.14	73.1	29.8	32.82
2002 年	4853	15.2	67.4	-2.5	39.7	33.2
2003 年	4495	-7.38	85.58	26.96	33.77	-14.94
2004 年	4002	-10.97	93.06	8.74	31.17	-7.69
累计	64626	—	799.35	—	396.23	—

三、历年赴台从事经贸活动统计表　单位：个，人

年份	赴台项目数	增长率%	赴台人数	增长率%		
1995 年	17	—	381	—		
1996 年	169	894.1	922	142.0		
1997 年	295	74.6	1695	83.8		

1998 年	564	91.2	2963	74.8
1999 年	767	36.0	4164	40.5
2000 年	828	8.0	4863	16.8
2001 年	1441	74.0	7974	64.0
2002 年	2167	50.4	13968	75.2
2003 年	2059	-5.0	13284	-4.9
2004 年	2706	31.4	12561	-5.4
累计	11013	—	62775	—

资料来源:国务院台湾事务办公室网站。

根据国家海关总署的统计,2004 年两岸间接贸易首次突破 700 亿美元,达到 783.3 亿美元,同比增长 34.2%。全年祖国大陆对台湾的出口额为 135.5 亿美元,同比增长 50.4%;祖国大陆从台湾的进口额达 647.8 亿美元,同比增长 31.28%。同年台商在祖国大陆投资的合同资金达 93.06 亿美元,同比增长 8.74%。2004 年,台湾居民来祖国大陆 368.6 万人次,同比增长 34.9%;祖国大陆居民赴台 14.5 万人次,同比增长 14.2%。两岸每年往返商旅仍逾 300 万人次。1987 年至今,台湾居民来祖国大陆累计近 3200 万人次。目前在祖国大陆生活、工作的台湾同胞有 100 万人左右。而两岸经贸纪录更屡创新高,台湾对祖国大陆的贸易依存度已达 36%。可见,台湾海峡两岸在政治上虽然还处在对立状态,且台湾当局还为两岸的往来制造了种种障碍,但由于两岸都要在国际激烈竞争的条件下发展经济,因此,竞合原则仍适合于指导两岸经贸关系的发展,近年来,两岸直接贸易迅速增长的事实已经给予了充分说明。然而,协同作用的原则能否适用于指导两岸科教创新和高科技产业的发展呢?显然需要我们做进一步的探析。

第二节　双赢策略的应用

在同一系统中，对立双方协同作用的演进其结局将是如何呢？能不能实现双赢的目标和怎样才能实现双赢呢？这是我们需要进一步探讨的问题，也是人们极为关注的焦点。

一、竞争观念的转变

一般说来，竞争是指为了自己的利益而与对方比高低、争胜负的角逐活动。广义的竞争，它包括政治竞争、思想竞争、经济竞争、科技竞争、文化竞争以及生活竞争等多种形式，是指任何一系统中对立双方都存在着比高低、争胜负的角逐活动。传统的竞争观念认为，竞争就是你死我活的斗争，用博弈论的术语来说就是零和博弈，即一方所得就是另一方所失。其实，竞争也可以是"你活我也活"的双赢博弈。这就要求我们要转变竞争观，变对抗性竞争为合作性竞争，变替代性竞争为互补性竞争，确立竞合、协同的竞争观。

从系统理论与方法上来说，转变竞争观就是从有限数中的争多少、分胜负，到相互开拓无限新数中求发展的转变，从单纯量（且是规定量）的竞争，到结构改变、共同创造新质、促进系统进化的转变，从固守过时的零和博弈到开发新产品、开拓新市场的双赢博弈的转变。

从经营战略或竞争经济学来说，就是对各自的目标市场——目标地域、目标群体进行重新定位，并以此为基础确定竞争策略和竞争手段。如果从这种角度来认识竞争，那么竞争不仅仅是争夺现有的市场、群体,更重要的是开拓潜在的市场和群体。所以,竞合、协同给我们以全新的思路。

从策略上来看,在目标地域定位方面,既要着眼于原有市场,又要注意潜在市场的开拓;在目标人群定位方面,要善于从动态的经济结构变动中寻找商机;在竞争手段方面,要适应地域和人群的变动,采用有利于拓展市场和人群的策略,在开发新产品、开拓新市场中发挥优势,促进系统的进步和竞争双方的共同发展。

在地域定位方面,既要着眼于原有市场,又要注重开拓潜在的市场,这方面,美国折扣连锁业巨子沃尔玛(Wal-Mart Stores Inc.)的成功案例给我们许多启示。该折扣连锁店创于1969年,那时面临强大的竞争对手,进入20世纪七八十年代,许多大的折扣连锁店纷纷倒闭,然而沃尔玛却飞速发展。到1986年分店扩展到千家,利润达4.5亿美元。其关键是它进行了巧妙的市场定位。通常认为,折扣连锁只有在人口超过10万人的城市才能获得成功,但沃尔玛经过研究认为,开在大城市的折扣店竞争对手也多,而在小城镇则可以且只能办一家,它不必担心其他折扣店的加入,这是它抓住了被一般零售商忽视的小城镇这一市场而迅速发展起来。

在目标人群定位方面,要善于从动态的经济结构变动中寻找商机。传统的观念认为老年人口的收入有限,生活也比较节俭,因而收入的消费倾向不大。但从动态的观点看却未必如此。我国是世界上人口老龄化速度最快的国家,据全国老龄办发布的《中国人口老龄化发展趋势预测研究报告》,我国已于1999年进入老龄社会,是较早进入老龄社会的发展中国家之一。自1982年第三次人口普查到2004年的22年间,我国老年人口平均每年增加302万人,年平均增长速度为2.85%,高于1.17%的总人口增长速度。2004年底,我国60岁及以上老年人口达到1.43亿人,占总人口的10.97%,进入老年型国家行列。在老年人口迅速增加的同时，随着经济的发展，老年人口的消费方式也不断变化，购买力水平逐渐提高。在2000年，老年人口的退休金、再就业收入和赡养费收入将达4000亿元，这表明人口老龄化创造了一个庞大的“银发市场”。预计到2015年，我国老年人总数将突破2亿人，2027年超过3亿人，2044年将达到4亿人。届时，我国将拥有世界上最多的老年人口。台湾岛内“经建会”一项最新研究也表明，台湾已迈入高龄化社会，且老人的人数将急剧攀升。由于这一群体的生活习惯、兴趣爱好与其他人群显然不同，这就决定了他们的消费需求和消费方式，为企业提供了一个新的富有吸引力的新市场。

在竞争手段方面，从单一的价格战转变为互补性的竞争，既克服了价格战的恶性后果，又开辟了新产品，开拓了新市场，满足了多方面多层次的需求。价格战造成了竞争各方各怀敌意，以邻为壑，以及消费者对商家普遍不信任。经过商家的自省，从而改变竞争的策略，变价格战为互补性的竞争。有些地域相邻的商店组成了互补竞争的商圈。它们经营的商品不同，价格定位不同，却因各自鲜明特色组成有机的整体。上海徐家汇商圈的变化是个典型代表，商家从争夺同一个顾客群体转变为拉开经营档次，迎合不同的消费者的需求。东方商厦针对中高收入群体，经营高档商品和精品以突出“礼在东方”的主题；太平洋百货面向少男少女，成为流行时尚的窗口；第六百货以“实惠”为招牌，靠薄利多销吸引工薪阶层。南京路上的华联商厦、新世界城、中百一店形成新商圈，它们进行内部协调，共同策划商业活动。实践表明，这种互补性的竞争格局不仅能让消费者保持一种新鲜感，愿意到各个商店转转，而且由于其产生的辐射效应将吸引更多的顾客光临商圈，结果使各商家共同受益。

传统竞争观是零和博弈观，是市场份额有限性下进行竞争，是一种传统的思维方式，在一定意义上说，是一种停留在封闭式经济时代的思维模式。然而，哪里有需求，哪里就有市场。市场经济不仅要着眼于现有市场，更要重视开拓潜在市场，应该在开发新产品、开拓新市场中使各方实现优势互补、共同发展，从“零和博弈”观向“双赢博弈”观转变。

二、实现双赢的条件

在同一系统中，对立的双方能否自然而然就形成协同作用，实现双赢目标呢？这是不可能的。由于各自利益的根本对立，应该说非赢即输，针锋相对，你死我活的关系是一般的原则，也就是零和博弈是常理、常态。实现双赢博弈的协同发展是有条件的。相容的价值观是基础，发展伙伴关系是中心内容，在实践活动中需要看满足以下四个条件的程度。

1. 创新的潜力

决定协同发展及伙伴关系的首要条件是创新的潜力，即伙伴关系是否可为伙伴双方创造出一般关系所无法创造的价值，开创独特的契机。协同作用的目标是发展，离开发展的协同就失去意义。发展的灵魂是创新，离开创新也就无所谓发展。在激烈的竞争中，企业的发展，只有在组织、产品、市场、技术和管理等要素或机制的创新中寻求与竞争对手的结合点。双方也只有在创新点上的相互结合，协同作用，才能实现双赢的目标。

发展是人类的永恒主题。创造新的价值，开发出新的产品，运用提高效率的新的方法等等，总而言之，创造一些潜在的附加值，做出真正的贡献，从创新点上结合并发展伙伴关系是协同发展的关键所在。共创贡献和贡献的潜能是决定伙伴关系成功的首要条件，因此选择伙伴或竞争对手的结合上，首先要有为彼此创造贡献的可能，而且彼此都愿为达到共同发展的目标而进行必要的改革,这样的伙伴关系就能处于最佳的境界。

当今世界是个激烈竞争的世界。伙伴关系需要耗费相当多的资源和投资,因此,我们只能选择最佳合作伙伴。必须明确,伙伴关系必须提供无法从传统关系中获得新的价值,这也就是我们选择合作伙伴时强调在创新潜力点上进行结合的理由。

如何判断伙伴关系是否真的具备足够的创新潜能呢?这需要通过交往才能发现,有时也需要运用想象力。然而,如何能预测彼此之间潜在的创新能力却不是一件容易的事情。在对潜在创新的界定有一些初步的结论或共识的条件下,预测潜在的创新能力一般可以通过组织的变革能力和意愿转变的程度来进行判别。

变革能力。评价变革能力是多方面的,包括一个组织的高层决策人员和一般人员的素质,以及该组织的机制、体制等应变的能力,因此,它是一个综合能力的评估。然而,高层决策人员的素质与适合于变革的机制是评价变革能力的关键。因此,寻求协同发展的伙伴时,首先要考虑一个组织的决策层与管理机制的变革能力。

变革意念。在合作伙伴的选择中可以发现,彼此为了自身的利益,都有自己的发展计划,然而,在激烈的竞争中,如果双方不愿意为共创贡献而做必要的改变,那么再完美的计划也是枉然。所以,在选择合适伙伴时,必须深入评估与观察对方是否有足够的意愿进行改变,才能决定是否要进入伙伴关系的讨论。为了创新,彼此固守原有计划,不愿意做出任何改变,这种伙伴关系就无法形成,更谈不上协同发展和实现双赢。

2. 理念上的共识

要使对立的双方能通过协调作用而共求发展,必须发展相互之间的伙伴关系,而伙伴关系要能获得成功,必须在价值观上有极强相容性和共同点。

成功伙伴的核心是双赢模式，即竞合、协同模式。然而，这种模式的建立并非容易。要实现从传统的非赢即输、针锋相对，以至你死我活的关系，转变成更具合作性、共同为谋求更大利益而努力的关系。因此，寻觅伙伴关系所不可或缺的重要价值就是双赢理念，这就意味着没有任何一方会将伙伴关系视作零和游戏。也就是说，双方都应跳离传统非赢即输的价值观，如果双方没有这样的理念，伙伴关系只能回到过去敌对状态而宣告失败。在实践中，一方必须真诚地相信对方有权要求公平的报偿；同样，对方也真诚地相信另一方有权自伙伴关系中获得相应的价值，实现利益互补的伙伴关系。因此，双赢理念必须共同为伙伴关系中的双方所分享，否则，对开展伙伴对话是毫无帮助的。

我们可以看到，非赢即输的价值观仍然普遍存在于许多组织中。虽然都在阔谈伙伴关系，但往往在系统中仍然只是想图单方面的利益，或是主要从单方利益来思考伙伴关系，思想深处未能把双赢理念带进系统活动中。因此，这种伙伴关系最后还是以失败告终。要彻底解决这类问题，首先强调理念上的共识，进而强调行动上的一致，除非是把局部的眼前的利益放置一边，把伙伴关系摆到突出的地位，把注意力放在更大的合作目标上，否则，追求伙伴关系将毫无意义。必须指出，理念上的共识是发展伙伴关系的基础，是系统中发展协调作用的前提条件。

在现实生活中，许多组织未必在理念上能全面取得共识或相容，但为何也可以实现协同发展呢？这主要是由于对核心价值的认同或是特殊价值观的认同。

核心价值上的共识或相容。可以说是系统的核心价值，堪称为至高无上的价值。创造第一流、高水准的产品与服务是要付出代价的，有时甚至是昂贵的代价，但它却代表系统的前进方向，是最有生命力和发展前景的。比如，产品达到95%的完美度比起100%的绝对完美度，可能要增加总成本的30%，是极其昂贵的，转移到产品的价值来说，则前者要便宜得多。因此，竞争对手、顾客都有各自的利益和目的，取向也有很大差异，但是各方之间或是在一流品质的产品与服务上取得共识而结合，或是二流以至三流品质的产品与服务上取得共识而结合。可见，要让伙伴关系顺利展开，竞争对手、顾客各方对于品质必须有相同的价值观，可以说是核心价值上的认同与共识。

特殊价值观的共识或相容。对系统中诸方面而言，有些价值是共通的，并在实际活动中遵循，或至少会宣称对这些价值的信念。如企业经营中的顾客态度、企业道德、服务等，表现出明显的共通性。然而，有些价值对特定的组织而言是独特专属的，如有的高科技公司强烈地支持环保，并希望及鼓励他们的事业伙伴也能这样做，而不与制造污染者打交道，不论是否有利可图；有的公司明显地注重经营的合法性，而不会与不严格遵守这一原则的公司共事，这类特殊价值观还有许多。独特价值观可以为伙伴关系带来真正相容上的问题，因此，了解并界定双方所有的一些特殊价值，对于选择合作伙伴和实现协同发展具有特殊意义。如果在价值上少有共通之处，或完全相背，要实现协同发展也就失去了基础与前提条件。

3. 合适的环境

成功的伙伴关系需要在一开始就具备合适的环境。合适的环境是发展伙伴关系的必备条件，也是协同作用得以实现的保障。因此，选择一个能够有益于传导伙伴关系理念的环境，是选择伙伴过程的重点。

对于环境，可以有大环境和小环境，硬环境和软环境等不同的要求。大环境是客观历史发展的大趋势，这是无法取决于伙伴关系各方自身，而只能适应和抓住有利的环境予以利用，以促进伙伴关系的发展。而小环境，则是可以在伙伴关系各方的协同作用下，共同创造的。硬环境是指伙伴关系及协同作用的客观物质基础，软环境则是促进关系发展的理念、政策与举措。软硬环境在共同价值支配下，都是可以不断培育和完善的。创造有利于伙伴关系成长的环境，主要是指协同发展各方可以通过努力把握和创造小环境以及软硬环境。这类环境主要有三个方面：

一是互补、互利的合作态度。伙伴关系而非对立的合作态度，是通过发展伙伴关系而实现利益、需求的互补互利，如果把伙伴关系视为一种压榨对方的技巧的话，是永远也无法达到双赢结局。因此，创造合作环境是需要各方的努力。

二是注重长远的合作伙伴。现代科技发展日新月异，市场变幻莫测，因此必须跳出眼前的事务，把眼光放在未来的发展和环境建造上。有发展前景的协同作用，应该十分注重与未来的伙伴并肩合作，而不能只着眼于眼前的伙伴，要把伙伴关系建立在长远的目标和策略上。

三是频繁交往以维系和维护伙伴关系的承诺。合作双方频繁交往程度，会对伙伴关系的发展产生深远影响。一次性的往来难以确定可信度，只有一定数量的交往才能为真正结盟创造条件。在营销理论中曾以交易频率将客户区分为持续型、一次型和定期型等三种类型。这显示出最合适的伙伴关系，还是要提高交往的频率。

4. 目标的谋合

观念的共识与合适的环境固然是建立伙伴关系、发展协同作用的必备条件，然而还必须考虑促进达到一起同谋目标方向上的一致性。

在系统中对立的方面,由于利害关系所制约,要在总体目标方向上达到一致是困难些,然而要实现协同发展,则又需要有一定的共通点,即在某些具体目标上有类同或同谋,这就是所谓具体目标的谋合,才有协同发展的基础。因此,寻找各方之间在未来目标方向共通点相当重要。对立双方在总体目标上相左,而具体目标又相互偏离,那么就无从找到相互之间的结合点,也就难以发生协同作用,双赢就无从谈起。

有同谋才是走到一起的基础,有走到一起的基础才有发展协同作用的条件,也才有实现双赢的可能。这里,笔者无法对同谋做出全面的分析,然而,就经济领域的活动而言,这种同谋主要可以表现为产业、产品和市场等取向上谋合,我们可称之为具体目标上的谋合。

产业同谋。要形成经济上的伙伴关系,对立各方就需要在产业发展趋向上有共同点或寻找产业取向上的结合点,以便集中资源与投资共谋产业的发展。如果需要结合的各方无法在产业取向相一致,长此而言就会渐渐地分散资源与投资,目标偏离以至相左,这就难以巩固和发展伙伴关系。

产品同谋。必须选择能与产品方面相一致的伙伴进行合作,这既意味着必须发现与未来产品发展相配合的伙伴,也正意味着必须避免与已渐被淘汰的产品扯上关系。可见,选择伙伴不仅是在现有产品上,还必须着眼于在未来产品的研究与开发上。由此,与新产品研究与开发中心或相关实验机构、中试基地等建立伙伴关系则是最好选择。

市场同谋。竞争各方遵循市场经济的游戏法则,最稳当的伙伴是现有情况下各自占有的固定的市场。然而,市场竞争的法则是无情的,它决不会停留在一点上。因此,共谋伙伴关系就必须朝新的目标前进,特别是针对新产品、新构思进行,使伙伴进入无法预测、充满刺激的方向,同时又是实现开辟新的市场上的谋合。

在创新的潜力、理念的共识、环境的合适,以及目标的同谋等方面的发展程度,决定了协同发展诸方面伙伴关系发展的程度,也决定着多赢以及双赢策略实施的成效。

第三节 双赢的实证分析

当今,竞合(Co-Competition)、协同(Synergy)、双赢(Doublewin)已成为时尚的概念,然而却是人类的现实生活的总结和认识的升华。正是在现实世界中许许多多彼此对立的方面通过相互创造条件,在激烈的竞争中实现了协同发展,最终取得了双赢的满意结果。这里,围绕经济发展这一中心,从政治、经济与科技等方面展开必要的实证分析。

一、中美经贸关系的嬗变

在国际经贸关系中,经济全球化的进程正在加速进行,从而也在促进传统思维方式的改变。

传统的国际政治经济思维模式中,有的国家总是希望竞争对手特别是敌对国家的经济江河日下,以至一蹶不振,而期望本国经济在对手削弱的过程中日益壮大起来。在冷战时期,社会主义国家和资本主义国家间的这一对抗表现得尤为突出。直到今天,美国国内有些政治经济利益集团还是认为中国加紧发展壮大起来,必将成为美国的竞争对手。特别是在苏联解体之后,这一观念在美国国内就更有市场。因此,美国国内一些人至今依然想方设法遏制中国的发展。毫无疑问,这是一种零和的思维方式,即一方受益,另一方受损。在这种思维模式的支配下，中美建交之前，双方的经贸往来一直处于很低的水平。

自从我国改革开放以来，对外经贸日益发展壮大，中美两国经贸关系一日千里地发展起来，现在两国经贸关系日趋融合，相互之间的经贸关联度不断提高。《今日美国报》头版的一篇文章详细描述了美国人一天的生活：从清晨6时起床时用的闹钟到深夜上床睡觉前随手关掉的台灯，其日常生活必需品几乎全部使用来自中国大陆的产品。这就说明美国人的日常生活已经离不开中国大陆，而中国大陆的劳动密集型产品也离不开美国这一世界上最大的产品销售市场。可见，中美两国之间在经济方面事实上存在着相互依存的关系，谁也离不开谁。而且，中国也购置美国的附加值高的高科技产品，如中国购置美国的波音飞机、计算机、精密仪器仪表等。这就表明，中国这一最大的发展中国家与美国这一最大的发达国家在经济方面存在着巨大的互补性，中国需要美国高科技产品，美国需要中国的劳动密集型产品，中美两国互为对方的市场。

其实，中美两国之间不仅在产品流通领域互有需求，而且在产品生产领域也在深入开展分工协作。如美国波音客机的一些零部件，麦道飞机的机头等在中国一些城市生产，美国的麦当劳、肯德基也已在中国许多大中城市开设分店。IT行业的IBM、微软等不仅在中国有它们的分公司，而且办了发展研究院。随着中国经济发展水平不断提高，以及中国加入世界贸易组织后服务业的进一步对外开放，中美两国在服务贸易领域的交流与协作也不断加强。这表明在当今经济全球化的情况下，中美两国经济的日趋融合。因此，传统的零和思维方式已不能适应时代的发展变化，既有竞争，又有合作，竞争之中有合作，在合作之中也有竞争是当今经济全球化条件下国际经贸关系的基本现实。因此，对方的经济利益受损未必能增进己方的经济利益。相反,在相互依存的国际关系中,己方的经济利益不仅不能建立在对方经济利益受损的基础之上,还要依赖于对方的经济利益的增进与对方经济的繁荣昌盛。因此,零和思维方式为双赢思维方式所取代已是大势所趋。

美国的政界、经济界绝大多数人都趋向于进一步发展包括经贸关系在内的中美关系。正是基于这一背景,1999 年 11 月 10 日至 15 日,中美两国代表就中国加入世界贸易组织进行了双边谈判。结果正如时任外经贸部部长石广生所指出:我们经过六天的夜以继日的艰苦工作,认真谈判,本着互谅互让、平等协商的精神,以双赢的原则,终于达成了双方满意的协议。美国前驻华大使尚慕杰在接受美国一家报纸采访时指出,美国的高科技经济与中国以劳动密集型为主的经济具有极大的互补性。中国这一世界上最多人口的国家的市场之巨大对于美国拓展国外市场又是一个极大的机会。看来中美各自经济持续、稳定、健康发展,以及双边经贸关系的进一步发展是有利于共同促进两岸的经济增长。

美国国内一些政治经济利益集团迄今为止仍想方设法遏制中国的经济增长,认为中国强大起来后对美国是一个威胁;我国也有一些人认为,我们靠自己发展就行了,没有必要向美国让步。前者的错误想法,已日益被实践证明是错误的;后者采取隔绝与国外联系,只能导致停滞和衰退。只有实现从零和思维到双赢思维方式的转变,才能适应当前经济全球化的大趋势。这种转变,意味着中美两国经贸双边关系一切都应以符合增进双边利益为准则,本着合作竞争而不是对抗竞争的原则处理双边经贸关系。中美经贸关系的嬗变告诉我们,既然不同的两个对立国家可以在变革思维模式和实践中推进双方的竞合、协同发展,那么,海峡两岸更有可能实现竞合、协同发展,现在该是转变思维方式,努力创造条件促成两岸协同发展和争取实现双赢的时候了。

二、“新经济”发展中的竞合

在经济全球化、市场一体化、资本证券化的进程中,一种以知识经济为主的“新经济”正在兴起。

何谓“新经济”?一般认为,“新经济”是在经济全球化和信息技术革命的带动下,以生命科学技术、新能源技术、新材料技术、空间技术、海洋技术、环境技术和管理技术等七大高科技产业为龙头的经济,而且出现经济增长率高、出口高、企业盈利高,失业率低、通货膨胀率低、财政赤字低的“三高三低”的特点。创新则是“新经济”的核心,包括观念的创新、运行模式的创新和新技术的创新,人才则是保证创新的决定性因素。20 世纪 90 年代兴起的信息经济,如今正在经历从个人电脑(PC)到英特网(Internet),再到电子商务(E - Commer)三个发展阶段,这表明“新经济”的核心内容是网络经济。

在美国“新经济”中,尽管为争夺市场而使竞争加剧,但竞争对手之间合作的频率也提高了。通过建立合作伙伴关系,公司从越来越多的供应商、客户、大学和联邦实验室获取技术和创新的源泉,以合作伙伴和联合方式出现的机构网络的扩散,推动技术创新,从而为美国经济的成功复兴做出了重要贡献。相比之下,欧洲虽然在 1985 年拥有和美国差不多数量的工业技术联盟,但自那时以来,特别是 20 世纪 90 年代,美国工业联盟的数量大幅度增加,而欧洲和日本的工业联盟的数量急剧下降,因而竞争力就在大大削弱。管理专家彼德·德鲁克和其他一些专家认为,网络、合作和合资企业的合作动力是美国“新经济”的一项重要组织原则。可以认为,美国“新经济”的兴起正是通过现代的手段,以多方面、多种方式实现竞合、协同发展的。

三、企业在竞合中发展壮大

市场经济意味着竞争。竞争是企业,也是企业技术进步的最大动力。然而,“同行是冤家”、“竞争就是你死我活”等陈旧的竞争意识对很大一部分企业有深刻的影响,因此,见利忘义、恶性竞争频频出现。然而,必须看到,企业之间不仅有各自的不同利益,还有整个行业的共同利益,就一个企业内部,经营者与企业之间,也存在各自不同的利益和共同的利益,如何寻找利益的耦合点,也就成为企业管理的重要内容。

企业之间不仅需要竞争,更需要讲团结协作。企业之间既有竞争,也有合作,只有每个企业都尽力通过有序的竞争,才能更加有助于建立和维持良好的经济秩序,最后达到共同进步、共同繁荣的目的。

近期,新的竞争合作(Co-Competition)概念被媒体频繁使用。推出新的语言文化往往是社会发展的一面镜子,其意义已不单纯仅仅是合作,或仅仅是竞争,它反映的正是成熟市场经济发达的国家那些追求长远利益的企业的新的理念。从与对手“刺刀见红”,不惜两败俱伤,到进行充分的沟通与协调,这正是企业从成长期到成熟期的表现。从战略高度审视竞争,对手的“死”未必等于自己的“生”,对手留下的市场空间也许被其他更强大的对手抢去,也许更糟的可能是市场就此萎缩,需求逐渐下降直至消失。由此,培养竞争对手的观念和行动应运而生。这方面体育界的事例很能说明问题。世界网球运动中桑普拉斯球场失败的时候,网球观众随之日益减少,收视率不断下降。随着阿加西的神勇复出,两大顶尖高手一次又一次“对话”煽起了观众的热情,世界网球运动发展也有了新的动力,进入一个崭新阶段。也正是基于对培养竞争对手的认识,红豆集团从 1993 年开始,对外正当竞争,对内引进了竞争机制,设立了两个西服厂、两个衬衫厂、两个内衣厂。这些工厂在相同的条件下做出不同的成绩,这使企业管理者不讲客观原因,而去总结主观努力上的不足。正是通过共同的努力,企业不断壮大,其竞争对手的利益也得到了保证,消费者更感受到有许多可供选择的产品和服务,实现皆大欢喜的发展目标。此类事例不胜枚举。

我国感光材料产业突出重围也许又是另一典型事例。由于重复建设,技术含量低,进入 20 世纪 90 年代,我国感光材料业举步艰难、负债累累。与美国柯达公司合资后,柯达公司偿还汕头、厦门两个债务大户欠款 26 亿美元,柯达当时看到我国只有 15% 的家庭用照相机,前景广阔、潜力无穷的大市场,而中国感光材料行业则借助外力,实现了一次自我飞跃。产品质量上档次,产量成倍增长,效益大幅度提高,有的已成为当地第一纳税大户,国际先进管理模式、经营思想及环保意识大大增强。国货与洋货从观念到技术、从资金到管理的 8 年"碰撞",让我们看到竞争与合作促进中国感光材料业焕发生机。

四、科学研究中的协同效应

科学发现与技术发明中的竞争与合作,构成了科学技术研究活动中人们交互作用的两翼,驱动着科学技术的向前发展。

竞争是现代社会的普遍行为模式和互动方式,也是科学技术研究活动的基本特征。科学技术的社会规范把独创性规定为最高的价值,因此,科学技术上的竞争主要表现为争夺发现与发明的优先权。这种争夺造成强大的压力,催人奋进,驱使人们在拼搏中找到自己的方位,从而提高每个人的工作效率,使竞争成为促进科技进步的重要动力和手段。因此,科技活动鼓励竞争,也只有在正常的竞争状态下科学技术才能得到最大的发展。

毋庸置疑,激烈的竞争也必然要出现科学共同体之间联系减弱、内聚力下降、封锁情报资料,以至损人利己和关系恶化等消极现象。因此,有的学者认为,它是有害的和丑恶的,然而它又是科学家之间社会关系的一个不可分割的部分。但是,在世界科技竞相发展的角逐中,由于科学技术综合化趋势的发展,从研究到产品化周期的缩短,科学技术尖端化程度的提高和研究规模的扩大等,又无不都在促进研究活动的合作趋势。当今,科学技术发展的关键不仅要有天才,更重要的是要协同工作。可以认为,21 世纪难有著名的科学家、发明家,重要的是要有著名的科学家、发明家团体。

自然科学是对自然界的客观规律的描述与反映,既是知识体系,又是人类认识自然的一种特殊社会活动。科学的研究对象在全球也是统一的,科学知识的基本内容和标准在全球也是统一的。科学的国际性品格使国际交往成了保证科学健康发展的必要条件。所以,科学现在是,而且一直是人类的共同遗产,是人类国际主义的最高体现。反之,封闭的科学一定是“病态的科学”。

技术比科学有着更为直接现实性的特点,在一定时期内可以出现垄断,但又不可能长期垄断。最优化的要求是把昨天的技术在今天做到最有效的使用,这就意味着联系、交换。当今,技术是难搞个体户的,着眼于综合开发是绝对必要的。高技术的发展告诉我们,技术越高就越难垄断。高技术管理本身也是一种国际性的过程。技术管理专家呼吁:我们必须成为国际人,我们必须在国际合作的气氛中工作,否则就不会有多大成就。

台湾海峡两岸科教创新和高科技发展也需要遵循协同效应及作用,这就是我们探讨的目标和着力点。

第四节 协同发展中实现双赢

海峡两岸是人缘、地缘、血缘、文缘、商缘相连的中华民族的统一体，然而，目前两岸在政治上还处于对立状态，能否协同科教创新和发展高新技术产业呢？事实表明，海峡两岸不仅具有协同发展科教和高新技术产业的客观基础和条件，同时，还表现出协同发展的特点与加强的趋势，并可望在协同发展中实现双赢。

一、两岸协同发展的基础

世界高新技术产业发展，科技、教育的激烈竞争，以及经济全球化和科技全球化为两岸发展带来的巨大挑战，两岸科技、教育发展的现有基础和共求新发展的需要，从而在外部环境与内在需求上，都为两岸协同科教创新和高新技术产业发展创造了客观基础和条件。

1. 世界高科技产业发展的竞争压力

经济结构调整是经济发展的永恒主题，经济发展就是在经济结构的不断调整中实现。近年来，各国和各地区都在进行经济结构的大调整，尽管其方式不同、重点有别，但是，发展高新技术产业却是共同的。当前，以信息技术、生物技术、材料技术为代表的高新技术及其产业迅猛发展，深刻地影响着各国和各地区政治、经济、军事、文化等方面。在以经济实力、国防实力和民族凝聚力为主要内容的综合国力竞争中，能否在高新技术及其产业领域占据一席之地已成为竞争的焦点，成为维护国家主权和经济安全的命脉所在。在这场世界高新技术产业化的激烈竞争中，发达国家占据着霸主的地位，对两岸的发展都带来巨大的压力。

从技术的贸易来看，美、日、德和西欧各国等发达国家基本上垄断了世界高技术市场，同时，也显示出它们都是高技术产业的大国，也是主要的高技术输出国，高技术产品在制造业产品中的份额不断增长（见表1—2）。

表1—2　世界主要专利组织和主要专利国家 2000—2005 年高新技术领域专利申请量　单位：项

	激光 Laser	微电子 Microelectronics	生物技术 biotechnology	航空 aviation	通信 telecommunication
世界知识产权组织（WIPO）	11918	319	490	333	7996
美国专利商标局（USPTO）	32166	676	507	709	15487
欧洲专利局（EPO）	11671	250	318	263	7555
日本专利局（JPO）	61423	216	357	189	8416
中国专利局	7371	95	117	158	2892

资料来源：Derwent Innovation Index DII，德温特世界专利创新索引。

第二次世界大战以来，美国在若干传统产业和高技术产业领域的竞争优势明显，长期处于霸主地位。但是，到了20世纪70年代之后，由于日本、欧洲、亚洲新兴工业国家的竞争力逐渐增强，美国的竞争优势地位日益下降。到了20世纪80年代末，汽车、钢铁、彩电等产业霸主地位已经让位于人，美国1990年对17个重要技术领域调查后认为，已经没有一个领域处于绝对优势地位。但是，警醒中进行战略调整，实施优先发展国家关键技术，提升高技术产业的竞争优势，到20世纪90年代末，美国地竞争力整体提高，已经全面超越了竞争对手,实现了跨越式发展。进入21世纪,美国在世界高技术产业界仍然全面领跑,优势扩大势头不减。

美国是当今世界高技术的超级强国。为了全面领先,确保和强化全球领导地位,在源头和关键技术领域保持绝对竞争优势,美国将高技术与经济、政治、军事、外交、贸易、文化等事务捆绑联动,实现美国的战略利益和现实利益最大化。它采取了在高技术产业链的最上游——基础研究环节获得绝对优势地位的战略,强化与高技术产业相关的基础研究,在源头获取并维持竞争优势,从而在中下游产业链发挥主导作用,最有代表性的做法是大量加强研发投入。美国2000年在高技术产业上投入的研究与开发经费达2653亿美元,占世界研究与开发经费总支出的41.7%。2003年,美国政府投入的研究与开发经费额达到1015亿美元,其中大部分是投向高技术产业。与美国在基础研究高强度投入成正比的产出是,美国在信息技术领域的发明专利占世界的67.4%,生物技术的发明占全世界的57.1%,药品方面占59.8%,总体高技术水平遥遥领先。

发达国家表现出高新技术产业大国态势,不仅表现为是主要高新技术输出国,高新技术产品在制造业产品中份额的增长,而且其高新技术领域的专利活动和专利申请数均在世界上占主导地位,因而对两岸高新技术产业的发展具有相同的压力。还必须指出,台湾经济的对外依赖性,受美国垄断资本的一定控制,表现为至1998年有8290项以上的技术和管理经验来自岛外,原料、设备大都依靠进口,市场也依赖海外,加上内部结构失衡,岛内投资环境恶化,产业面临空心化危险。台湾要进一步发展,势必要在高新技术产业上与祖国大陆协同发展才是根本的出路。

2. 两岸共求发展的需要

改革开放以来,祖国大陆的经济与科技产业迅猛发展,生产能力与技术水平不断提高。随着两岸先后加入世界贸易组织及全球经济一体化与新一轮产业分工的展开，台湾产业外移的类别已出现新的变化。电子资讯产业及高新技术产业出现投资大陆的热潮，在世界贸易组织有关规定的框架下进行互动推进。

台湾的电子资讯产业是目前台湾的支柱产业，规模庞大。研究表明，仅在计算机硬件方面，台湾就有14项产品销售额占全球第一，其硬件1997年产值达到348亿美元，仅次于美国和日本，居世界第三位。但是，由于近年来台湾岛内科技人员缺乏，出现青黄不接和断层现象，高科技产业的发展受到一定限制，而祖国大陆高技术人员充足，但缺乏相应的开发资金和先进的管理技术，因而两岸的高科技产业互补性很强，包括岛内的科技产业界都普遍认为，加入世界贸易组织后，在竞争日趋激烈、岛内市场狭小、劳动力成本过高情况下，台湾高科技产业外移也将势不可挡。在世界贸易组织框架下，两岸的电子信息产业如果能形成互动，将是下一阶段台商投资的热点。当然，其他科技产业也出现类同的趋势。应对这种变化，祖国大陆正采取积极举措，力促两岸科技产业的分工协作。

海峡两岸的对峙、隔绝、航运中断48年之后，于1997年开始，福州、厦门、高雄三港之间集装箱轮试点直航，这对海峡两岸关系的发展，对两岸人民的安全与福祉，对祖国和平统一的伟大事业，产生了重大而深远的影响，从而也对两岸科教创新与科技产业的协同发展产生积极地推进作用。在双方共同努力下，几年来在口岸、港务、航务、商务方面均无出现任何事故，使试点直航成为一条安全、畅通的航线。然而，这与两岸的直接“三通”还有较大差距，也严重地制约着两岸经济和科技产业的发展。对于这个问题，前台湾“省长”宋楚瑜认为，不能“三通”造成的损失难以估计，长此以往，台湾将失去国际竞争力，台湾应以经济利益来考量“三通”问题。台湾电机公会理事长吴思坤曾说:一直不明白,为什么台湾要拒绝“三通”,台湾现在每年有300万人次赴大陆,再加上货物转运,其经济损失一年至少数百亿至近千亿新台币。这显然使台湾的经济、科技产业的发展难以适应全球经济一体化和全球科技一体化的发展,也日将丧失其竞争力。

台湾当局把两岸“三通”作为政治筹码,在回避“一个中国”原则前提下,一再放话建设“金马经济特区”,以“小三通”作为“大三通”的前奏,对大陆“三通”将采取定点、限量、渐进式开放。此举虽是台湾当局迫于全球经济、科技发展环境的变化和迫于岛内民众的压力,提出的“和平缓冲区”的设想,以消极被动的反应,拖延两岸“大三通”的进程,但这毕竟对改善两岸关系,促进岛内建设,势必会在进一步推动两岸试点直航的扩大、促进两岸经贸往来的同时,促进两岸科技产业的对接与交流,其互补作用是显而易见的。它既有利于营造稳定的投资环境,也为人员往来、商品交易提供便利,同时可以促进两岸资源、市场的互补互利,从而达到“局部先行推动全局”的效果。随着两岸加入世界贸易组织,在寻找新的经济与科技产业结合点,扩大“两门”的经贸、科教合作与发展。新世纪的第一春,近百名在闽金门籍同胞探亲团,乘坐“鼓浪屿”号客轮直航金门,而60名台湾马祖籍台胞乘“顺风号”客轮直达福州马尾港,实现建国以来首次双向载人直航,几十年的等待和期盼有了新的开端。继2003年后,2005年台商春节包机启航,海峡两岸民航飞机56年来首次对飞两岸。直接交通的破冰,的确不但是两岸视听上的震撼,亦在思维及心理层次引发激荡。虽然开通了两岸春节包机,但仍然不是真正意义上的两岸直航,两岸应继续进行客运包机的节日化、周末化、常态化和货运包机商谈,达成共识,做出安排,同步实施,真正适应两岸各项交往日益密切的客观需要,满足两岸同胞的共同期盼。

二、两岸协同发展的趋势

两岸不仅具有协同推进科教创新的客观基础和条件，而且呈现出协同发展的共识在增强、科技和产业合作在继续加强、产业对接和关联度不断提高、民间交流与合作持续发展等趋势，都会有力地推进两岸科教创新的发展。

1. 协同发展的共识在增强

当今世界，经济全球化趋势深入发展，科技进步日新月异，区域经济一体化加快推进，这给两岸加快发展带来了难得的机遇。祖国大陆经济的持续发展为台湾经济发展提供了强劲的动力和更加难得的机遇，推动两岸经济、科教和文化的交流与合作是达到双赢、共同繁荣的必须选择，这样的观点和理念日益成为两岸广泛的共识，共创两岸双赢的理念在扩展。

2003 年 12 月 17 日，国务院台湾事务办公室发布的《以民为本 为民谋利 积极务实推进两岸“三通”》重要文告中强调，我们对实现两岸直接、双向、全面“三通”的前景充满信心。合则两利，通则双赢，早通比晚通好。

中共中央总书记胡锦涛在 2005 年 4 月 29 日和中国国民党主席连战在北京举行正式会谈时强调，构建和平稳定发展的两岸关系，对两岸同胞有利，对中华民族的长远发展有利，并就发展两岸关系提出四点主张。其中，提出加强经济上的交流合作，互利互惠，共同发展。强调全面推进两岸经济交流和合作，实现两岸直接、双向、全面“三通”，既是大势所趋，也是当务之急。两岸合则两利，通则双赢。

基于两党对促进两岸关系和平稳定发展的承诺和对人民利益的关切，胡总书记与连主席决定共同发布“两岸和平发展共同愿景”：56 年来，两岸在不同的道路上，发展出不同的社会制度与生活方式。

十多年前，双方本着善意，在求同存异的基础上，开启协商、对话与民间交流，让两岸关系充满和平的希望与合作的生机。但近年来，两岸互信基础迭遭破坏，两岸关系形势持续恶化。目前，两岸关系正处在历史发展的关键点上，两岸不应陷入对抗的恶性循环，而应步入合作的良性循环，共同谋求两岸关系和平稳定发展的机会，互信互助，再造和平双赢的新局面，为中华民族实现光明灿烂的愿景。

国务院总理温家宝在十届全国人大四次会议上作政府工作报告时指出，两岸关系朝着和平稳定、互利共赢方向发展是人心所向，任何人妄图破坏这种大趋势是注定要失败的。

在台湾方面，2005 年初春，中国国民党副主席江丙坤奉派率代表团，敬谒中山陵，纪念孙中山先生逝世 80 年。谒陵结束后，他对记者说：中山先生以博爱精神，毕生追求统一、民主、富强，两岸人民都应以中山先生为师，共创两岸双赢局面。

中国国民党主席连战 2005 年大陆之行，以“和平之旅”的名誉，始终表达了协同发展的理念。2005 年 4 月 29 日，他在北京大学的演讲题目就是《坚持和平，走向双赢》。演讲在历史与现实的结合上，阐述两岸关系的走向和选择，这就是互助与双赢。他风趣地提到：在即将面临的未来，两岸合作赚世界的钱有什么不对啊？我们一定能够实现所谓如虎添翼的加乘效果，这种加乘的效果不只是双赢，实际上是多赢的。2005 年 5 月 2 日，他在上海与台商餐叙时又发表题为《经济双赢、互惠互利》的演讲。在演讲中他强调了两岸开展经贸合作、争取经济双赢的必要性与紧迫性。台海两岸在经济合作方面，毫无疑问是一种互相依存，互补互惠，同时合作之后把“饼”做大的效果已经产生。在同一天上海举行欢送中国国民党大陆访问团的晚宴上，他深情地举杯说：相逢不尽曾相识，后会有期创双赢。返台后，5 月 4 日他在中国国民党中常会上说，此次访问大陆表达了建立两岸互惠、互利与双赢的未来之愿望。

台湾亲民党主席宋楚瑜2005年9月15日至16日在上海召开的第一届两岸民间菁英论坛开幕式上演讲时表示，两岸合则两利，分则两害，两岸应将零和对抗变为互补双赢，建立分工互补的经济互信机制。他说：两岸不应是零和竞争的关系，要重新整合起来。因此，两岸的交流与经贸往来非常重要。面对全球企业竞争的挑战，两岸的确需要在经贸上进行分工互补的工作。他认为，应推动两岸产业界进行垂直分工、水平分工，从而相互结合。"你中有我，我中有你，你有我也有，大家共有"，这就是华夏子孙共同期待的两岸双赢的局面。

美国国务院东亚和太平事务局资深顾问詹姆斯·基思（James Keith）于2005年9月15日出席美中经济与安全审议委员会（U.S.-China Economic and Security Review Commission）举行的听证会。他分析在2004年，中国大陆从台湾输入产品总额为近650亿美元，占中国大陆进口总额的11.5%。中国大陆对台输出的产品从2001年的50亿美元增加到约136亿美元，增幅达170%。他还指出，海峡两岸经济一体化意味着有机会进行更广泛的人员交流。并说：我们对这些交流给予积极的评价，并呼吁海峡两岸的中国人都能认识到，顺应全球潮流，就有更大的潜力增进交流和加强一体化。

2. 科技和产业合作继续加强

台湾与祖国大陆在经济发展水平上处于产业链的不同发展阶段，有着高度的经济互补性。祖国大陆的经济发展给台湾创造了一个非常大的出口市场。过去二十多年中，台湾与祖国大陆的贸易增长可以用"神速"一词来形容。祖国大陆的发展还给台湾通过产业转移推动产业升级创造了非常良好的外部环境，中国成为拉动世界经济增长的火车头，岛内失掉产业优势的劳动密集型产业通过向祖国大陆转移创造岛内经济增长的“第二春”。

紧密经贸联系、两岸直接“三通”、旅游双向对接、农业全面合作、文化深入交流、载体平台建设等方面都在不断加强，也在不同程度上推进两岸科教创新的发展。闽台交往关系既有明显的特色，又是两岸交往关系的缩影。诸如：

紧密的经贸联系。目前在闽投资的台资企业八千多家，实际到资近一百亿美元。福建现有4个台商投资区，29个对台贸易口岸，台商投资项目下断增长。

两岸直接“三通”。台海两岸之间，闽台交通最为便利。祖国大陆先后在福建沿海设立了35个台湾渔船停泊点，率先开通了福州、厦门两港与台湾高雄港的海上集装箱班轮试点直航，开通了福建沿海与金门、马祖直接往来。2001年初，厦门和金门、马尾和马祖之间实现客运直接往来；2004年，实现了每天都有8个固定航班往返，福建沿海主要港口全部实现了与金门、马祖的货物直航。

旅游双向对接。祖国大陆居民赴金门游团队乘坐厦金航线直航客轮“同安”号赴金门旅游业务开通以来，发展迅速并开始“发烧”。2004年通过金门、马祖直航来往两岸的旅客多达40多万人次，至2005年，“两门”、“两马”航线客流量已突破百万人次。

农业全面合作。福建是台湾农业资金最集中的地方。截至2005年7月，福建已累计引进台资企业1730家。台湾水果等部分农产品已经首次批量免关税登陆福建。漳浦县和福清市还规划创办了“台湾农民创业园”，准备用3年的时间建成高科技农业示范园区，成为台湾农民创业乃至两岸农民感情交流的平台。

文化深入交流。福建的闽南文化、客家文化、民俗文化、宗教信仰、民间信仰的交流活动在台湾反响热烈，深为台湾同胞喜闻乐见的福建地方戏曲多次赴台演出，许多台湾学生就读于福建省大、中、小学。福建正发挥祖地文化优势,深化闽台教育、文化、卫生等交流,招收更多台湾学生赴闽就学,吸引更多台湾民众回闽寻根谒祖。

载体平台建设。在福建每年举办的“9·8”投洽会、海交会、台交会、海博会、花博会等经贸洽谈活动,都已成为闽台两地合作交流的重要平台。

可见,两岸科技和产业合作继续加强和不断扩展的趋势显著,除了“五缘”相联、祖国大陆正确政策之外,很重要的是经济原因。同以闽台经贸合作关系来说,关键的原因在于两岸产业具有相似性和互补性的特点。从产业发展的历史来看,两岸产业有相当大的相似性。20 世纪 70 年代,台湾是以制鞋、纺织、食品、运动器材作为主要产业的出口导向型经济,这几个产业在当时是台湾的支柱型产业。这些产业淡出后,石化、电子、机械以及生物工程等又成了台湾主要产业,进入成熟阶段。反观福建产业的发展历史,20 世纪 90 年代末和 21 世纪初,制鞋、纺织、食品、运动器材等产业发展达到了巅峰状态,如今,石化、电子、机械等产业在福建省已经起步,且发展势头良好。闽台产业发展脉络存在时间差,正是闽台产业既具相似性又存在互补性,两岸产业在转移承接和合作上有相当大的空间。

就两岸科技发展而言,祖国大陆与台湾在科学技术上已形成了各自的独特优势。祖国大陆已建立起一个较为完整的科技体系,造就了一大批科技人才,在若干高新技术和基础研究领域中取得了明显的成就。台湾则在吸收外来技术,面对国际市场进行再开发,在科技与产业、科技与市场结合上,走出了自己的道路。从科技研究与创新、技术引进与转化、资源的开发与利用,到土地使用、人才培养,以至科技产业内外市场的开拓等各个方面,两岸存在着全面互补合作、共同受益的契机,这是发展两岸科技交流合作的坚实基础。经过十几年的努力,两岸在石化、钢铁、电子信息、地质考古类产业、汽机车、航天零组业、家电等多个产业的技术合作已取得了成绩。目前,两岸经贸合作已进入整体升级的新阶段,深圳、上海、北京、苏州、厦门等地已纷纷推出鼓励高新技术产业发展的政策措施,这就为台湾科技产业进入大陆提供了良好的发展空间,两岸科技合作可说是面临最佳时机。

3. 民间交流与合作持续发展

1995 年 1 月 30 日,江泽民同志发表题为《为促进祖国统一大业的完成而继续奋斗》的重要讲话,提出了现阶段发展两岸关系、推进祖国和平统一进程的八项主张,创造性地丰富和发展了邓小平“和平统一、一国两制”的思想,是指导对台工作的纲领性文件。祖国大陆有关方面按照八项主张,根据形势的发展,在两岸人员往来、经贸、“三通”等方面采取一系列政策和措施,排除台湾当局施行“戒急用忍”等限制措施的干扰,推动了两岸民间交流与合作持续发展。

祖国大陆综合实力不断增强,为稳定和发展两岸关系创造了更坚实的基础和更有利的条件,也进一步推动了两岸人员往来和经济、文化交流。现在,祖国大陆经济总量居世界第六,外汇储备居世界第二,吸引外资居世界第一,许多重要工农业产品跃居世界前列,人民生活总体上实现了从温饱到小康的提升。中国经济已成为亚太地区乃至世界的一个推动力量,其巨大的发展潜力和广阔的市场前景吸引着世界各地的业者来投资和创业。进入新世纪,台湾各界普遍看好祖国大陆生机无限,多方面深入开展“大陆研究”,在对大陆“投资热”的基础上,又掀起“求学热”、“求职热”、“创业热”、“考证热”、“置产热”、“定居热”。在人员往来方面,1995 年至 2004 年,台胞来大陆累计 2676.9 万人次,大陆居民赴台 98 万人次。在贸易方面,1995 年至 2004 年,累计两岸间接贸易总额 3448.65 亿美元,其中大陆出口 562.95 亿美元,进口 2885.7 亿美元,台湾顺差 2322.75 亿美元。大陆是台湾最大的出口市场和贸易顺差来源地。据台湾有关方面统计,2004 年台湾对祖国大陆和香港地区的出口已占其总出口的36.7%,占岛内生产总值的 20.2%。台湾对大陆贸易依存度达18%,出口依存度达 25.9%。在台商对大陆投资方面,1995 年至2004 年,累计审批台资项目 37186 个,合同台资 557.2 亿美元,实际利用台资 311.78 亿美元。与此同时,两岸"三通"也已取得不同程度的进展。同时,祖国大陆有关方面高度重视台湾同胞来大陆探亲、旅游、投资、就学、就业、居住等方面遇到的实际困难和问题,出台了一系列方便台湾同胞、保护台湾同胞正当权益的法律、法规和政策。各地各部门努力为台湾同胞服务,切实维护台湾同胞的正当权益。台湾民意调查显示,近 25% 的台湾人希望在大陆定居,常驻上海的台湾同胞就有三十多万人。两岸交流与往来的持续发展,加强了两岸经济、科技文化关系,增进了两岸同胞的共同利益,密切了两岸同胞的联系。

《反分裂国家法》出台,"连宋"成功访问大陆,让大家进一步看到了两岸合作的光明前景。2005 年 4 月 29 日,中共中央总书记胡锦涛和中国国民党主席连战在北京举行正式会谈。胡锦涛就发展两岸关系提出四点主张:第一,建立政治上的互信,相互尊重,求同存异;第二,加强经济上的交流合作,互利互惠,共同发展;第三,开展平等协商,加强沟通,扩大共识;第四,鼓励两岸民众加强交往,增进了解,融合亲情。

认真贯彻和落实胡锦涛总书记提出的四点主张,就要进一步扩大两岸交流与合作,努力把希望寄予台湾人民的方针落到实处,还要深化、扩大两岸经贸合作,两岸人员往来与交流、推进两岸的"三通"。为两岸科教创新活动创造更好的环境和条件,使两岸发展成为接近于海峡经济区型的经济形态,展现出共赢的发展前景。

参 考 文 献

[1] H. Hakea, Synergetics—An Indrodetion, Shtugiter University Press,1977.

[2]郭治安、沈小峰:《协同论》,山西经济出版社 1991 年版。

[3]〔美〕尼尔·端克曼等:《合作竞争大未来》,苏怡仲译,经济管理出版社 1998 年版。

[4]雷德森:《科学研究中的协同效应》,《科学学研究》1992 年第 3 期。

[5]陈晓田等主编:《高技术与高技术产业化》,西北大学出版社 1998 年版。

[6]沈泰瑄:《"五缘六求":充分发挥福建对台优势》,《人民日报》2005 年 9 月 10 日。

[7]叶穗瑜:《台湾发展高科技的特点》,《海峡科技与产业》2000 年第 4 期。

[8]杨德明:《论台湾加入 WTO 后两岸产业合作》,《海峡科技与产业》2000 年第 6 期。

[9]张景安:《中国科技工业园区在创新中崛起》,《中国高新技术产业导报》2000 年 9 月 26 日。

[10]雷德森、黄敬前:《高技术产业化道路探索》,人民出版社 1995 年版。

[11]《〈中国科技发展研究报告〉综述:科技全球化大潮澎湃》,《科学时报》2000 年 12 月 21、22、26 日。

[12]《胡锦涛与连战会谈新闻公报》,《人民日报》2005 年 4 月

30 日。

[13]《胡锦涛就新形势下发展两岸关系提出4点主张》,《人民日报》2005年4月30日。

[14]《胡锦涛就改善和发展两岸关系再提出4点看法》,《人民日报》2005年5月13日。

[15]陈云林:《坚决反对"台独"分裂活动 努力争取祖国和平统一的光明前景》,《求是》2005年第4期。

[16]陈峰:《美国的高技术产业竞争战略及其对我国的启示》,《科学学研究》2005年第5期。

第二章　科技教育创新理论与政策

在世界新科技革命的推动下，知识在经济社会发展中的作用日益突出，科技创新成为推动区域经济发展的重要力量，世界各国尤其是发达国家纷纷把推动科技进步和创新作为国家战略，积极推动科技创新。科技创新与教育创新既相辅相成、相互促进，又相互影响、相互制约，具有很强的关联性。推进教育创新与推动科技创新一样具有全局性、基础性的意义。实施科教兴国战略和人才强国战略，要把科学技术和教育真正摆在现代化建设中优先发展的战略地位，就必须加快国家创新体系建设，从政策、体制、机制、环境等各个方面积极推进科技创新与教育创新，使科技创新和教育创新在一种良性的互动中协同发展，进而推动区域的经济和社会的协调、持续发展。

第一节　创新理论的演进

技术创新理论是一种技术与经济一体化发展的观点，是对传统的经济发展理论框架的突破。当今科技进步已经成为经济发展的决定因素，技术创新是科技进步的核心，是推动经济发展的最主要力量。科技创新与教育创新密切相关，也与制度创新紧密相联系，制度创新也是推动经济发展的重要动力之一。

一、新的经济发展观

工业革命以来的历次产业革命表明,科学技术的发展与进步从来都是人类社会发展与进步的重要推动力量。然而,人们也发现,对于一个国家、一个地区、一个行业、一个企业而言,科学技术的实力或潜力固然是导致竞争优势的一个必要条件,但科技实力并不能自然而然地导致竞争优势。20 世纪 70 年代,先进的工业化国家经济增长减缓,而日本迅速成长为一支主要的经济和技术力量,当时,美国衰落了,欧洲又落后于美国和日本。同时,韩国等新兴工业化国家以及我国台湾省在某些尖端技术方面不断强大,使得越来越多国家或地区的企业具备了参与国际技术竞争的能力,许多发展中国家竞相效仿。可见,在世界许多国家和地区,科技实力并未带来相应的经济竞争优势。这种科技实力和竞争优势不完全对应的现象表明,把科学技术和经济发展作为两个彼此平行的系统而存在,把发展科学技术视为经济发展的外在因素,而忽略了科技进步与经济发展的内在联系。传统的理论框架未能科学地回答科学技术与经济发展的关系问题。

从理论上真正解决这一问题的是美籍奥裔经济学家熊彼特(Joseph A. Schumpeter)。他在其成名之作《经济发展理论》(Theory of Development,1912 年)一书中首先提出创新理论。他认为,创新是指新技术、新发明在生产中的首次应用,是指建立一种新的生产函数或供应函数,是在生产体系中引进一种生产要素和生产条件的新的组合;经济发展是来自内部自身创造性的关于经济生活的一种变动;创新是一个内在因素,要靠企业家来组织实现,只有一个人实际上"实现新组合",即实现创新时,才可以被称为企业家。他还把创新的内容概括为五个方面:(1)引入新产品或提供产品的新质量;(2)采用新的生产方法（主要是工艺）；(3)开辟新的市场；(4)获得新的供给来源（原料或半成品）；(5)实行新的组织形式。

历史要等待很久很久。半个多世纪之后，即20世纪70年代和80年代，创新理论，特别是技术创新问题才引起主流经济学、管理科学和科技政策学者的广泛关注，出现了一些设计技术创新的专门研究领域。这些创新思想主要包含三种理论观点：其一是创新起源的技术推动说。无论新构思、新技术来源于企业家个人还是大公司的研究与开发实验室，都是技术创新的源泉；其二是关于厂商规模与创新的关系。创新的回报常常与规模相关，因而大企业在创新活动中起着更重要的作用；其三是市场结构与创新的关系，即刺激创新要有理想的市场结构。弗里曼（C. Freeman）将这些研究称为"新熊彼特主义"。与熊彼特相比，他们更注重创新的扩散过程中的改进和发展，更着眼于创新的机制，其目的在于提高创新的有效性，从而为创新实践和经济发展提供指导意义。

20世纪中后期以来，科学技术突飞猛进，产品、工艺和组织管理方面的各种创新成为经济发展的主要因素，创新理论成为一种新的经济发展观。没有创新就没有经济发展。因而，技术的发展，技术在生产中的应用，以及由此带来的经济发展，可以统一于一个技术创新过程中。这种兼顾科技与经济发展的观点，提供了一种从根本上解决技术与经济相结合的系统理论观点和思想。技术创新理论是一种技术与经济一体化发展的观点。

根据对创新概念的理解，以及特定的研究需要，人们从不同角度对创新做了不同的分类。依据创新活动中创新对象的不同，可以把创新区分为知识创新、技术创新和制度创新等；依据创新活动中对象变化内在强度的差异，可以把创新区分为渐进创新和激进创新；依据不同创新主体之间的关系，可以将创新区分为自主创新、模仿创新和合作创新;依据创新方式的不同,可以把创新区分为单项创新和集成创新。还有的学者提出五种分类标准,将创新分为五类:一是按制度状态,分为程序化创新和非程序化创新;二是按创新的程度,分为全新型创新和改进型创新;三是按节约资源的种类,分为节约劳动的创新、节约资本的创新和中性的创新;四是按组织方式,分为独立创新、联合创新和引进创新;五是按英国苏塞克斯大学科学政策研究所的分类方法,分为渐进创新、激进创新、技术系统变革与技术经济范式变更。党的十六届五中全会明确提出自主创新类别包括原始创新、集成创新和引进消化吸收再创新三种类型,把增强自主创新能力作为科学技术发展的战略基点和调整产业结构、转变增长方式的中心环节,大力提高原始创新能力、集成创新能力和引进消化吸收再创新能力。这种分类实际上是在自主创新类型的基础上根据创新的技术来源做进一步分类。

本书依据创新发生的领域,将创新划分为科技创新、教育创新、文化创新等各种类型。

科技创新是科学创新和技术创新的总称,是在科学技术领域内的创新。科学创新即知识创新,主要是指基础理论的研究和应用的理论研究的突破和创新;技术创新是指与新产品的制造、新工艺过程或设备的首次商业应用有关的技术的、设计的、制造及商业的活动,是一个将新思想、新设计引入生产体系的过程。由于现代创新既是一个技术创新的过程同时也是知识创新的过程,而且现代的科学与技术日益成为一个有机的整体,因此技术创新在很大程度上也就是科技创新。

教育创新则是指在教育领域内的创新,是教育者为了推进素质教育、全面提高教育质量的目标,遵循教育发展的客观规律,对教育领域内不符合教育发展要求的教育观念、教育制度、教育内容、教育方法、教育管理等多个方面进行创新，从而使教育获得发展的活动。

二、创新与经济发展

科学技术是第一生产力，科技进步是经济发展的决定因素。发达国家的科技进步对经济增长的贡献率已经超过50%，一些发达国家以技术创新为核心的科技进步对经济增长的贡献率已达到60%以上。科技的本质在于创新，因此，创新与经济发展密切相关。随着经济全球化的发展，世界经济的激烈竞争日益取决于科技创新。科技创新已经成为推动经济增长的最主要力量。科技创新是提高资源利用效率的主要途径，是经济增长的主要源泉，也是优化产业结构的主导力量。同时，科技创新的进程决定着经济增长的长期趋势。可以说，科技创新已经成为现代经济可持续发展的第一动力。

科技创新的实现需要大批科技创新人才的支撑。而科技创新人才的培养与聚集又有赖于教育的创新与发展，因此，科技创新与教育创新密切相关。教育是发展科学技术和培养人才的基础，在现代化建设中具有先导性、全局性作用。要培养造就数以亿计的高素质劳动者、数以千万计的专门人才和一大批拔尖创新人才，就必须全面贯彻党的教育方针，深化教育改革，坚持教育创新，全面推进素质教育。教育创新也成为推动经济发展的重要动力。

制度是制约创新的重要因素。制度创新可以有效地促进经济增长，这已被诺斯等新制度经济学学者们的研究所证明。生产要素间的交易费用是制度建立的基础。专业化和劳动分工在促进技术进步的同时，也增加着生产要素间的交易费用，而且在一般情况下，技术越发达，交易范围及其复杂程度越高，交易费用就越大。如果不消除逐渐增大的交易费用，便会阻碍技术进步生产力功能的实现，并致使经济停滞乃至衰退。制度创新正是通过提供把交易费用降低到可操作水平程度的法律、秩序,以保证与先进技术相关联的生产活动得以运行。这种创新使给定状况的生产力潜能得到释放,并由此实现经济增长。制度创新能够促进经济增长,还在于它不断提供着对个人或组织进行生产性活动的激励。可以说,制度创新也是推动经济发展的重要动力。

制度创新与科技创新之间的关系既互相支持又互相制约,具体体现在两个方面:一方面特定的知识和技术状况,决定着制度创新的边界。在这种知识或技术状况下,制度创新对经济增长的贡献渐趋微弱,进一步的制度创新则取决于知识以及技术的进步(科技创新),因此,科技创新是推动制度创新的重要因素;另一方面科技创新要受制度创新的约束,既定的制度创新同样确立了科技创新的边界。在这种框架下,技术或知识创新对经济增长的作用终被遏止,此时制度创新成为进一步技术或知识创新的先决条件。在一定意义上,制度创新甚于科技创新。

第二节 科技创新理论及政策分析

对科技创新的研究,可以从科技创新系统的结构、创新的运行机制、创新环境、科技创新的测度以及促进科技创新的各种政策等方面进行。

一、科技创新及其系统

1. 科技创新系统

随着科学技术的迅猛发展和研究的不断深入,创新行为的系统性在人类实践中越来越集中地得到体现,人们对这种系统性的认识也在不断深化。对创新概念的理解从狭义走向广义,对创新的研究也从“部分”走向了“系统”,到 20 世纪 80 年代后期,一种创新研究的系统范式渐趋明朗,创新研究的“系统范式”通过关于国家创新系统的研究得以展现和确立,并延伸到区域创新系统和跨国创新系统。

根据研究层次和范围的不同,可以把科技创新系统区分为国家科技创新系统和区域科技创新系统,区域科技创新系统作为国家创新系统的重要组成部分,体现国家科技创新系统的层次性特点,是国家科技创新系统在区域层次上的延伸。

无论是国家科技创新系统,还是区域科技创新系统,都是由创新的执行机构、创新基础设施、创新资源、创新环境等要素构成的。企业是创新活动的主体,是创新资源投入和技术开发的主力军;大学和科研机构是知识创新和知识传播的圣地,是产生新知识、新技术的源泉;科技中介机构是创新活动的桥梁,是区域创新系统的重要环节。创新基础设施包括国家技术标准、数据库、信息网络、大型科研设施和图书馆等基本条件。创新资源指人才、知识、专利、信息资源和资金。创新环境是国家法律、法规和政策、管理体制、市场和服务的统称。

2. 科技创新的机制

科技创新的机制包括科技创新的动力机制、激励机制、过程机制、合作创新机制、创新集群机制、模仿创新机制等内容,与技术创新的扩散、技术创新的测度等都是技术创新理论的核心问题。其中动力机制是本章研究的重点。

熊彼特提出创新理论以来,各国学者对科技创新的动力机制的认识也在一直不断地深化,从一元论到二元论、三元论、四元论、五元论,多元论,以及国家创新系统理论,并提出了各种模型。

早期比较有代表性的一元论观点,包括两类:一类是科技发展推动技术创新,包括熊彼特在内的一些经济学家认为,科学技术上的重大突破都会引起技术创新活动。V.布什则在其著名报告《科学——无止境的前沿》中明确说明:新的工艺是以新的概念为基础,而这些新的原理和概念,是由基础科学的研究生成的。该模式可以表述为:基础研究→应用研究与开发→生产→销售→市场需求。支持技术推动的典型例子有激光的发明。另一类是市场拉动技术创新,认为社会需求是技术创新的决定因素。提出市场拉动理论的是美国经济学家施穆克勒(J. Schmookler)。他在主要考察了美国炼油、造纸、铁路和农业 4 个产业的投资、产出和这些行业专利数量的关系后得出结论:专利活动基本上是追求利润的经济活动,它受市场需求的引导、制约。技术创新是在市场需求的引导下追逐高额利润的经济活动。学术界称施穆克勒的理论为技术创新的市场需求引导模型,即市场需求→销售→研究开发→生产(见图 2—1)。支持需求拉动的典型例子有晶体管的发明。

图 2—1 施穆克勒市场需求引导的技术创新过程模型

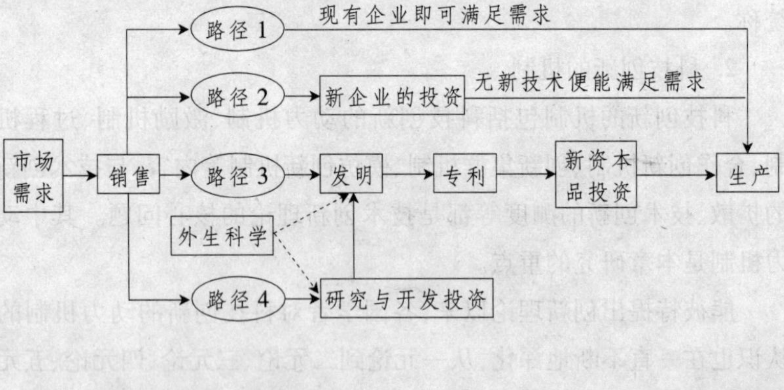

以上两种模式双方各自强调了技术供给和社会需求的重要性,都有一定道理,但又都有不足之处。在否定了科学与创新之间的线

性关系后,学者们又提出了折中的双重推动模式,即二元论,认为技术创新是由技术推动与市场拉动相互作用共同产生。在大多数情况下,成功的技术创新取决于科技推动与市场需求拉动的有效结合。现在,技术和市场互相推动技术创新的观点受到了很多人的推崇。如莫厄里和罗森堡认为,科学技术作为根本的、发展着的知识基础和市场需求的结构,二者在创新中以一种互动的方式起着重要的作用。罗森堡还认为,创新活动由需求和技术共同决定,需求决定了创新的报酬、技术决定了成功的可能性及成本。

此后还出现了种种多元论。三元论认为除上述两方面因素外,技术创新还需要政府行为的有效启动,提出技术创新的政策驱动模式。四元论则认为,创新的主体是企业家,企业家的远见卓识、偏好、冒险精神以及人格魅力等也是推动技术创新的一种动力,是技术创新的一个独立动力源。20 世纪 80 年代初,英国经济学家多西(Dosi. G.)提出了技术规范——技术轨道模式。日本学者斋滕优提出了 N—R 关系模式,认为技术创新的动因在于社会需求(N)和社会资源(R)的矛盾或瓶颈。此外,还有些学者提出了 E(企业家,enterpriser)—E(环境,environment)动力机制模式,EPNR 模型(一种综合动力机制模型,包括企业、政策、需求、资源等要素)、期望理论模型,等等。

随着对创新源泉和推动机制的深入研究,1987 年弗里曼(Freeman C.)在对日本技术政策和经济绩效的研究中,提出了"国家创新系统"概念。其后,国家创新系统的理论研究在纳尔逊、伦德沃(Nelson & Lundvall)等人的努力下得到进一步的发展和完善。国家创新系统理论的提出,从宏观和系统的层面丰富了创新理论,并为技术创新向纵深发展提供了理论支持。

从技术创新的动力角度看,国家创新系统首先强调了创新是一个系统化的行为，它不仅涉及企业，也涉及科研部门、教育部门和政府，这表明创新的驱动作用是来自创新系统的各个要素，缺少某个环节都将会导致创新的失败。其次，国家创新体系强调了制度创新和组织创新在促进技术创新上的重要性。创新所处的环境和制度可能会对创新行为起约束或激励作用。可见，国家创新系统理论从系统和制度层面给出了创新的形成和作用机制，是对现实创新活动更为真实的反映。

当前，我国大中型企业虽然承受巨大的社会需求压力技术推力和市场拉力并不小，政府也出台了许多政策措施进行引导和激励，但由于企业本身还没有真正成为技术创新的主体，缺乏内在驱动力，这是当前我国企业技术创新的最大障碍。因此，促使企业真正成为技术创新的主体是国家创新体系建设的一个关键任务。

3. 科技创新的环境

创新环境是国家法律、法规与政策、管理体制、市场与服务等多方面的统称。在科技创新系统中，企业是科技创新的主体，但我国企业的主体地位还没有真正确立起来。在确立了企业是创新主体的前提下，创新环境便是决定因素。创新环境包括基础设施水平、市场的大小、劳动者的素质、为企业创新提供金融支持的能力以及创业水平都是制约创新的重要因素。在我国初步建立起市场经济体制并正在进一步完善的情况下，政府的主要作用已经不是去从事或干预企业的科技创新，而是为企业的科技创新创造良好的创新环境。

对作为创新主体的企业来说，它所面临的创新环境包括制度环境、政策环境、市场与法制环境、教育培训环境、情报信息与服务环境、基础研究与应用研究环境以及国际大环境等多个方面。其中，教育培训环境、基础研究与应用研究环境、情报信息与服务环境等是创新的基础环境，而制度环境、政策环境、市场与法制环境是更高深层次的创新环境。

4. 科技创新的测度

对科技创新进行测度是科技创新理论的一项重要内容。对科技创新的测度或评价，现在通常是通过科技创新能力的评价来进行。清华大学经济管理研究所承担的"中国技术创新理论研究"项目（国家自然科学基金"八五"重大项目）提出了基于阶段的技术创新过程测度框架，并进行了实证研究。研究提出技术创新能力可分解为创新资源投入能力、创新管理能力、创新倾向、研究与开发能力、制造能力和营销能力等六个能力要素，评价企业技术创新能力的指标体系应由技术创新能力要素指标和技术创新产出指标构成。

而中国科技发展战略研究小组在《中国区域创新能力报告》中提出：区域技术创新能力主要由知识的创造能力、知识的流动能力、企业科技创新能力、创新的环境以及创新的经济绩效即创新的产出能力等五个要素构成。相应地，对一个地区的区域创新能力的评价根据这五个要素构建评价指标体系，上述五个要素构成五个一级指标。每一个一级指标下又设有若干个二级指标，某些二级指标再根据需要设有若干个三级指标，这样构成一个区域创新能力指标体系，来完成对区域创新能力的测度。本书参照这种方法，根据研究内容建立起科技创新能力评价指标体系，以对闽台的科技创新能力进行评价和比较研究，并探讨闽台两地协同科技创新的可能性。

二、科技创新政策研究

1. 科技创新政策的概念及内容

科技创新是一种在一定的制度、组织和文化背景下进行的活动，而市场又很难使创新活动处于社会需求的最优水平，所以，世界各国都采取各种政策来推动本国的科技创新。科技创新政策是各个国家产业政策的重要组成部分。

从概念上说,英国学者罗斯韦尔定义为创新政策是指科技政策和产业政策协调的结合。但这一概念过于偏窄,所以我国学者柳卸林认为,创新政策是政府为推动技术创新活动的各种政策的综合,其中技术政策和产业政策中有关推动创新的部分,是创新政策的核心。

一般认为,政府干预科技发展的合理性主要是因为在技术发展过程中存在着"市场失效",同时我国的市场还存在着不完善的情况。因此,要纠正科学技术领域的市场失效或者市场的不完善,一个可行的方法就是由政府出面对整个社会中科学技术活动的方向、规模以及速度进行干预,从而使之朝着社会收益最大化的方向发展,并平衡社会收益率与私人收益率之间的差距。这种政府干预就是科技政策。而科技创新政策其实就是政府为了推动科学技术创新,克服各种市场失效现象而采取的旨在促进科学技术知识的产生、扩散及其应用的各种措施、法规、计划等指导性文件的总称。它主要包括两个方面的内容:

其一,促进科学技术知识产生的政策措施,包括人力资源培训、研究与开发补贴、保护知识产权、提供科学技术基础设施等,其主要目的是推动科学技术探索活动,从而获得更多的科学技术知识。

其二,促进科学技术知识的扩散及其应用的政策措施,其主要目的是促进科学技术知识从科学技术知识的生产者向使用者的转移或者流动,从而使科学技术成果能够尽快地在实际生产和生活中得到推动和应用,即转化为现实生产力。

从目前各国创新政策的实践来看,创新政策大体包括以下几个方面:政府对科学研究和创新活动的直接拨款,促进高技术发展和传统技术改造的各种大型技术计划、各种财政金融手段如贷款、补贴、减免税、风险投资等,对研究范围的协调,专利系统的改善,减少市场的不确定性和不完备性，鼓励创新活动的各种资金和奖励措施，为创新活动创造良好环境的宏观和微观经济管理，各种教育培训计划等。

2. 发达国家的科技创新政策

虽然西方许多国家都是市场经济国家，但市场在各国的创新活动中所起的作用并不相同，创新政策也各不相同，这就造成了各国创新速率和创新效果的不同。美国、日本和欧盟各国的科技创新政策是比较典型的例子。

美国基本上是一个信奉市场万能的资本主义国家，一直是以市场竞争择胜者的做法为创新配置资源。联邦政府常以直接资助、法律、法规等创新政策手段，而不是政府的产业政策或直接参与推动工业技术创新。美国的技术创新政策主要包括研究与开发的财政刺激政策、美国各级政府的公用采购政策、中小企业政策、风险资本政策以及政策管制政策等。这些技术创新政策是美国用以刺激和促进技术创新活动的主要政策手段。20 世纪 80 年代以来，这些政策在美国日趋完善，对于促进美国技术创新政策的战略转变起着非常重要的作用。总体上，美国在联邦政府层次上实施的创新政策有以下几个特点：(1)强调资助基础科学，以推动创新。美国政府长期以来把基础科学置于重要地位，使之在基础研究的许多领域处于世界领先地位；(2)美国历届政府制定了许多有关创新的法律、法规，包括较为健全的保护软件和知识产权的法律、法规，建立起了较为完备的法律体系，这为创新提供了法律保障和良好的创新环境；(3)美国的税收政策、政府订购、国防工业都在对工业创新起着巨大的推动作用。

日本的创新一直有着与美国截然不同的特色。美国是一个以新产品创新为主的国家，日本则偏向于过程创新，渐进创新。日本的科技创新政策可以分为两大类：其一，以直接促进研究与开发活动和技术进步为目的而实施的政策，如对研究与开发活动的直接补贴等；其二，虽然是为达到其他目的而实施的政策，但其结果对于研究与开发活动和技术进步具有很大影响，包括宏观财政金融政策、禁止垄断政策和各种限制等。日本政府比较偏好研究与开发的财政刺激特别是研究与开发补贴、专利政策和政府协调政策等技术创新政策。比较而言，风险资本政策和中小企业政策等在日本政府的技术创新政策中所发挥的作用并不是很大。与美国强调通过市场机制来使技术创新政策发挥作用相比，日本的技术创新政策带有明显的政府推动和计划性色彩。

欧盟各国的创新不尽相同。英国原本较强调政府在创新中的作用，但自20世纪70年代中期以来，在“撒切尔主义”影响下，它跟随美国，改变了原来的做法，把重点放在制定法律、法规上，为企业创造创新环境。而法国的做法与日本较相似。它有一套极为清晰的发展高技术、新技术的战略，政府对许多高技术项目给予直接资助。此外，欧洲还有许多跨国的高技术合作研究项目，“尤里卡计划”便是著名的一例。经过多年成功与失败的尝试，欧洲各国现在一般将政府的决策目标放在以下几个方面：(1)在竞争前的研究阶段，重点放在以下三类技术上：信息和通讯技术、新材料和生物技术；(2)在商业化阶段，重点放在技术对整个工业的传播、扩散；(3)承认在发展以科技进步为基础的新工业活动中，风险投资在企业的诞生中起着十分重要的作用；(4)注意到创新和扩散问题的国际性，给予国际合作以最优先的考虑。

第三节　教育创新理论及政策分析

百年大计，教育为本。要实现全面建设小康社会和中华民族伟大复兴的宏伟目标,必须坚持实施科教兴国战略和人才强国战略,把教育摆在现代化建设优先发展的战略地位。近年来,在党中央、国务院的正确领导下,教育事业实现了跨越式发展,教育改革取得了突破性进展,国民受教育程度逐步提高。但是,教育面临的挑战依然十分严峻,整体水平离实现全面建设小康社会目标还有很大差距。因此,教育创新具有十分重要的意义。要使我国的教育发展与我国的经济、社会发展相适应,特别是要把我国建设成为创新型国家,必须持续不断地推进教育创新。

一、教育创新概念的界定

教育创新概念已为人们所广泛使用,但其含义并不明确,缺乏严格的定义,大多是在模糊的含义上引用,所以教育创新几近于教育改革、教育革新等名词,存在着被泛化的问题。那么,如何界定教育创新呢?

从现有文献来看,不少学者像对待教育改革一样对待教育创新,很自然地接受并使用了这些概念。也有为数不多的学者界定过教育创新,但也多为"教育创新是教育的变革"这类的同义反复。张立昌认为,教育创新是教育的变革。它是指一个国家和民族的教育在实施的过程中,不断地创造、运用先进的思想、科学的方法、新颖的手段和技术,革除传统教育观念和模式中陈腐落后的东西,在其各个方面、各个层次上建立和形成具有生机和活力的运作机制和模式,实现教育改革的过程。

邓友超、李小红认为,教育创新的对象是既存的教育诸范畴,包括教育思想、教育制度、教育要素(含教学、课程、评价)、教育资源(含人力资源和物力资源)等。教育创新的特点是:具有持续性、主动性、动态性、积极性、实践性等;教育创新是一个与教育改革很相近的概念。教育创新与教育改革是相互联系的:教育改革是教育创新的基础,教育创新是对教育改革的超越。但是,二者又在基础、对象、模式、性质等方面存在着明显的不同。因此,他们把教育创新界定为:对既存教育诸范畴进行持续性改革的自觉自为的积极的动态实践活动。

张武升在对创新与创造等概念分析研究的基础上提出,创新是一个综合的概念,是包括教育在内的各种社会事物进步与发展的共同因素,即创新是指主体(人)为了一定的目的,遵循事物发展的规律,对事物的整体或其中的某些部分进行变革,从而使其得以更新与发展的活动。基于对创新本质的认识,张武升提出:教育创新是主体(人)为了一定的目的,遵循教育发展的规律,对教育的整体或其中的某些部分进行变革,从而使教育得以更新与发展的活动。

可以认为,教育创新是指在教育领域内的创新,是为了推进素质教育、全面提高教育质量的目标,遵循教育发展的客观规律,对教育领域内不符合教育发展要求的教育观念、教育制度、教育内容、教育方法、教育技术、教育管理等多个方面进行创新,从而使教育获得发展的活动。

二、科技创新呼唤教育创新

改革开放以来,我国经济、科技、教育等各方面迅速发展,社会全面进步,综合国力有了很大提高。毋庸讳言,我国在科技、人才和教育等方面尽管都取得了巨大进步和成绩,但从教育的现状与时代的要求、人民群众对教育的需求来看,我国教育发展仍滞后于科技发展,同时也滞后于人民群众对教育的需求和消费能力。从总体上看,我国科学技术比较落后,缺少具有国际领先水平的创造性人才的局面并未得到根本改观,已经成为制约我国民族创新能力和竞争力的主要因素。可见,我国科技创新的发展强烈呼唤着教育创新。

党的十六大提出了我国全面实现小康社会,基本实现现代化的奋斗目标。要实现这一宏伟的目标,科技与教育是关键。科学技术是第一生产力,科技进步是经济发展的决定因素,而科技的本质在于创新。随着经济全球化的发展,世界经济的激烈竞争日益取决于科技创新,特别是创新人才的培育和聚集,而造就创新人才又有赖于教育的创新和发展。科技创新的发展也强烈呼唤着教育创新。

而现实情况是:我国教育观念陈旧落后、教育体制僵化一直在制约甚至是扼杀教育创新的发展。中央教育科学研究所蒋国华研究员认为,我国科技水平上不去的原因不仅仅是科学家本身的事,也与我国的教育水平落后有关。许多人认为我国的基础教育在世界上处于一流水平,美国的基础教育水平是很差的;我国的高等教育是比较落后的,在世界比较的水平上是不高的;而美国的高等教育水平在世界上是一流的。但事实并非如此。时至今日,我国依然多的是人口,缺的是人才。其中,一流大学和一流的科技人才尤缺。我国的教育水准制约着人才水准,我国的人才水准又制约着科技水准。

因此,要实现新世纪中华民族的伟大复兴,我国的科技和教育面临着巨大的挑战。应对这一挑战的对策首先是大力推进科技创新和教育创新:要拥有一流科学,就要有能创造它的一流人才;要拥有一流人才,就要有能孕育他们的一流教育!因此,加快教育创新和科技创新,是我国面临的一项十分重要而又紧迫的战略任务。因此,我们应该立足于我国的现实,认真反思现行的教育观念、教育体制、教育内容、教育方法、教育管理等方面所存在的问题,大力推进教育创新,使我国的教育能够适应社会主义现代化建设的需要,为我国最终实现现代化以及中华民族的伟大复兴奠定坚实的基础。

三、教育创新的内容要求

教育改革的根本方向和指导思想是坚持邓小平同志提出的“三个面向”——“面向现代化,面向世界,面向未来”。教育创新要根据教育改革的根本方向和指导思想,从教育观念、教育体制、教育内容、教育方法以及教育管理等各方面全面推进。

1. 教育观念创新

教育创新首先是教育观念创新。教育观念创新即教育观念的变革,实质上是对传统教育思想观念的扬弃或超越。教育观念创新的过程,是继承和批判传统教育思想,总结现实教育改革实践,提炼体现时代精神的新的教育思想和观念的过程。

教育作为人类一种有目的、有计划的自觉行为,总是在一定的思想观念指导下进行的。有什么样的教育观念,就有什么样的教育活动。古今中外教育的不同,首先是教育观念的不同。我国传统教育观念一直把学生看做是教育的被动承受者,由教师来精心雕塑;片面强调教师的作用,忽视学生主体的能动性;片面强调知识的传授,忽视能力,特别是创造能力的培养;把教学过程仅仅看成是知识的授受过程,忽视在这个过程中情感的培养、思维的启迪和方法的掌握;主观地把培养模式简单划一,强调共性教育,忽视个性教育;喜欢顺从、厌恶求异,注重模仿,忽视创造等。这种传统的教育观念造成了教师采用“填鸭式”教学方法,学生死啃书本上的知识,机械地完成课堂作业,单纯以“高分”、“升学”作为衡量成效的标准,这样的教育方式难以培养出有创新能力的人,同时对发展现代教育也不利。

因此,教育观念创新成为教育创新的首要任务和当务之急,教育观念创新是教育创新的先导和动力。没有教育新观念的萌动,没有普遍的心理氛围,没有变革现实的要求,没有勇于创新的胆略,就谈不上教育创新。教育创新要取得成功，首要的问题是使教育工作者确立培养创造型人才的素质教育目标，使社会特别是学生和老师更新传统教育思想，转变旧的教育观念，树立和弘扬教育个性化观念、大教育观念、终身学习观念、教育国际化观念、办学多样化观念等现代教育观念，并积极主动地投身到教育创新的活动中去，促使从单纯传授、继承已有知识为中心的传统教育向着重培养学生创新精神和创新能力的现代教育转变，真正使受教育者成为具有扎实的知识基础、合理的能力结构、灵活的思维方式和健全的人格特征的全面发展的人。从教育观念创新的内容上看，要从以下四个方面实现根本性的观念转变：从一次教育向终身教育观念的转变；从应试教育向素质教育观念的转变；从传统封闭式教育向现代开放教育观念的转变；从以教师和课堂为中心向以学生和自主学习为中心观念的转变。从而以教育观念创新带动整个教育创新。

2. 教育体制创新

教育创新的关键是教育体制创新。教育创新的实现需要创新主体得到必要的制度保证，制度是制约教育创新的关键因素，其中体制创新又是制度创新的关键。江泽民同志曾经指出，进行教育创新，关键是通过深化改革，不断健全和完善与社会主义现代化建设要求相适应的教育体制，扫除制约教育发展的体制性障碍。

改革开放以来的二十多年应该是教育改革与发展的极好时期，虽已取得了巨大成就，但也暴露出很多明显的、迫在眉睫的问题，甚至在教育界内外已形成共识，但就是突破不了。原因固然是多方面的，但关键还在于制度因素。现行的教育体制仍然是一种计划经济型的教育体制，存在着一些根本性的制度缺陷，如学生学习质量的评价制度（主要以考生考试分数评定学生学习质量）、全国统一高考、分省统一招生的制度、高度集中统一管理的管理体制等，这些都体现出很强的计划性特点，与我国社会主义市场经济体制很不相适应。现行的教育体制由于自身存在的这些根本性缺陷，不可能为教育创新的行为主体提供必要的制度保证，而且僵化的教育体制严重扼杀了教育创新的积极性。因此，推进教育体制创新就成了教育创新的一项关键任务。在这种意义上，教育创新其实在很大程度也就是教育体制创新。

推进教育体制创新，关键是要在教育观念的转变后确立新的教育运行机制，形成新的面向市场的教育体制。教育体制创新，可以从以下几个方面着手：(1)理顺政府与社会的关系——建立“小政府、大社会”的格局；(2)明晰所有权与办学权的关系，实现所有权与办学权的分离；(3)界定政府与学校的角色——创建一种平等的契约关系，把学校与政府的职能分开；(4)推进教育管理体制改革，划分各级政府的能级，建立层次分明的管理层级；(5)培育教育市场，把受教育者的选择作为办学的基本取向。

3. 教育内容创新

教育内容创新是教育创新的核心，教育内容要充分吸纳自然科学、人文社会科学的最新成果，跟上日新月异的科技进步。教育内容创新包括许多方面，但最主要的方面体现在教育的课程创新上。因为，教育创新的目标、方向最终必然落实在具体的课程中，通过课程的创新来体现。就学校的教育而言，课程是学校教育的核心，是学校一切教育活动的媒介和载体。没有课程教材的创新，教育创新的目的就难以实现。从近几十年来国际教育的改革浪潮来看，课程的改革与创新，也是世界各国教育改革的重心。因此，教育课程创新是教育内容创新的最重要的内容，处于教育创新的核心地位。

我国现行的课程体系与教育创新的要求是不相适应的，主要表现在：现行课程忽视课程的创新价值；课程目标缺乏对学生创新素质培养的明确要求和具体规定；课程结构不尽合理；现行课程门类过多，课时量过大；课程内容脱离学生生活现实和社会现实；课程对教师、学生与课程教材的关系，在认识上也存在偏差；此外，现行课程缺乏课程创新的环境，等等。

因此，必须推进教育课程创新，构建起与教育创新相适应的课程体系。在创新策略上，一是要加强课程理论研究与课程专业队伍建设；二是要改革课程管理体制，建立国家、地方、学校三级课程体制；三是要变革课程形态，完善课程类型；四是要更新课程内容，面向生活，面向社会；五是要把创新作为一项基本原则贯穿在课程编制与实施的各个环节；六是要让教师参与到课程创新的全过程中来；七是要创造宽松适宜的课程创新环境；八是要引入市场机制，充分发挥出版社的作用。

4. 教育方法创新

教育方法创新是教育创新的一个重要组成部分。任何教育活动都要通过一定的教育组织形式，采用一定的教育方法才能达到教育目标。传统的教育方法是一种理论原则教育，重理论、轻实践，所造成的最大恶果是造成学生思维模式的框架化、教条化，缺乏创新能力。现代信息、网络技术和传播技术的兴起和运用，对传统的以教师为中心、教材为中心、教室为中心的教育教学模式产生了巨大的冲击，从根本上改变了人们对“教”、“育”和“学”的看法和做法。因此，要充分利用现代科学技术手段，特别是要通过积极利用现代信息和传播技术，大力推动教育信息化，促进教育现代化。进一步完善学校的计算机网络，加快数字图书馆等教育公共服务体系建设，从而大力提高教育的现代化水平。

就我国的中小学教育而言，除教学内容上存在问题外，在教学方法上也同样存在着很大的问题。除陈旧的课程设置和教材内容外，再加上“应试”教育的引导，教师教学方法上基本上是照本宣科，采取填鸭式的“时间+汗水”的满堂灌方式。在高等教育的教学方法上，大多采用学生听教授讲这种传统的教学方式，而缺乏专题研讨、实践研讨、案例分析和实习等西方高等教育中很重视的形式。

教育方法创新要树立多样性观念，适应教育内容和教育对象需要的就是好方法。要坚持平等的师生关系，教师不仅仅是传统意义上的教育者，更应当是青少年全面成才的指导者和引路人。在学生积极参与教育教学活动中，要相互激励、教学相长，激发学生学习的主动性、积极性和创造性。要坚持言教和身教相结合，教师要注重用求真务实、勇于创新、严谨自律的治学态度和学术精神，引导学生热爱学习、学会学习和终身学习。坚持学习书本知识和社会实践相结合，引导学生接触自然、了解社会、开阔视野、增长才干，在实践活动中消化和融合文化知识，培养锻炼动手能力。要鼓励学生从事科学研究，创造性地运用所学的知识，培养发现问题和解决问题的能力，体验成功的喜悦和创造性工作的乐趣。

要改革传统的教育教学方法存在的种种弊端，可以从采用创造教育的基本方法、启发式教学法、讨论式教学法等几个方面着手。教育方法很多，教育方法创新的目的，是要更好地沟通教师与学生之间教与学的关系，帮助学生学会学习，只要能达到这个目的的教学方法都可以拿来使用。

5. 教育管理创新

管理创新是教育创新的基础。教学管理是根据一定的教育目标和原则，对整个教学工作进行有序调节和控制的过程，是保证和提高教学质量的基本要素和关键环节。教学管理涉及内容广泛，具体可分解为诸多指标，仅从教学质量监测评价系统来说，就包含了教学计划的制定、教学任务的安排、教学质量的跟踪监测、收集各种信息、对信息进行统计分析、制定评价计划，并根据反馈信息和评价结果调整教学计划等。教学管理可被视为保证和提高教学质量的整合器，应不断地改革和完善，创造和建立新型的适应人才培养和素质提高的教学管理制度。

教师与教学管理人员的双向评价。一流的教学管理队伍可以从另一层面促进教学质量水平的提高，必须充分认识教学管理人员对推动教育事业发展的独特作用。要充分发挥教学管理人员的创造性，鼓励创新，推动改革，不断加强教学理论研究，运用教育教学的基本规律，注视教育发展的轨迹，关注和把握人才培养的新情况、新问题，勇于开展教育教学改革和试验。教学管理人员和教师共同承担着教育的使命，只是承担教育工作的角色不同，教师以传播知识、启迪思想为主，教学管理人员则是以如何最有效地整合、发挥教育资源的潜力为主。教学管理人员与教师一道参与学校的专业、课程、实验室等各项建设，同时还衔接和协调教师的教和学生之间的关系。而在教学管理的常规运行机制中，二者联系的纽带却是单向的，即教学管理人员搜集有关教学质量的各种信息，检查、分析和评估教师的教学水平及敬业精神。这种联系应是双向互动的，还应包括教师对教学管理人员的评价，这种评价可包括管理思想与态度、管理方法与形式、管理策略与效果等方面，积极的双向评价体系的核心作用将直接促进教学质量的提高。

实行教师挂牌、学生选教师制度。在加强师资队伍建设，提高师资水平的同时，激发潜能，充分调动教师的积极性。在公共基础课程及相关专业的共同基础课程中，先期有步骤地推行教师挂牌及学生选教师制度，打破传统的固定班级管理模式。对学生而言，可以根据自己的特点选择授课教师；对教师而言，课时津贴的发放与选课学生人数挂钩。其中，优质优酬和师生互动，是调动教师的积极性，改变传统模式中学生被动学习的基本方式。

四、教育创新的政策研究

邓小平理论和“三个代表”重要思想是我国进行教育创新的根本指导思想。坚持以人为本是党的十六届三中全会提出科学发展观的本质和核心。进行教育创新，必须遵循科学发展观，坚持以人为本，把人的全面发展作为教育创新的根本目标，为我国经济社会发展培育大批创新人才。

教育政策可以简要地定义为一个国家为实现一定历史时期教育发展目标和任务而制定的关于教育的行动准则。教育政策直接规范与指引教育发展。现代教育发展的一个基本事实是：教育发展总是在一定的教育政策的导引下进行。可以认为，教育创新政策是指国家为实现一定历史时期教育创新目标和任务而制定的关于促进教育创新的行动准则。

1983 年，邓小平提出了“教育要面向现代化，面向世界，面向未来”的号召，拉开了我国教育改革的序幕。这是改革开放以来最早的教育创新政策，为教育创新指明了方向。1985 年，《中共中央关于教育体制改革的决定》创造性地提出“教育必须为社会主义建设服务，社会主义建设必须依靠教育”，极大地促进了 20 世纪 80 年代中后期教育事业的发展。1993 年，为了适应建立中国特色社会主义市场经济的需要，中共中央、国务院又颁布了《中国教育改革和发展纲要》，提出了世纪末我国教育改革和发展的方针任务和总体思路。1995 年，中共中央、国务院颁布了《关于加速科学技术进步的决定》，为落实“科学技术是第一生产力”思想，党中央决定坚定不移地实施科教兴国战略，把科技和教育摆在经济、社会发展的重要位置。1999 年，中共中央、国务院颁布了《关于深化教育改革全面推进素质教育的决定》,就“两基”、“减负”等一系列问题进行了部署。教育部也先后推出“211 工程”、《面向 21 世纪教育振兴行动计划》等政策文件,这些都对我国的教育创新起到了很好的政策引导作用。在 1998—2002 年顺利实施《面向 21 世纪教育振兴行动计划》并取得显著成效的基础上,国务院于 2004 年 3 月 3 日批转了教育部《2003—2007 年教育振兴行动计划》。这一行动计划是教育系统为落实科教兴国和人才强国战略,加快教育改革与发展描绘的基本蓝图,将进一步推进我国的教育创新。

2002 年 9 月 8 日,江泽民同志在北京师范大学建校 100 周年庆祝大会上发表的重要讲话中明确地从全局性的层面提出了教育创新问题,将教育创新与理论创新、制度创新、科技创新摆在同等重要的位置,揭示了教育创新具有全局性、基础性的重大意义。江泽民同志指出:进行教育创新,首先要坚持和发展适应国家和社会发展要求的教育思想,确立与 21 世纪我国经济和社会发展需要相适应的教育观和人才观;要通过深化改革不断健全和完善与社会主义现代化建设要求相适应的教育体制;要推进素质教育,全面提高教育质量,即要改革教学的内容、方法和手段,完善人才培养模式,建立符合受教育者全面发展规律、激发受教育者创造性的新型教育教学模式,形成相互激励、教学相长的师生关系,努力创造有利于创新人才成长的良好教育环境和社会环境;要充分利用现代科学技术手段,大力提高教育的现代化水平;最后,还必须面向现代化、面向世界、面向未来,加大教育对外开放的力度,提高我国教育的国际竞争力。这些重要指示指明了教育创新是使我国的教育实现跨越式发展的根本途径。

2003 年 10 月,党的十六届三中全会通过的《中共中央关于完善社会主义市场经济体制若干问题的决定》进一步明确提出要深化教育体制改革,构建现代国民教育体系和终身教育体系,建设学习型社会，全面推进素质教育，增强国民的就业能力、创新能力、创业能力，努力把人口压力转变为人力资源优势。推进教育创新，优化教育结构，改革培养模式，提高教育质量，形成同经济社会发展要求相适应的教育体制。巩固和完善以县级政府管理为主的农村义务教育管理体制。实施全员聘用和教师资格准入制度。完善和规范以政府投入为主、多渠道筹措经费的教育投入体制，形成公办学校和民办学校共同发展的格局。完善国家和社会资助家庭经济困难学生的制度。这实际上是我国新阶段的教育政策，开启了21世纪我国教育改革事业的新阶段。

教育创新作为国家创新体系的重要组成部分，教育战线应根据国家创新体系的总体要求，推进教育创新：着眼于以全面素质教育为基础的创新教育体系和以创新意识、创新精神、创新能力为核心的人才培养机制，彻底改革"应试教育"的弊端；着眼于培养学生自主学习精神，强化学生良好独立阅读、独立思考的能力和习惯；着眼于培养学生善于发现问题、提出问题和解决问题的能力，鼓励学生敢于发表独立见解；着眼于培养造就更多的开拓型、复合型、创新型高素质人才，切实加强教育事业的发展；着眼于优化教育资源，调整布局结构，建立更加符合知识经济特点的人才培养体系；着眼于深化教育教学改革，不断提高各级各类教育教学质量和水平。新的世纪已赋予教育新的历史使命。

在教育体制上，要继续深化教育体制改革。改革的根本方向就是教育市场化。要打破垄断，形成办学主体的多元化，投资渠道的多元化，发展教育产业：一是学前教育、成人教育、职业教育主要由社会力量投资办学；二是普通高中教育，要尽快推进投资主体与办学主体的多样化，积极大胆地鼓励个人、团体、行业、企事业单位及外资自筹资金依法办学；三是普通高校要进一步开放高等教育市场，发展多元化的高等教育模式，即"国有公办"（传统模式）、"国有民办"（公有制性质，吸收社会名流及有关方面的代表组成董事会，实行董事会领导下的校长负责制）、"民有民办"、"合资合办"即股份制；四是小学及初中教育，以政府投入为主，采取"国有公办"模式。

在人才引进和管理体制上，也要进行政策创新。教育创新需要人才，一切教育创新最终都要通过人来实施，而现行的人才管理体制限制了创新人才的培养、引进和聚集，从而制约了教育创新，因此必须创新培养、引进和聚积创新人才的政策。在注重培养的同时，通过实施人才工程，大力吸引经济社会发展需要的创新人才，要转变用人观念，实施"不求所有，但求所用"柔性政策，为教育创新提供良好的政策环境。

第四节　科技创新与教育创新的关系

科学技术与教育二者之间有着十分密切联系，形成一个有机的整体。科技创新与教育创新之间既相辅相成、相互促进，又相互影响、相互制约。教育创新是科技创新的基础和根本保证；而科技创新的发展必然不断对教育创新提出更高的要求，不断促进教育创新的发展。要积极推进科技创新与教育创新，就必须让科技创新与教育创新在一种良性的互动中协同发展。

一、教育创新是科技创新的基础

科技创新系统是由创新执行机构、创新基础设施、创新资源、创新环境等要素构成的。在所有这些要素中，创新人才是第一要素，是最为根本和决定性的要素。没有创新人才，其他要素无论如何优越和完善,都不可能发挥任何实质性作用。而创新人才的培养要依靠创新的教育体系,因此,教育创新是科技创新的基础和根本保证。

教育创新对科技创新的基础和保证作用主要表现在三个方面。第一,只有通过教育观念的创新,才能培养出具有创新意识和创新品格的科技人才;第二,只有通过教育内容、教育方法的创新,才能培养出具有较高创新能力的人才;第三,只有通过教育体制、教育管理的创新,才能扩大创新人才培养的规模。当前,福建省经济持续、快速发展,急需从整体上全面提高科技创新能力,而科技创新能力的提高,又有赖于大力推进教育创新及创新人才的培养。

二、科技创新要求和促进教育创新

科技创新必然不断地对教育创新提出新的要求,并且对教育创新起积极地促进作用,同时科技创新也为教育创新构筑新的知识和技术平台。具体表现在以下五个方面:第一,科技创新为教育创新指明了方向。科技创新要求教育领域培养出大批具有创新能力的人才,教育创新必须以培养和提高学生的创新能力为宗旨,推进素质教育,强调教育与生产相结合,实现人才培养模式的转变,以适应科技创新发展的需要。第二,科技创新促进了教育观念的创新。科技创新产生了极为丰富的现代科技成果,这些科技成果促进了现代教育观念的革新,为现代教育提供了丰富的教育内容和现代化的教育手段,直接促进了教育创新的发展。现代网络信息技术的应用,使得传统的教育方式、方法发生变化,开始出现互动式教学等新的教育观念。现代远程技术的应用促进了远程教育观念的普及,使我国的现代远程教育蓬勃发展起来。第三,科技创新促进了教育内容的创新。科技创新要求教育内容的创新,推进教育内容的现代化。科技创新也为教育创新提供了丰富的内容。教育要适应科技发展的要求,必须不断地、及时地更新教育内容。例如,现代生物工程、基因工程、纳米技术的发展与创新,这些科技创新成果已开始进入教育内容中。第四,科技创新促进了教育手段的创新。科技创新为教育创新提供了新的手段。各种现代科学技术成果如计算机、电视、影像光盘、计算机光盘、计算机网络、多媒体系统以及卫星通讯等的运用为教育提供了丰富的现代化新手段,直接促进了教育手段的创新。现代多媒体技术的应用,使得教师可以在课堂教学时采用计算机和计算机辅助教学软件,帮助学生理解和记忆。现代网络信息技术的出现和应用改变了教学方式、方法,使教学更为高效。第五,科技创新促进了教育管理的创新。科技创新为教育管理提供了新的管理知识、管理模式、管理手段和管理方法。科技创新也促进了新的管理知识、管理手段和管理方法的产生,这使得教育管理者把新的信息技术、管理知识运用于教学、科研、文档、学籍、图书等管理中,实现教育管理的创新成为可能。当然,这就需要教育管理者必须具备新的教育管理思想和观念,并不断地去领略新的信息技术管理知识。

总之,现代通讯技术、计算机技术及网络技术等多种现代技术的应用,促使教育的观念、方法、内容和手段等各方面都发生了极其深刻的变化,科技创新直接促进了教育创新。

三、科技教育创新在互动中协同发展

科技创新与教育创新之间存在着既相辅相成、相互促进,又相互影响、相互制约的互动关系。一方面科技创新与教育创新相辅相成、相互促进。教育创新是科技创新的基础和根本保证,教育创新为科技创新提供创新人才和创新思想;而科技创新的发展也不断对教育创新提出更新、更高的要求,同时为教育创新构筑新的知识和技术平台,并不断对教育创新起着积极的促进作用。另一方面教育创新与

科技创新又相互影响、相互制约。落后的教育观念和教育方式制约了创新人才的培养和创新思想的产生，从而影响了科技创新能力的提高；而科技发展水平和科技创新能力较低，又制约教育观念、内容、手段和方法的创新。

要坚持实施科教兴国战略和人才强国战略，把科技和教育摆在现代化建设优先发展的战略地位，就必须积极推进科技创新与教育创新，就必须使科技创新和教育创新在一种良性的互动中协同发展：通过持续的教育创新，使科技创新水平不断提升；通过持续的科技创新，使教育创新不断地达到新的高度和水平，使教育创新和科技创新循环递进。每一次重大的教育创新或科技创新都使教育水平与科技水平实现新的提升，这种科技创新与教育创新的循环往复、不断地递进，推动着教育与科技可持续发展与社会全面进步。

高等院校是国家创新体系的重要组成部分，是教育创新的主体，也是国家科技创新队伍的孵化器。在实施科教兴国战略中，高等院校担负着培养创新人才和研发创新成果的双重历史使命，是推动科技创新与教育创新的最重要的主力军，教育创新和科技创新则是高等院校，特别是研究型大学的首要任务。国内外高等教育的实践表明，创新是大学可持续发展的根本动力，大学的进步是教育创新和科技创新协同发展的结果。

学科建设是推进科技创新与教育创新的协同发展的一个重要落脚点。一所大学能否在国内外众多高校中立足并脱颖而出，关键在于能否确立自己的优势学科，承担重大科研项目和取得重大科研成果。没有优势的学科，要实现科技创新，特别是实现原始性创新是不可能的。同样，只有通过不断的科技创新，才能保持学科发展的活力和动力，才能不断培养创新人才，才能很好地为经济建设和社会发展服务。学科建设的重点是抓好学科的重组、综合、交叉、渗透、融合，建设一批具有竞争力的科研创新团队,形成具有特色的一流学科和学科群。

重点实验室建设是推进科技创新与教育创新协同发展的另一个重要落脚点。重点实验室是培养高级创新人才的重要阵地。在国家创新体系建设中,国家重点实验室是最重要的核心力量,是国家组织高水平基础研究和应用研究,聚集和培养优秀科学家,开展学术交流为目的的重要基地,更是高校开展基础性科学研究的最重要的创新平台。目前,国家重点实验室共建立了164个,其中依托于高校的有106个,大约占2/3。经过二十多年的建设,国家重点实验室建立了一批科研创新团队,承担了一批重大研究项目,取得了一批重要的科研成果,并培养了一大批高层次创新人才。除国家重点实验室外,各部委所属的重点实验室、各省级重点实验室以及其他级别的重点实验室也是重点实验室建设的重要内容。重点实验室建设与学科建设密切相关,因此,必须把学科建设与重点实验室建设统筹安排,协同推进。

无论是学科建设,还是重点实验室建设,都离不开创新人才的支撑。因此,在协同推进科技创新与教育创新过程中,首先要抓好创新人才队伍的建设,特别是加强科研创新团队建设。通过学科建设和重点实验室建设等方面的教育创新,培养创新人才,以进一步促进科技创新。

参考文献

[1]李正风,曾国屏:《中国创新系统研究——技术、制度与知识》,山东教育出版社1999年版。

[2]陈茁、马扬:《综合的技术创新动力机制分析》,《科技与管

理》1999 年第 1 期。

[3]陈振权:《技术创新动力机制的理论发展及启示》,《现代经济探讨》2002 年第 8 期。

[4]沈满洪等:《经济可持续发展的科技创新》,中国环境科学出版社 2002 年版。

[5]王春法:《技术创新政策:理论基础与工具选择——美国和日本的比较研究》,经济科学出版社 1998 年版。

[6]柳卸林:《技术创新经济学》,中国经济出版社 1993 年版。

[7]冯之浚主编:《国家创新系统的理论与政策》,经济科学出版社 1999 年版。

[8]中国科技发展战略研究小组:《中国区域创新能力报告(2002)》,经济管理出版社 2003 年版。

[9]张立昌:《创新·教育创新·创新教育》,《华东师范大学学报》(教育科学版)1999 年第 4 期。

[10]魏中龙编著:《技术创新工程》,经济科学出版社 1996 年版。

[11]张武升主编:《教育创新论》,上海教育出版社 2000 年版。

[12]蒋国华:《科技创新呼唤教育创新》,《教育与现代化》2002 年第 1 期。

[13]弭文:《科技进步与教育创新》,《辽宁行政学院学报》2001 年第 3 期。

[14]邓友超、李小红:《教育创新的界定及相关概念辨析》,《教育实践与研究》2002 年第 3 期。

[15]许剑:《教育创新取决于教育制度创新》,《武汉水利电力大学学报》(社会科学版)2000 年第 5 期。

[16]潘郁:《中日高校运营个案比较和我国高等教育创新研究》,《南京化工大学学报》(哲学社会科学版)2002年第3期。

[17]田建国:《教育的希望在于创新》,《山东教育科研》1999年第10期。

[18]远德玉、陈昌曙:《工业企业技术创新的动力与能力研究》,载陈晓田、杨列勋主编:《技术创新十年》,科学出版社1999年版。

[19]清华大学经济管理研究所:《中国技术创新理论研究》,载陈晓田、杨列勋主编:《技术创新十年》,科学出版社1999年版。

[20]严汉平、白水秀:《西部大开发中的科教政策创新》,《中国软科学》2002年第6期。

[21]杨福家:《创新的基础在教育》,《民主与科学》2000年第5期。

[22]江泽民:《在庆祝北京师范大学建校100周年大会上的讲话》,《中国教育报》2002年9月9日第1版。

[23]瞿振元:《教育创新与科技创新协同发展》,《中国教育报》2003年1月29日。

第三章　两岸协同科技教育创新的背景

20世纪90年代以来,经济全球化进入了一个全新阶段,不仅形成了真正意义上的世界市场,而且出现了统一的、有约束力的国际经济规则。与此同时,全球性区域经济合作也呈现出前所未有的发展。区域经济合作不仅在动机、方式上发生了明显变化,而且对国际经济关系和格局产生了重大影响。区域经济合作正在成为发展中国家应对经济全球化的一个重要选择。

经济全球化突飞猛进的发展态势,使越来越多的发展中国家也开始融入全球化浪潮中,并带来了前所未有的挑战。一方面国际贸易日趋自由化。国际贸易的数额和规模在扩大,2000年全球贸易额的增速达到13%;国际贸易的范围和种类也有很大增加,不仅包括商品贸易,而且还包括技术贸易、服务贸易、劳务贸易,伴随而来的是国际贸易结构的转变;另一方面跨国公司的规模和数量在不断扩大。据联合国《2002年世界投资报告》,截至2001年底,以跨国公司为载体的世界对外投资存量达到66000亿美元。跨国公司数量达到6.5万家,在全球有大约85万家子公司。跨国公司的经营活动已经扩展到所有国家的所有经济领域,成为世界经济中一支强大的力量,占全球生产的40%,国际贸易的60%,国际投资的90%,技术贸易的60%,技术转让的80%,研究与开发的90%,使以国家为主体的世界经济逐步向以跨国公司为主体的世界经济转化。在经济全球化进程中,科技全球化趋势不断加强,成为经济全球化发展的新特点。

第一节　科技全球化的迅速发展

20 世纪 80 年代中期以来,区域科学技术合作迅速发展,科学技术人员的国际交流越来越频繁,跨国公司越来越多地将其研究与开发资源配置到母国以外,企业间策略性技术联盟越来越流行。中国社会科学院王春法研究员把这种科学技术知识跨国界流动的规模和强度迅速扩大的趋势称之为科技全球化。江小涓研究员提出,科技全球化是指技术和创新活动大规模地跨国界转移,科技发展的相关要素在全球范围内优化配置,科技体系中愈来愈多的部分跨越国界成为全球性的系统。可以认为,科技全球化趋势主要表现有三个方面。

一、研究与开发资源的全球配置

科技全球化意味着技术和创新能力大规模地跨国界转移,科技发展的相关要素在全球范围内优化配置,科技能力中愈来愈多的部分已跨越国界成为全球性系统,各国科技发展的相互依存关系不断加强。科技全球化是技术发展和产业分工格局发生变化的必然结果,是由技术这种生产要素不断追求最大收益的本质所决定的。科技全球化主要是由市场力量引导的,因此必然以双赢效应为前提:只有当技术持有方认为技术跨国转移比垄断性地在本土使用更有利可图,同时技术引进方认为组合外部技术资源比仅仅依靠内部技术资源更有竞争力时,科技全球化才会发生。可见,科技全球化提高了科技资源在全球范围内的有效配置。

跨国经营企业按照比较优势原则在世界范围内配置研究开发资

源,以求得研究与开发收益的最大化。根据美国商务部 1999 年 9 月发表的一份研究报告,从 1987 年到 1997 年,在美国的外国跨国公司投资研究与开发的支出增加 3 倍以上,从 65 亿美元增加到 197 亿美元,占美国全部公司研究与开发支出的 15% 左右,在高技术部门这一比率甚至高达 1/4 以上。到 1998 年底,375 家外国跨国公司在美国设立了 715 家研究与开发机构,雇佣了 115700 名美国科技人员。

联合国贸发会议发表的《2005 年度世界投资报告》指出,过去 10 年全球研发开支迅速增长,2002 年达到 6770 亿美元。跨国公司占全球研发支出的近半数,占全球商业研发开支的 2/3。一些大型跨国公司的研发支出高于许多国家的研发开支。研发活动在发展中国家的增长趋势表明,激烈的竞争压力迫使跨国公司不断创新,降低成本,需要利用发展中国家的研发力量来支持其生产扩张活动,需要利用发展中国家大量的专业化研究人员,将其研发中心向发展中国家转移,就地招聘所在国的专业人才。在我国,外国研发机构在 10 年内猛增到 700 个,反映出跨国公司不仅生产已国际化,其研发活动也开始国际化了,这种趋势还将继续下去。

另外,包括科学家的国际流动、海外培训等在内的科技人力资源全球流动规模日益扩大。据美国国家科学基金会的一项调查,美国 50% 以上的高技术部门的公司大量聘用外籍科技人员,外籍科学家和工程师占公司科技人员总数的 70%。进入 20 世纪 90 年代,在美国从事科技研究与开发的外国科技人员进一步增加,仅计算机领域,就有 50% 以上的博士是外国人。另外,1989 年至 1990 年,在美国高等教育机构工作的外国访问学者达 4.6 万人,1997 年至 1998 年达 6.6 万人。在美国七百五十多个联邦研发实验室中,不少单位招聘和引进了众多国外著名科学家。该报告还指出,1995 年至 1996 学年在美国高等教育机构中注册的外国学生有 450 万人。从 1988 年到1995年在美国获得博士学位的中国人共有13598人,印度有6585人,韩国有7872人,我国台湾省有8778人。近年来,区域科技合作日益加强,特别是以尤里卡计划和五个研究与开发框架计划为主要内容的欧盟科技合作迅速发展,进一步强化了这种研究与开发资源的全球配置趋势。

二、科学技术活动的全球转移

在科技发展的全球化趋势越来越突出的情况下,任何一个国家都不可能长期垄断性地占有先进的科学技术知识,同时也没有任何国家能够在隔绝与国外同行进行科学技术交流的情况下获得具有世界先进水平的科学技术成果。因此,科学技术知识作为一种公共产品自然而然地具有一种溢出和扩散的倾向。在发达国家与发展中国家存在较大科学技术差距的情况下,科学技术知识的跨国界流动无疑对发展中国家是有利的。根据美国经济学家的计算,在1971年至1990年,美国国内研究与开发资本储备每增加100美元,可使77个发展中国家的国内生产总值将增加22美元;而日本的国内研究与开发资本储备每增加100美元,可使77个发展中国家的国内生产总值增加24美元。如果把经济发达国家作为一个整体的话,以1990年为例,发达国家的研究与开发溢出收益可使发展中国家的国内生产总值增加210亿美元。台湾海峡两岸,自然也可以从这种科学技术全球化浪潮中获得一定的收益。祖国大陆还有着其他发展中国家所不具备的诸多优势。新中国成立以来,我国科学家在比较艰苦的条件下所取得的巨大成就,为发展先进科学技术打下了良好的基础,不仅能够避免在科学技术发展上进一步边缘化的危险,而且完全有可能从科技全球化中获得较之其他发展中国家更多的收益。

不仅研究与开发的组织形式是向全球开放的,而且各国均须在统一的制度框架和标准下,按照共同的国际规则进行科技成果的交易,并为科技成果的持有者提供知识产权保护。科研方向的选择、研究规范的确立、跨国科技合作、国际学术会议的召开等都是按一定的国际规则进行的。根据美国 NSF 报告,SCI 收录的论文中科学家跨国合作发表的论文数持续增长,1981 年为 5.6%,而 1995 年则达到了 14.5%。以专利国际化为主要内容的研究成果全球管理也越来越具有重要意义。1996 年,美国国家专利与商标办公室总共发放了 11 万件专利,其中 6.1 万件授予了美国发明家,占总量的 55% 左右;其余 5 万件为外国发明家所获得,占总量的 45% 左右。2000 年,美国发放专利 157495 件,其中授予外国人的达 78869 件(日本 31296 件,欧盟 26324 件,其他国家 14805 件);2001 年,这两个数字分别为 166039 件和 85170 件(其中日本 33223 件,欧盟 28459 件,其他国家 16750 件)。(见表 3—1、图 3—1)换言之,在美国每年发放的专利中,非美国公民所获得的部分所占比例一直保持在 50% 以上。发展中国家所获得的美国专利也在迅速增加,特别是来自东亚地区的专利申请增长速度更快。这种情况表明,研究与开发资源配置的全球化不仅要求对于科学技术活动转移全球化,而且要求对这些活动成果的转移也要实现全球化。

表 3—1 世界主要工业国家 2002 年高新技术领域专利活动

	美国	日本	英国	法国	德国	世界
生物技术	39.9%	13.8%	5.6%	4.6%	13.6%	100%
信息通信技术	29.0%	22.5%	4.8%	6.0%	13.9%	100%

资料来源:经济合作与发展组织(OECD)专利数据库 2005 年 12 月。

在欧洲专利署注册的专利中有 6.9% 是国际合作研究的成果。

专利发明(EPO)中有大约13%属于外国发明家,约12%是与外国发明家合作完成的。

图3—1　2002年美国商标专利署发放的专利中各国所占的比例

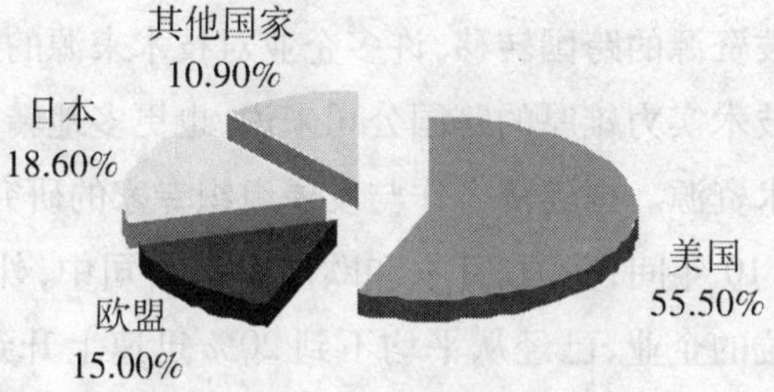

资料来源:经济合作与发展组织(OECD)专利数据库2005年12月。

三、研究与开发成果的全球共享

在一定规则和条件下,科技研究成果的应用是全球性的,科学技术知识的溢出和扩散成为世界经济中的一个重要现象。关于经济合作与发展组织成员国的一项研究表明,自20世纪80年代初以来,包括技术许可、专利和商标出售、技术服务在内的技术交易额增长了大约3倍以上,而且通过设备进口而获得技术知识的重要性也呈不断增强趋势。1986年,德国、日本和美国通过出售专利、版权和技术许可而接受的技术转移收入只有99.35亿美元,而到1996年已增加到388.7亿美元。进入20世纪90年代以后,跨国公司之间建立策略性技术联盟的趋势进一步加快。为了最大限度地控制科学技术的生产和应用,跨国公司自20世纪80年代中期以来建立了大量策略性技术联盟。根据MERIT/UNCTAD的数据资料,从1980年到1996年,世界各国企业之间总共订立了8254项技术协议,平均每年达成的技术协议数量从20世纪80年代初期的平均每年不足300项上升到90年代中期平均每年600项以上，其中1996年登记的此种技术协议数量达到650项。值得注意的是，跨国公司并不仅仅在某一个领域与其跨国经营企业结盟，而是同时在多个领域中与不同企业结成策略性技术联盟，从而形成一个庞大的企业间策略性技术联盟网络。

随着科技资源的跨国转移，许多企业对技术来源的选择在增加。即使对那些技术实力雄厚的跨国公司来说，也更多地转向利用内部、外部两种技术资源。据经济合作与发展组织专家的研究，在1992年至2001年的10年间，美国、日本和欧洲跨国公司中，外部技术资源占有重要地位的企业，已经从平均不到20%迅速上升到80%以上。在创新领域，企业越来越多地通过购买方式从世界市场获得技术。

美国虽然是当今世界上科技实力最为强大的国家，但它的绝大部分科学技术需求都是来自国外或者说是由国外供应的。目前，美国与世界上七十多个国家和地区签署了八百多个科技合作协议，利用各自的资源优势合作攻关，如与日本、欧洲和俄罗斯共建阿尔法国际空间站等。美国公司还与外国公司进行各种合作，合作形式包括正式的研究与开发协议或企业间的策略性联盟，很多外国公司也开始在美国本土兴建研发中心。

应当看到，我们面临的全球化，是在国际化的市场条件不断扩展下，建立在新技术基础上的全球化。今天，全球化是建立在微芯片、人造卫星、光导纤维、互联网这些新技术基础上，世界被连接得更加紧密。这些新技术意味着发展中国家不必非要用初级产品与西方交换制成品，意味着发展中国家也可以称为大时代的生产者。这些新技术也使公司得以将它们的产品、研究与开发和市场设置在不同国家，而且可以用计算机和网络把它们联系在一起。

上述三个方面相辅相成、互相促进，共同构成了科技全球化浪潮的主旋律。由于现阶段科技全球化主要是由西方发达国家及其跨国公司所控制的,因此,科技全球化又是发达国家控制科学技术知识的产生及其应用范围的主要方式,是现阶段各国科技争夺的主要形式。从这个意义上来说,所谓科技全球化既是科技活动的全球化,更是科技争夺的全球化。

科技全球化对世界各个国家和地区都是个挑战,而海峡两岸将面临着更为严峻的挑战。特别是在关系未来经济发展前景的一些重要技术领域,如信息技术、生物技术以及计算机软件技术等领域,海峡两岸与发达国家的差距更大。在这种情况下,海峡两岸除依靠从国外获得科学技术支持,还需要协同发展科学技术作支撑。

正确的战略选择是海峡两岸顺利迎接科技全球化的挑战关键所在,这就要求海峡两岸在未来科技发展道路的选择上,需要协同处理好以下三个问题。

一是协同利用科技全球化发展的新机遇。近二十年来经济全球化、科技全球化的最新趋势为发展中国家提供的新机遇,科技全球化趋势加快,使与科技发展相关的各种要素在全球范围内得到优化配置,科技能力中愈来愈多的部分跨越国界成为全球性系统。在这种大趋势下,各国、各地区可以利用的外部技术资源大大增加,能否有效利用全球科技资源,成为影响一个国家或地区产业竞争力的重要因素。

科技全球化为发展中国家利用外部科技资源提供的新机遇。在世界工业化进程中,后进国家吸收国外先进技术加快自身发展是一种普遍现象,其中有些国家或地区获得了“后来居上”的发展实绩。科技全球化趋势的出现,使发展中国家利用外部技术资源的空间进一步扩展,特别是一些条件相对有利的发展中国家,本土企业从引进技术中获得了明显的技术外溢效应,使自身产业技术和研发能力较快成长，加快了本国或本地区经济发展。因此，发展中国家能否抓住当前科技全球化的机遇，除了跨国公司自身战略的影响外，更多将取决于发展中国家技术引进方是否有较高的学习与合作能力，较完善的产业配套能力，以及政府是否有较强的调控与管理能力。

科技全球化是海峡两岸面临的重要战略机遇，应当在全球范围内优化组合技术资源，集成全球优势要素，形成技术引进与技术创新的良性互动，提高技术引进和自主创新能力，增强海峡两岸产业的竞争力和持续增长能力。除了自主研发和技术贸易这两种获取技术的主要途径外，也有可能通过更多方式获得外部技术资源，包括利用跨国投资引进技术，收购兼并拥有核心技术的海外企业，在海外建立研发中心，建立技术开发联盟，委托第三方专业研发和设计机构进行技术开发等。科技全球化中产业技术资源跨国重组的最新趋势，提出了两岸都必须利用好这个重要的战略机遇，不仅要在全球范围内优化组合技术资源，更需在两岸之间优化组合技术资源，促进技术引进与技术创新良性互动关系的形成，协同增强海峡两岸产业的自主创新能力和竞争力。

海峡两岸经济增长的基础设施条件良好，特别是祖国大陆，拥有大批受教育程度较高和成本较低的劳动力，协同发展的市场容量巨大，产业基础雄厚，企业、个人创业和创新动力较强，科学研究和技术开发能力相对较强，社会和政治环境稳定，长期增长前景明确等。更重要的是，推动技术引进与技术创新良性互动关系形成和加速企业技术创新能力提升的一些有利条件开始形成，一批企业在制造业领域中的综合竞争力已达到较高水平，市场开拓能力进一步增强，配套产业和技术不断完善，等等。这些既是企业从制造领域向核心技术领域延伸的重要条件，也是核心技术突破后能够迅速产业化并取得市场竞争力的重要条件；既是海峡两岸协同发展的基础，也是海峡两岸利用科技全球化提供的机遇加快发展的基础。随着海峡两岸企业和产业技术水平的进一步提升,我们有可能在更高水平上利用经济全球化、科技全球化提供的机遇,更多更好地引进先进技术和研发能力,使两岸技术引进和自主创新的良性互动关系不断向更高水平推进。

二是协同创立区域创新体系。现代技术创新理论已经证明,技术创新是创新要素之间互动的网络体系,研究与开发人员、企业、消费者以及政府机构等都以不同的方式参与到技术创新过程之中,并对科学技术发展的方向、方式和速度产生着不同程度的影响。这就要求我们从社会发展的角度而不仅仅从科技的角度、科技与经济结合的角度来考虑科学技术发展的问题,而是将科技发展放在社会发展的大框架中来理解和把握,构建促进创新要素之间互动的创新体系,协同提高区域的自主创新能力。

创新体系是指由科研机构、大学、企业及政府等组成的网络,它能够更加有效地提升创新能力和创新效率,使得科学技术与社会经济融为一体,协调发展。

区域创新体系构建的目的是促使这些要素在区域内形成有机互动的网络化联系和制度安排。区域创新体系是国家创新体系的子系统、基础和重要支撑。国家创新体系是宏观层次上创新要素的协调互动,覆盖创新活动的上、中、下游,充分体现国家的总体战略目标。而区域创新体系是中观层次创新要素的协调互动,它更强调技术创新和产业化,以培育区域优势产业集群和提升区域竞争力为主要目标。就企业技术创新而言,区域创新体系强调企业发展在面临经济问题的社会互动中不断学习和改革而进行的选择,从而形成了企业的发展轨道。这种互动超越了企业自身,它涉及大学、研究所,教育部门,金融部门等。当在一个区域内形成了这些机构或部门的频繁互动时,就可以认为存在了一个区域创新体系。区域创新体系是指在区域层次上集聚和整合各类创新要素所构成的社会化网络。这里的“区域”是指地理上彼此相邻,经济上紧密相关,文化上兼容相通的区域。

创新要素既包括政府、企业、大学、独立科研机构、投融资机构、专业中介服务机构和外资设立的研究与开发机构等创新主体要素,也包括创新活动所需的物质的和非物质的创新资源要素,如信息、知识、技术、人才、资金、装备等,还包括创新环境要素,如法律、政策、管理、文化、道德、基础设施、人居环境等。海峡两岸创新体系的建设就需要有两岸创新要素的有效结合。

三是协同实施跨越式发展战略。对于海峡两岸经济发展来说,技术学习和模仿有极其重要的作用,因为这可以利用整个世界范围内的知识储备,而不必独立开发所需要的科学技术知识,不仅可以降低科技开发成本,而且可以直接进入世界科技发展的前沿,并通过利用后发性优势实现技术赶超。成功的技术学习和模仿是许多发展中国家或企业实现经济起飞的关键所在。从某种意义上说,日本经济的成功就是技术学习和模仿的典范。然而,技术学习和模仿的更高要求是选择合适的技术领域,实现技术跨越。

现代世界经济发展史表明,技术跨越是后进国家或地区实现经济赶超的重要方式或途径。但是,这里所说的技术跨越并不是全面的跨越,而是主要产品层次或者产业层次上的技术跨越。这是因为:一方面现代科学技术的发展突破点如此众多,没有一个国家能够独自满足其全部技术需求,必须通过国际交流从外部获得必要的科学技术知识供应;另一方面有选择地实现技术跨越有助于在短期内迅速将特定领域的技术水平提高到世界水平,进而确立与其他国家进行平等技术交流的地位。韩国在电子工业,特别是半导体工业中的成功技术跨越尤其值得我们学习。

在开放型的市场经济环境下,海峡两岸科技战略的制定和执行中面临一些新的问题,影响因素多,难度增加,取得广泛共识不易,需要更多地考虑通过市场机制促进科技进步和产业发展。科技全球化带来的一个长期而严峻的挑战,即如何确保对外开放中的安全问题,如有些领域从来都不是科技和其他资源自由流动的领域,因此,要以在这些关键领域中形成协同自主创新和制造能力为目标,制定和实施关键技术与产业发展重大战略,使海峡两岸在进一步协同发展的同时,安全也能够得到有效保障。

第二节 知识经济发展的必然

世界经济正经历由工业经济向知识经济的转变,这种转变将对区域发展提供完全不同的背景。知识经济在区域发展中呈现出:经济的信息化、网络化,极大程度上消除了区域的人为隔离和时空对区域经济发展的限制;知识经济的产出大多具有外溢性特征,各区域间经济的依存性进一步加强;目前和未来的主导产业是第二产业中的高新技术产业和完全基于知识的第四产业,而各区域经济水平的差距取决于能否形成具有竞争力的新兴产业;知识经济更依赖于人力资源的素质和数量对经济发展的推动等四个基本特征。在知识经济背景下,区域发展战略、区域经济的政策支持系统以及区域经济发展的新途径等的研究将成为区域经济研究的新领域。

我们必须正视信息技术和经济全球化对经济增长方式、经济活动的组织与制度、政府的宏观经济政策以及国际关系的深刻影响,既要在知识经济领域开拓新的经济增长点,又要通过知识经济提升传统经济的竞争能力，进一步拓展传统经济和现有经济增长的基础。

一、迎接知识经济挑战的必然选择

加强两岸经济合作是迎接经济全球化和“新经济”挑战的必然选择，也是两岸经济融合程度日益加强的客观需要。在发展“新经济”方面，两岸各有特点和优势，也各有缺陷和不足，只有加强协作，才能取长补短，从而提高在国际市场上的竞争力。祖国大陆具有良好的投资环境，基础设施日趋健全，劳动力成本较低，有许多优秀人才，并拥有庞大的内销市场；我国台湾省则具有资金和技术等优势。加入世界贸易组织后，两岸经济分工合作的机会越来越多，合作领域更加广阔，融入国际范围的联系与合作的趋势也越来越明显。

随着两岸产业结构的调整、信息产业和信息密集服务业的兴起和发展，以计算机应用和多媒体技术的推广为主要内容，特别是计算机网络的发展，促使两岸知识经济成长和扩展。两岸教育与计算机网络的合作与发展，不仅为区域与国际前沿信息资源共享提供了保证，而且为不断更新和拓宽有效及时的信息来源，为两岸实现从封闭走向开放、走向世界提供了广阔前景。

知识经济的许多特征极大地丰富了区域协同发展的内涵。区域发展是一个长期的任务，主要包括区域系统、经济区划、资源开发利用、区域产业结构、城乡或工农业生产模式以及人口分布、移动和预测等方面。随着知识经济的发展，信息技术革命使工业社会向信息社会演变，并逐步形成了一个相对独立的知识经济体系。同工业经济相比较，知识经济最大的特点在于它的繁荣不是直接取决于自然资源、资本、硬件技术的数量和规模，而是直接依托于知识或有效信息的积累和能量的释放，也就是相对于以土地资源为基础的农业经济和以原材料、能源为基础的工业经济而言，知识经济更突出知识积累的基础性和重要性。在知识经济时代,知识已不是经济增长的"外生变量",而是经济增长的内在核心因素,即成为生产要素中最重要的组成部分,并作为分配的主要依据之一。伴随知识经济时代的到来,经济和社会发展的推动力、产业分类、产业结构、社会结构等众多方面将发生很大的变化。因此,海峡两岸必须面对知识经济产业化所带来的一系列变化及新情况,加强对知识经济时代的区域问题、产业发展机制以及传统模式的更新等方面的研究,加强在新的资源开发利用模式,新的区域空间结构构成形式于社会化的作用模式,知识经济的空间集聚特征和空间效应,数字化时代信息空间中特殊的两岸关系的研究是非常必要的和及时的。

在一定意义上说,知识经济是促进人与自然协调,可持续发展的经济,是以无形资产投入为主的经济,是世界经济一体化的经济,是以知识决策为导向的经济,是以价值取向为智力和知识的占有的经济,是市场趋向虚拟、宏观调控,既合作又竞争的经济,并形成新的组织形式园区化(如科技工业园区、高新科技产业开发区等)。面向知识经济时代,海峡两岸经济合作与发展不仅在广度和深度上有待提高,而且在方式方法上有待充实和改进。知识经济时代以智力资源为主要依托,要求充分考虑资源利用的环境效应、生态效应,科学、合理、综合、高效地利用现有的资源,全面科学地认识自然和社会关系。海峡两岸这一广阔区域是一个由多要素组成的复杂系统,区域发展应该将各类科学技术成果重新组合起来,并加以深化和发展,使之更有适应性,从而形成创新体系,以便更好地服务于两岸经济发展。

知识经济条件下,新的资源观不但扩大和深化了区域资源的内涵,而且给区域发展和决策提出了新的要求。由于知识经济时代的特点和资源、环境内涵的改变,区域的边界在空间上也出现模糊性。全球经济一体化的趋势、信息技术的发展、虚拟市场的形成以及"数字地球”逐步建立，使得区域空间大大拓展，区域间的空间距离大大缩短，而且传统区域间的自然资源与人文资源的相互利用，使得区域间形成你中有我、我中有你的格局，整个区域系统也将更加开放，外界因素对区域发展变化的影响将日益重要。自然，台湾海峡两岸关系及经济合作也变得日益紧密。

区域发展除了对区域系统内部的能流、物流、信息流进行系统分析，揭示区域本身的特点、功能和结构外，还必须考虑域间的相互联系。这是因为，任何一个地域单元都不是孤立存在的，而是地域单元之间存在明显的纵向联系。这种纵向联系又以全球联系为背景和最终归属，尤其是在信息时代更是如此。不考虑全球背景，任何对区域的认识都是不全面的。没有台湾海峡两岸的协同发展，也不可能对全球发展有足够的认识。只有海峡两岸的协同发展，揭示区域内和区际间的知识、信息、人才流动与扩散，以及物质、能量的集聚与扩散的时空规律，才能全面把握海峡两岸发展的时代特征，才能把握区域与区域之间的联系。

二、知识经济时代区域发展的方向

知识经济时代的知识化和经济全球化两者紧密结合，强烈地改变着区域的资源生态环境结构和社会技术结构。结构的改变导致现有的社会经济体制发生一系列的变革和创新。台湾海峡两岸发展如何融入全球知识经济的大浪潮，使海峡两岸发展具有更强的时代性和使命感；如何以知识经济为契机，以人地关系地域系统为核心，探讨适合海峡两岸的发展道路，并使之具有操作性；如何发挥海峡两岸优势，促进海峡两岸的共同发展，这些都涉及海峡两岸发展的方向性问题。这里提出几个值得重视的和带有方向性的问题。

如何缩小区域差异仍是区域发展的主方向。随着知识经济时代的来临，虽然社会经济将主要依赖于知识与科学力量，地理环境与自然资源的制约力将在一定程度上削弱，区域发展机会的不均衡将有所改变。由于区域间地理区位、发展基础、知识化水平等众多因素都存在很大的差异，即使自然资源的制约有所减小，但地理区位、知识优势的作用却会大大增强，并且由于经济发展的“马太效应”和“因果累积效应”的作用，社会经济发展的区域差异将在相当长时期内仍然存在。区域内部发达地区与欠发达地区的差异仍呈逐渐拉大的趋势，即使原有的差异会慢慢缩小甚至消失，但新的差异也会不断产生。现在，一些发达地区开始步入知识经济时代，也称为后工业时代，而大多数欠发达地区的经济发展仍然是依靠资本和劳动力扩张的粗放型投入的经济增长方式，人口、环境、资源、发展等问题仍很突出。缩小地区之间的差异，是区域发展的重要任务。

可持续发展是区域发展的一个重要方向。可持续发展的核心思想是：健康的经济发展应建立在生态可持续能力、社会公正和人民积极参与发展决策的基础上，既要使人类的各种需要得到满足，个人得到充分发展，又要保护资源和生态环境，不对后代人的生存和发展构成威胁。可持续发展特别关注各种经济活动的生态合理性，强调在经济发展的基础上保持资源、环境的可持续性利用。18 世纪工业革命，为人类创造了一个经济高度发展的工业经济时代，但它是建立在牺牲环境、资源掠夺性开采，甚至牺牲后代人的利益基础上的。进入 20 世纪以来，各种区域性问题纷至沓来，如生态环境问题、资源争端、人口膨胀等，所有这些在很大程度上影响了区域发展。如今，这些区域性问题已开始被人们所重视，区域可持续发展研究也在逐步展开。自 1992 年联合国环境发展大会以来，可持续发展作为全世界共同的发展战略，得到广泛认同和普遍实施。各国都在探索切合实际的可持续发展道路，并取得了可喜的成绩。在社会经济发展要素发生重大变化的未来时代，传统的发展观必将抛弃，可持续发展的内涵也将更加丰富，探索人类更加具体可行的可持续发展道路，探索海峡两岸区域发展的人地关系的和谐发展，研究海峡两岸区域社会经济系统中人口、社会、经济、资源、环境的协调发展模式将是这一时代的重大课题。

区域创新环境是区域发展的一个新方向。知识经济的增长方式是高度集约式的，是知识密集型经济。知识经济的增长很少依靠劳力、原材料、能源等自然资源的投入，而更多的是依靠知识创新即科技创新。这种创新不仅仅指科学技术的发现与发明，还包括科学技术的新应用、新整合以及知识的重新组合。西方发达国家 20 世纪 50 年代实现的经济由粗放型向集约型转变以及正在或已经实现的从工业经济向知识经济转变，都与科技在社会经济发展中的贡献率不断提高、区域创新环境不断改善分不开。美国硅谷、意大利艾米利亚-罗马涅、德国巴登-符腾堡等地区发展经验表明，世界上最发达区域的重要特点是具备了良好的区域创新环境，形成了“柔性生产综合体”，又称“新产业区”(New Industrial District)，即植根于本地社会文化的复杂区域创新网络。表明只有存在创新环境的地方，才能达到知识的创新和扩展。由于全球信息网络的发展使得全球人类共享知识的成本降低，概念趋同，这将为后发展地区提供了机会，也为世界经济一体化提供了条件。同时，由于传统经济要素，如自然资源、资本等在知识经济时代的功能部分或大部分将被智力所代替，因而区域发展的重点由“硬件”研究转向“软件”研究，并注重知识、信息、科技、人才的产生传播(流动)与扩散以及效应的时空规律，特别是“知识区位”效应。发达国家的经验给了我们启示：如何营造海峡两岸的区域创新环境，对海峡两岸的区域创新环境进行实践性研究和理论总结将是一个很值得研究的方向。

区域演变机制研究是区域发展的又一方向。海峡两岸区域在变化中形成,又在形成之后发生变化。区域的形成和演化是人类活动的结果,同时区域环境、区域空间的变化也影响着人类的活动。虽然政治学、社会学、生态学、地理学、经济学等众多学科领域的学者都曾经或正在探讨和研究区域如何演变,但对于区域演变机制的研究和探讨仍是尚待深入的领域。海峡两岸区域作为一个系统,不仅受内在因素的作用,还受到外界因素的影响,在知识经济时代的背景下,影响海峡两岸区域发展和演变的因素将发生重大变化,区域演变机制也随之发生变化并深刻化。在可持续发展思想指导下,利用知识经济的优越环境,对区域演变的机制进行深入探讨和研究将是大有作为的。

第三节　两岸经贸关系发展走向

2003 年 1 月,台湾以“台湾、澎湖、金门、马祖独立关税区”(简称“中国台北”)的名义加入世界贸易组织,成为该组织的第 144 个会员体。对世界贸易组织来说,身为世界第七大贸易国的中国、第十四大贸易经济体的台湾地区能够加入,无疑提高了该组织全球代表性。海峡两岸先后加入世界贸易组织之后,两岸的经贸关系属中国主体与其单独关税区之间的经贸关系,两岸经贸关系只有在一个中国框架内才能得到发展。国家利益有多方面的体现,最核心的利益有两个:一是经济发展,二是国家统一。前者需要在现行国际秩序特别是世界贸易组织框架内,通过公平竞争与合作来取得;后者主要依靠中国经济发展、国力的增强以及台湾海峡两岸经济依赖性的增强和良性互动来解决,需要在现行秩序下循序渐进地推进和平统一进程。

江泽民"八项主张"明确指出:要继续加强两岸同胞的相互往来和交流,要大力发展两岸经济交流与合作。进入新世纪,国际局势发生了冷战结束以后最为深刻的变化,不稳定因素增多,世界和平与发展的事业面临新的挑战。但和平与发展仍然是时代的主题,维护和平、谋求发展是世界人民的普遍愿望,世界上维护和平的力量继续增长。在一个中国原则基础上,继续推动两岸关系的改善,加强两岸人民的联系和往来,实现祖国统一是大势所趋,是中华民族的根本利益所在。

一、区域经济一体化的发展

随着经济全球化和科技全球化,国际经济、技术和贸易竞争更加激烈。在这种发展趋势和背景下,经济、贸易竞争力已经不是仅仅表现为单个企业或产品的竞争力,甚至也不是一个城市的竞争力,而是更多地倚重于以区域地缘优势和规模为依托的区域竞争力。

与经济竞争全球化相对应的是经济合作的区域化。据国家生产力组织(National Productivity Center—NPC)相关研究表明,世界各国经济、社会环境都发生了巨大变化,规模经济(economy of scale)转变为范围经济(economy of scope)。20 世纪 80 年代以来,经济全球化推动了全球经济区域化的进程,各种跨国界、跨地区的经济区域联盟相继成立,不同程度的区域经济一体化遍及整个世界。目前,全球区域经济组织已达一百多个,其中欧洲共同市场(欧盟)、北美自由贸易区和亚太经济合作组织(APEC)成为世界最具影响力的三个区域经济集团,集中了全世界 80% 的生产力和国际贸易额。随着经济全球化的发展趋势,区域经济合作已成为一个不可逆转的世界性潮流。区域经济一体化的目标是实现共同的经济利益,而不注重国家或地区之间社会制度是否具有一致性。经济全球化加速了生产要素在全球范围内的自由流动，整体上优化了全球的资源配置。每个国家或地区在这一过程中所获得的利益是大不相同的，其决定因素是这个国家或地区参与国际竞争能力的大小。提升区域整体的国际竞争力和增强其抵御外部冲击的能力，成为每个国家或地区应对经济全球化的必然选择。由于发展中国家起点低，实施区域经济合作战略的意义显得尤为突出。

紧密的区域经济合作必然伴随大规模的生产要素流动，缩短空间距离、降低交易成本，是提高综合竞争力的有效途径。特别是具有地缘、人缘等联系的国家或地区组成经济合作区是现实中的普遍现象。与我国东部沿海重点发展战略相适应，我国必然选择地理相邻的东亚、东南亚建立区域经济合作。我国台湾省长期以来是一个典型的外向型经济体，海峡两岸都有着对外经济合作的客观需求。祖国大陆和台湾的经济整合符合区域经济一体化的要求，加快海峡两岸经济整合步伐，适应国际经济发展的趋势，提升两岸整体国际竞争能力，促进两岸经济共同发展，不仅具有强大的外部动力，而且两岸生产要素禀赋条件、经济水平的差异和产业结构的互补性以及人缘、地缘等的联系，为两岸开展区域经济合作提供了充分的内部基础条件。依靠市场机制与经济利益的驱动力整合两岸经济，通过区域经济合作带动两岸经济的完全整合，将使海峡两岸成为全球经济体系中的一个重要环节。

二、两岸经贸发展的客观需求

在江泽民同志《为促进祖国统一大业的完成而继续奋斗》讲话发表九周年的时候，安华在《瞭望周刊》上以《历史步伐无可阻挡》为题发表文章，客观地概述了两岸人员往来与交流、经贸活动、“三通”等情况。

两岸人员往来与交流。九年来，台湾同胞返祖国大陆共有2074.7万人次，占历年总数2930.5万人次的70.8%。上海2003年10月1日开始为台湾同胞开放落地签证，其他各开放口岸也对台湾同胞往来提供更为方便的措施。《中华人民共和国合作办学条例》颁布施行，为台胞到大陆办学和台籍学生到大陆就学提供了更多的可能性。祖国大陆同胞赴台在九年中约72万左右人次，约占总数78万人次的92.3%。两岸交流范围遍及全国各省、自治区、直辖市，交流内容涵盖各个领域。

两岸经贸活动。两岸间接贸易——九年中共2665.8亿美元，占历年总数3262.99亿美元的81.4%。现在，台湾为祖国大陆第二大进口市场，祖国大陆为台湾第一大出口市场（台湾对祖国大陆出口占台湾出口总额的25%左右）、第一大顺差来源地。2003年虽受"非典"影响，但两岸间接贸易仍增长30%以上。台商投资祖国大陆——九年中共有项目33184个，约占历年总数60623个的54.8%，协议金额464.14亿美元，约占历年总数706.29亿美元的65.7%，实际利用金额280.62亿美元，约占历年总数365.06亿美元的76.8%。现在，祖国大陆已成为台商投资的首选之地。台商投资主体已由小企业转向大企业；投资类型已从劳动密集型转向资本、技术密集型，电子电器、非金属制品、石化产品等跃居投资前列；投资地域从沿海地区为主扩展到祖国大陆各地，特别是开始注重参与开发大西北；投资领域遍布第一、第二、第三产业，尤其已涉及金融保险、航空运输等行业。两岸金融——2002年、2003年，祖国大陆的商业银行与台湾地区银行的海外业务分行（OBU）、外汇指定银行（DBU）先后正式开办通汇及信用证相关业务。截至2003年10月，祖国大陆有关方面已批准设立两家台资银行、7家台湾地区银行的代表处、9家台湾地区保险公司和1家台湾地区经纪人公司的12个代表处、12家台湾地区证券公司的 17 个代表处。

两岸“三通”。两岸通邮——1996 年，中国电信与台湾中华电信建立两岸直接电信业务关系。通过 1999 年、2000 年先后建成的中美、亚欧、亚太海底光缆，建立了两岸直达通信路由。两岸电信部门已开办电话、数据通信、移动电话漫游、电视电话等业务。两岸电信业务量迅速增加，分别占祖国大陆、台湾境外业务量的第二位、第一位。两岸通航——1995 年 12 月、1996 年 8 月，澳门航空公司、港龙航空公司相继实现分别经停港、澳“只换航班号、一机飞到底”的两岸客运；1997 年至今，4 家台湾航空公司在北京设立代表处；1997 年 4 月，福州、厦门与高雄之间开启“权宜轮”的试点直航，结束了海峡两岸间近 50 年没有任何商船直接往来的历史；1998 年 3 月，两岸定期集装箱班轮航线开通，运输两岸货物的船舶经第三地换单不换船航行两岸港口；2001 年初，福建马尾、厦门先后与马祖、金门签订加强民间交流的协议，实现两岸海上客、货直接往来；2003 年春节，祖国大陆配合台湾业界促成台湾同胞包机返乡过年，台湾民航飞机五十多年来首次停降祖国大陆。继 2003 年后，2005 年台商春节包机启航，海峡两岸民航飞机 56 年来首次对飞两岸。

必须指出，祖国大陆各方面持续快速健康发展，综合实力不断增强，为稳定和发展两岸关系创造了更坚实的基础和更有利的条件。10 年来，我国民经济保持平均 9% 的增长率，国内生产总值已达 18.23 万亿元人民币，进出口贸易总额已达 1.42 万亿美元，外汇储备超过 6000 亿美元。发展两岸人员往来和经济、科技和文化交流的条件更好了，不仅遏制“台独”分裂图谋的能力更强大了，而且对台湾同胞的吸引力更大了，推进祖国统一进程的物质条件更雄厚了，也为推进两岸协同科教创新创造了更好的条件和更多的需求。

在两岸经贸往来和合作中，福建不仅在全国处于领先地位，而且很有特色,可以说是两岸经贸发展的一个缩影。2004年是福建省提出建设海峡西岸经济区战略构想的第一年,闽台经贸合作的领域和方式不断拓展,合作的层次和水平进一步提高,促进了闽台经济优势互补,闽台经贸继续保持全国领先地位。据统计,2004年1月至11月,全省新批台资项目390个(不含第三地转投资),合同台资4.2649亿美元,实际到资4.9854亿美元。截至2004年11月底,全省批准台资项目累计达8054个,合同台资144.49亿美元,实际到资103.99亿美元。利用台资总额居全国第三位。2004年1月至11月,全省对台贸易总额达40.0055亿美元,比增24.46%,其中进口33.9176亿美元,比增22.9%;出口6.0879亿美元,比增33.96%。全省对台贸易总额累计达349.7385亿美元,其中进口306.853亿美元,出口42.8855亿美元。2005年1月20日华夏经纬网发表了《2004年闽台经贸交流大盘点》一文,总结出闽台经贸合作有五个特点。

一是以台资企业为龙头的石化、机械、电子等三大主导产业集群不断壮大。其中,翔鹭集团在原来成立翔鹭涤纶纺纤(厦门)有限公司和翔鹭石化企业(厦门)有限公司的基础上,2004年1月再投资14亿美元建设二甲苯(PX)项目,以延伸祖国大陆的产业链;台湾中华汽车公司联合华擎公司筹建汽车发动机项目,使东南汽车基本实现主要零部件当地化;中华汽车公司还联合戴姆勒—克莱斯勒公司等投资2.08亿欧元筹建奔驰商务车项目,并将吸引24家台资、外资企业落户青口,为其提供上、下游配套服务;华映光电投资3000万美元生产液晶显示器,完善了在祖国大陆的影像产品结构,还将投资8.2亿美元建设年产144万台等离子显示产品项目(PDP),进一步壮大福建电子信息产业的整体实力。

二是台商增资扩产势头不减。主要有:华阳电业有限公司二期扩建工程顺利完成,使该公司的装机容量达到360万千瓦,成为亚洲最大的火力发电企业,目前正在筹备第三期投资扩建;台湾国产实业集团在龙岩永定投资14亿元人民币建设年产300万吨旋窑水泥项目已经动工;台湾千兴不锈钢股份有限公司在漳州投资6.5亿美元项目的前期准备工作正在进行中;龙岩三德水泥增资1262万美元扩建的120万吨旋窑水泥生产线2004年建成投产。

三是闽台金融合作继续推进。2004年,台湾国泰金控、台湾合作金库银行、台湾新光金控、台湾统一证券等金融机构纷纷来闽考察,商谈开设分支机构或与福建同行合资设立金融机构等事宜。祖国大陆还积极推动有条件的台资企业在证券市场发行股票、上市融资。目前,华映光电已完成各项上市准备工作,并向中国证监会申报发行A股,厦门灿坤拟在B股基础上增发A股,翔鹭石化也已完成股份制改造。

四是闽台农业合作继续拓展。2004年,福建省把重点放在引进台湾农产品加工技术上,加快提高福建农产品的附加价值及出口的扩大,促进福建农业现代化与产业化的进程。现在,不仅福州、漳州两个海峡两岸农业合作实验区成为台商投资农业的热点地区,内陆山区农业利用台资也方兴未艾,现已扩展到全省。目前,全省累计批准农业台资项目一千六百多家,合同利用台资19亿美元,实际利用台资11.5亿美元。

五是对台招商引资的形式不断拓展,影响不断扩大。厦门"9·8投洽会"、福州"海交会"、漳州"花博会"、厦门"台交会"等招商活动的规模不断扩大,档次不断提升,形式不断增多,对台特色不断增强。如,在第八届投洽会期间,首次举办了福建代表团对台招商项目对口洽谈活动,吸引了与福建产业关联度大、投资意向明确的55家台湾企业的15个团组共91位客商参加洽谈,创历届对口洽谈活动台商参加人数和层次之最;投洽会还首次举办了闽台经贸研讨会。在整个投洽会期间,共有二十多家台湾百大企业和22个台湾重要的工商业协会组团参会。再如,第六届花博会首次由国台办、国家林业局与福建省共同举办,这次花博会突出海峡两岸经贸合作主题,是历届中规格最高、规模最大、内容最丰富的,不仅有台湾兰花产销发展协会、台湾精致农业园艺联谊会、中华花艺设计协会等3家行业协会参与联办,而且还有来自全国各地39个台资协会的负责人组团参会,参展台湾企业共136家,到会台商五百八十多人。现在,漳州"花博会"已与厦门"9.8投洽会"、福州"海交会"成为了福建省对台经贸活动的三大盛会。

此外,在晋江、厦门、福州等地相继赴金门举办商品展销的基础上,2004年实现了漳州商品通过直航首次进入金门展销,展出的数十种名优商品深受金门同胞的青睐。福建省台资企业产品也逐渐被大陆市场所认可,有的还被认定为中国驰名商标。

台湾海峡两岸人员往来与交流、经贸活动和"三通"发展,已经把两岸紧密联系在一起。发展两岸关系民心所向,推进两岸科教创新势在必然。

第四节　科技教育自身发展的需要

一、两岸科技发展的需要

随着知识经济的发展,经济全球化和世界经济一体化趋势加强,国际经济竞争日趋激烈。在知识经济时代,国际经济竞争实质上是科技的竞争、人才的竞争,最根本的还是科技创新能力的竞争。为应对知识经济的挑战,抢占国际经济竞争制高点,提高国际竞争力,无论是发达国家还是发展中国家都把科技创新及其产业化放在战略核心地位，千方百计加快发展。尽管海峡两岸都十分重视高新技术产业的发展，但两岸的科技创新能力都比较弱，核心技术和关键技术仍主要来自引进、模仿和改良发达国家的研发成果。而发达国家历来都是对关键核心技术采取严密的政策保护，严格控制技术输出，不轻易出售知识产权给新兴工业化国家和发展中国家，以保持其科技领先地位和商品竞争优势。所以，如果海峡两岸仅靠引进技术、购买知识产权，那永远只能落后于发达国家。

面对世界经济竞争的新格局，海峡两岸若能充分发挥双方的优势，加强科技合作，取长补短，推动两岸科技发展，提高自主创新能力和技术水准，努力提高双方的科技创新能力和科技竞争力，加速两岸产业升级步伐，才能在激烈的世界经济竞争中占有一席之地。

台湾由于在20世纪70年代开始大力发展出口加工型经济，推动了经济的大发展而成为亚洲“四小龙”之一，并实现了由农业社会向工业社会的转变。进入20世纪90年代，台湾的出口加工型经济面临着岛内外严峻的挑战。由于岛内土地、人力和原材料成本大幅提高，产业竞争力下降，同时，出口导向型经济还面临着国际市场的巨大挑战。要取得经济的新突破，必须实现产业升级，在实现劳动密集型产业外移的同时，大力发展资本、技术密集型产业，提高产品的附加值。但产业升级的关键在于技术升级，技术升级又主要包含自主创新性技术比例的提高，自创技术的比例应以不依赖某一技术来源为限度。以台湾为例，应以能摆脱美、日的技术控制为限度。在未摆脱对美、日的技术依赖之前，就谈不上实现产业升级。

党的十六大提出，我国要在本世纪头二十年，集中力量，全面建设惠及十几亿人口的更高水平的小康社会。在国家中长期科技发展规划中又明确提出,今后15年我国科技工作的指导方针是:自主创新,重点跨越,支撑发展,引领未来。强调必须更加坚定地把科技进步和创新作为经济社会发展的首要推动力量,把提高自主创新能力作为调整经济结构、转变增长方式、提高国家竞争力的中心环节,把建设创新型国家作为面向未来的重大战略。各省、自治区、直辖市纷纷行动,以福建省为例,省委、省政府作出了建设海峡西岸经济区的重大战略决策,提出以实施科教兴省和人才强省战略,实现全省社会事业全面进步,形成比较完善的现代化国民教育体系、科技和文化创新体系,加快新型工业化进程,建成现代制造业基地的战略目标。福建省中长期科技发展规划提出了建设创新型大省的总体战略架构的决策。这些战略的实施,都对科技创新提出大量的需求。

面对严峻的形势,福建省在做好各项工作的同时,需要寻求并扩大与台湾的经贸、科技合作,利用台湾研发资金雄厚、与国际市场联系紧密及科技成果商品化能力强的优势,大力提升自主的科技创新能力,尤其是具有良好发展基础和优势的电子信息、机械制造、石油化工等三大支柱产业的关键技术创新能力,以智取胜,加快高新技术产业和产业集群的发展,把支柱产业做大做强。在台湾产业升级掀起的新一轮产业向祖国大陆转移的热潮中,出现了以高新技术及其相关产业为主导的发展趋势。台商在向祖国大陆转移资金的同时,也开始转移企业技术,这为海峡两岸调整、优化产业结构,提高产业技术层次,培育自主创新能力提供了机遇。然而,由于主要企业大多以“贴牌”生产为主,缺乏自主知识产权,产业的利税贡献率不高,发展不稳,更难以持续高速增长。如何引导和鼓励企业创自主品牌,不断提高企业核心竞争力,推动优势产业科技大发展,增强开发区国际竞争力,是海峡西岸面临的严峻挑战。

新世纪经济全球化和科技全球化的发展,激烈的经济、科技竞争，海峡两岸要实现经济和高新产业的持续发展，只有走依靠科技进步，提高自主创新能力，建设创新型区域经济的道路，舍此别无选择。

二、两岸教育发展的需要

海峡两岸共承中华民族优秀文化传统，文化同根、教育同源。两岸教育在各自办学过程中，积累了较丰富的经验，在已取得成功经验的基础上，加强两岸交流与沟通，取长补短，进行学科与科研领域的交叉融合与合作，对实现教育发展起着积极的作用。近几年来，在海峡两岸教育界的共同努力下，两岸教育学术交流规模不断扩大，层次有所提高，促进了海峡两岸教学与科研的共同进步，增进了两岸学者的相互了解。教育管理人员、教学人员、在校大学生、研究生通过参观考察、参加两岸学术研讨会、专题论坛、研习营、冬夏令营、辩论赛等方式推进了交流与合作。

面对新世纪的挑战，如何实现科技教育的创新，促进经济可持续发展，是海峡两岸面临的共同问题。为了适应科学技术迅猛发展和经济全球化的新形势，在高等教育竞争日益激烈的今天，海峡两岸必须改革和创新高等教育，发展和完善有利于优化教育资源配置，有利于提高教育资源利用效益，有利于发展高等教育公平，有利于高等教育整体发展的高等教育管理体制、运行机制。在展望高等教育大众化、国际化、多样化、信息化等时代潮流的同时，更加关注科学与人文的融合及科技伦理的构建。两岸教育创新的需求有广阔的空间和领域。

面向未来，两岸教育工作者发挥各自优势、共同打造两岸优质基础教育，协同提高和创新高等教育、职业教育、继续教育、特殊教育、远程教育等任重道远。根据国际教育研究与发展的新趋势，从探究普适性教育规律到研究自然情境中的教育问题，从宏大主题研究到注重个人研究,研究的思路、方式走进课堂,走进教育现场,关注学生个体,关注老师的实际教学,发现真实教育情境中的问题等都有待协同探索和推进。

众所周知,随着祖国大陆经济改革的深入和对外开放的扩大,在教育全面推进的同时,高等教育也得到了长足发展。目前,祖国大陆共有1020所全日制高校,建立起了一大批在国际上有影响的专业,教育质量得到了国际社会的普遍承认。但台湾当局只是部分承认祖国大陆高校的学历,最近又突然宣布冻结承认的政策,人为地制造海峡两岸教育交流的障碍,损害不断建立和发展的海峡两岸教育学术交流关系。希望台湾当局改变此错误做法,从推动两岸教育交流和提高中华民族素质的大局出发,进一步撤除对交流所设置的障碍。

从闽台两地教育交流的历史上可以看出,对于福建来说,当前相对于闽台经贸交流的日益频繁,两岸人才交流却显得滞后,尤其是教育领域。在迈进新世纪之际,福建由此期盼拓展两岸教育人才的交流,充分表达了福建教育界同仁与台湾同行进行广泛交流与合作的热切希望。邀请台湾同行及知名人士来祖国大陆开展学术研讨,并组织会员赴台考察交流。与此同时,台湾企业界以及教育界也认为,两岸人才交流确实必要,有助于增进彼此的了解,有利于两岸的互补互利。

两岸教育人才的交流与合作是双方共同发展的需求。福建省现有各类人才约二百一十多万人(其中专业技术人才约150万人),总量尚有不足。由于科教兴省战略的实施和社会经济发展的需要,福建正加紧实施人才战略,赴省外、海外引进“千里马”来闽创业。而台湾与福建仅一水之隔,在一些产业方面具有领先世界的水平,聚积了不少优秀人才和先进技术。同时,福建已初步形成高层次人才群体，又有整个大陆科技和教育人才的依托，对于台湾亦不失一定的吸引力。闽台经贸交流与合作的进一步密切，也要求两岸推动人才的交流。目前，福建已成为台商投资较为集中、两岸经贸合作与交流最活跃的地区，而且台商投资从量的扩张逐渐趋向质的提升，尤其在电子业、汽车制造业、农业等各产业已显示产业对接与整合的态势。随之，台资企业对各层次管理和技术人才的需求也将日益增多。

百年大计，教育为本。所有的人才交流都不能忽视教育这一重要领域，只有把教育搞上去了，两地的经济才可能有长足而持续的发展。闽台在教育人才交流与合作方面都有强烈的愿望，有内在的迫切需要。凭借上述的诸多有利条件，在协同发展教育方面，闽台两地应走在前面，创造自己的特色。因此，闽台两地应当进一步加强在教育发展、教育创新和人才培养等方面的合作，为振兴中华民族的教育事业共同奋斗。

三、创新科技教育的需要

知识经济时代的来临，经济的角逐，关键在人才，根本是科技和教育。两岸科技和教育的发展也需要协同推进。刘洋编译的《中国“强心剂”助推美国科技》(《国际金融报》2004 年 1 月 26 日)一文给我们有着重要的启示。他在文章中介绍了耶鲁大学管理学院院长杰弗里·加滕发表的评论文章，指出中国在高科技领域已经开始动摇美国的霸主地位。中国的发展为美国注入科技发展动力，美国为代表的老牌高科技国家为了应对中国的冲击，必须优先解决中等教育、研究经费、政企关系等问题。这就是说，无论是中国还是美国，未来的发展都取决于教育和科技的发展与进步。

杰弗里·加滕在文章中指出，1985 年，中国政府提出要发展高科技产业，赶超西方先进水平。1992年到2002年的10年间，中国日趋接近高科技顶峰。美国的科学研究与开发经费近年来越来越难申请，与此同时，中国在科技研究与开发上投入的经费已经翻了一番。每年，中国在海外取得理工科方面博士学位的学生增长14%，而且这种增长是建立在美国博士学位获得者逐年下降的基础上。当美国的高科技产品出口开始下降，中国的高科技产品出口每年增长22%。如今，美国学校取得理工科博士学位的学生中有25%是中国人，即使考虑到有部分中国学生没有归国打算，这部分人才仍然可以在很大程度上填补中国科技人才的缺失。除了科技人才以外，科研经费流向也能说明问题。中国有大量的科学研究与开发经费投入到微晶片、电脑软件和信息安全系统等高科技产业最热门的领域。除了人才和经费的因素，西方高科技公司也是中国高科技产业发展的助推器。这些跨国公司丰富的科学研究与开发资源成为中国科研环境改善的幕后推手。通用电气公司在中国建立27个实验室，用来研究与开发从合成材料到分子模型不同领域的产品；微软公司在中国有近200名研究人员；思科、IBM、英特尔等公司都在我国设立了庞大的研究与开发机构。

科学研究与开发已经进入了全球化阶段，以西方科技强国的跨国公司在中国建立研究与开发机构只是全球化进程的一个步骤。杰弗里·加滕认为，中国正在撼动美国科技霸主地位，同时，中国可能促使美国为了应对挑战加快发展，从而提高全球科技水平。他进而提出，美国要保持目前的高科技绝对领导地位不是容易的事，必须优先解决几个问题。首先，政府必须为高科技产业提供更多财政支持，尤其应该体现在政府财政预算上。其二，美国目前中等教育中存在的理科教育比较薄弱的情况也必须得到改观。另外，政府和企业之间需要进一步加强合作和交流，以期共同在高科技领域取得突破。

实际上,以上这几点正是美国政府在20世纪80年代面对来自日本的科技挑战时所采取的有效措施。

进入科技全球化时代,高科技跨国公司的立足点已经不仅仅是一个国家或者地区,这点往往引起公司原属国政府和公众的不满。但是,跨国公司所牵涉的受益面更加广泛,甚至能够影响人类文明进程。今天的中国就像强心针,能够给科技发展进入滞障阶段的美国注入竞争的动力,从而进一步推动全球科技发展。台湾海峡两岸在科技和教育创新中的协同发展,必将对世界经济社会和人类文明进程,产生更加重要的作用和深远的影响。

同样的声音还有央视国际于2005年3月26日发表题为《〈华盛顿邮报〉总编:中国发展决定地球未来》的报道。众所周知,《华盛顿邮报》是美国最富有影响力的主流报纸之一,对美国乃至整个世界舆论具有重大影响力。该篇报道是人民网驻美国记者唐勇对《华盛顿邮报》总编辑菲利普·贝内特进行了独家采访。贝内特说,我们都应该拜中国为师。中国对美国人生活的影响将会越来越大。在过去50年中,在美国发生的一切影响到了全世界几乎每一个角落。今天,中国的作用跟美国有异曲同工之妙。作为正在崛起的经济大国,中国将对世界发挥越来越大的影响力,尤其是在经济领域。这一点对美国来说也不例外。他还深情地说,中国真的让人感到有难以置信的活力,发展潜力巨大,景色无与伦比,中国文化也是如此丰富多彩。每次到中国,我都看到和学到了一些新东西。每次到中国,我都感觉自己看到了世界的未来。真的,中国今后如何发展将决定这个星球的未来。

把贝内特的评论与杰弗里·加滕的论述结合起来进行思考,我们不难得出,区域经济的发展加速科技和教育创新的必要性和紧迫性。两岸在科技和教育创新中的协同发展,必将增强中华民族对人类发展多做贡献的基础。

参 考 文 献

[1]联合国贸易和发展会议:《2002年世界投资报告》。

[2]联合国贸易和发展会议:《2005年世界投资报告》。

[3]OECD. Compendium of Patent Statistics 2005.

[4]王春法:《科技全球化及中国的对策》,《中国科技论坛》2001年第3期。

[5]江小涓:《理解科技全球化》,《管理世界》2004年第6期。

[6]江小涓等:《全球化中的科技资源重组与中国产业技术竞争力提升》,中国社会科学出版社2004年版。

[7]雷德森:《面对知识经济时代的思考》,《科学学研究》1998年第4期。

[8]厉以宁:《区域发展新思路》,经济日报出版社2000年版。

[9]〔美〕巴里·诺顿:《经济圈——中国大陆、香港、台湾的经济和科技》,新华出版社1999年版。

[10]陈峰:《美国的高技术产业竞争战略及其对我国的启示》,《科学学研究》2005年第5期。

[11]李菲:《海峡两岸经济合作问题研究》,九州出版社2000年版。

[12]《2004闽台经贸交流大盘点》,华夏经纬网2005年1月20日。

[13]安华:《历史步伐无可阻挡》,《瞭望周刊》2004年2月4日。

[14]刘洋编译:《中国“强心剂”助推美国科技》,《国际金融报》2005年1月26日。

[15]唐勇:《〈华盛顿邮报〉总编:中国发展决定地球未来》,央视国际2005年3月26日。

第四章　闽台协同科技创新研究

自20世纪90年代开始，世界新科技革命的发展，特别是以数字化、网络化为特征的信息科技革命席卷全球，给人类社会的生产方式、生活方式带来深刻变化，带动生产力新的飞跃，知识经济初见端倪。同时，经济全球化进程不断加快，以科技创新为核心的综合国力竞争日趋激烈。知识经济是创新经济，科技创新是经济和社会发展的原动力，21世纪科技创新将进一步成为各国或地区经济、社会发展的主导力量。

闽台两地有着地缘、人缘、血缘和文缘的密切联系。面对当今世界经济和科技全球化趋势的发展，以及两岸加入世界贸易组织的新形势，通过协同推进两地科技创新，对区域经济发展具有非常重要和紧迫的意义。

第一节　闽台科技发展的现状和态势

一、闽台科技发展的现状

影响一个地区科技创新的因素主要有内部科技要素和外部环境要素。从内部科技要素来看，主要有科技组织与体制、科技人力资源、研发资金投入、科技成果产出、科技园区与高新技术产业发展状况等。以下对闽台两地各科技创新要素的发展状况进行分析。

1. 福建省科技发展现状

(1)科技发展概况

改革开放以来,中共福建省委、省政府认真贯彻落实邓小平关于“科学技术是第一生产力”的思想,把科技工作置于全局发展的重要战略地位。先后召开过五次对全省科技事业发展具有重要历史意义的会议,形成了《中共福建省委三届九次全会关于加强科学技术工作的决议》、《中共福建省委、省人民政府关于进一步推进科技体制改革的若干规定(试行)》、《关于依靠科技进步,振兴福建经济的决定》、《关于加快实施科教兴省战略的决定》等一系列战略性和政策性的决议、决定,成为全省科技工作的纲领。从为经济建设主战场服务、发展高科技、加强基础性研究三个层次上,实施了重点科研计划、火炬计划、星火计划、科技成果推广计划、自然科学基金资助计划、软科学研究计划和公共实验室计划等七项科技发展计划。这些计划的实施为福建省国民经济和社会发展起到推动与支撑作用。特别是科技十大工程的实施,推动了全省经济和社会的快速发展,科技体制改革逐步深化,科技成果转化率明显提高,高新技术及其产业化发展势头良好,科技实力和经济发展后劲明显增强。据科技部2005年统计监测,福建科技进步综合水平居全国第11位。

(2)科技体制和组织状况

福建省科技工作由福建省科学技术厅作为政府的行政部门进行宏观组织和管理,进行全省科技发展规划、科技计划和科技政策的制定和实施,负责全省重点科技开发计划和先进适用技术的推广组织工作。同时,各市、县(市)都设置科技局作为省科技厅的垂直对口行政部门,进行辖区内科技工作的组织和管理。具体的科技研究与开发工作主要由县级以上政府部门所属科研机构、高等院校科研机构、大中型工业企业科研机构以及其他部门科研机构来组成。2004

年,全省共有科研机构908个,其中县级以上政府部门所属科技机构104个,占总数的11.4%;高等院校科技机构91个,占总数的10.0%;大中型工业企业科研机构243个,占总数的26.8%;其他部门所属科研机构470个,占总数的51.8%(见表4—1)。

表4—1 2004年福建省各部门科技活动机构分布

项　　目	机构数(个)	比重(%)
总　　计	908	100.0
县级以上政府部门所属科研机构	104	11.4
高等院校科研机构	91	10.0
大中型工业企业科研机构	243	26.8
其他	470	51.8

资料来源:《福建经济与社会统计年鉴·2005(社会科技篇)》。

(3)科技人力资源状况

多年来,福建省高度重视科技人才队伍的建设,采取了许多积极和有效的举措,加强科技人才的教育、培养和引进力度,取得了明显的成效。到2004年年底,全省国有企事业单位专业技术人员数达到58.2万人,占总人口的1.68%。其中从事科技活动人员总量达到77345人,比1995年增长2.4倍,年均增长14.6%。在1995年至2004年期间,从事科技活动人员数除1998年及2002年略有回落外,其余年份都呈现持续增长的态势(见表4—2、图4—1)。

表4—2 1995年至2004年福建省从事科技活动人员数

年份	1995年	1998年	1999年	2000年	2001年	2002年	2003年	2004年
数量	22781人	29316人	33621人	68188人	70860人	67508人	71504人	77345人

资料来源:《福建经济与社会统计年鉴·2005(社会科技篇)》。

图 4—1　1995—2004 年福建省科技活动人员增长情况

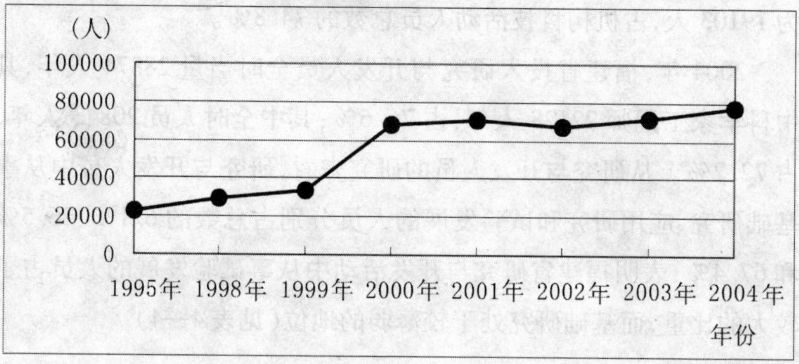

从科技活动人员所属部门结构看,2004 年科研机构拥有科技活动人员 4379 人,占总数的 5.7%;高等院校拥有科技活动人员 9021 人,占总数的 11.7%;工业企业拥有科技活动人员 42933 人,占总数的 55.5%;其他部门拥有科技活动人员 21012 人,占总数的 27.2%。由此可见,工业企业中从事科技活动人员已成为全省科技活动人员的主体力量(见表 4—3)。

表 4—3　2004 年福建省各部门科技活动人员情况

年份	科研机构		高等院校		工业企业		其他	
	人数	比重	人数	比重	人数	比重	人数	比重
2004 年	4379 人	5.7%	9021 人	11.7%	42933 人	55.5%	21012 人	27.2%

资料来源:《福建经济与社会统计年鉴·2005(社会科技篇)》。

根据福建省推进国民经济工业化和现代化的需要,全省加强了工业生产领域和基础设施建设领域的人才培养与聚集,使全省科技活动人员中从事工程与技术科学的人员占有较大的比重。到 2004

年，全省科技活动机构中从事工程与技术科学研究的科技活动人员为19103人，占机构科技活动人员总数的74.8%。

2004年，福建省投入研究与开发人员全时当量28874人年，其中科学家工程师22128人年，占76.6%；其中全时人员20843人年，占72.2%。从研究与开发人员的研究来看，研究与开发人员中从事基础研究、应用研究和试验发展的人员分别占总数的6.1%、26.5%和67.4%，表明福建省研究与开发活动中从事试验发展的人员占了较大的比重，而基础研究处于较薄弱的地位（见表4—4）。

表4—4 2004年福建省研究与开发人员投入全时当量

单位：人年

项目		2004年	比重（%）
研究与开发人员		28874人年	100
其中	基础研究	1760人年	6.1
	应用研究	7639人年	26.5
	试验发展	19475人年	67.4

资料来源：《福建经济与社会统计年鉴·2005（社会科技篇）》。

（4）福建省的科技经费投入状况

多年来，福建省注重增加科技经费的投入，通过动员社会各界力量，多渠道、全方位扩大科技经费的投入。2004年，全省共筹集科研经费93.16亿元，是1995年的6.2倍，年均增长29.8%。其中，企业资金为70.57亿元，占75.8%；政府资金11.03亿元，占11.8%；金融机构贷款8.20亿元，占8.8%。来自企业的资金已成为科研经费的主要来源（见表4—5、图4—2）。

表 4—5　2004 年福建省科技经费来源情况

经费来源	金额(亿元)	比重(%)
政府资金	11.03	11.8
企业资金	70.57	75.7
事业单位资金	1.82	2.0
金融机构贷款	8.20	8.8
国外资金	0.07	0.1
其他资金	1.47	1.6
合　　计	93.16	100

资料来源:《福建经济与社会统计年鉴·2005(社会科技篇)》。

图 4—2　2004 年福建省科技经费来源结构

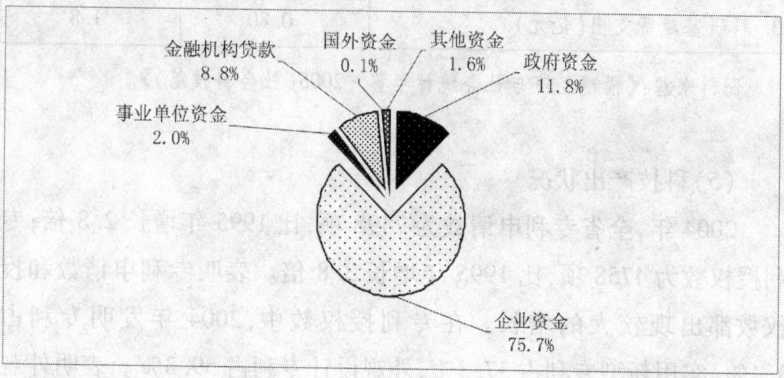

2004 年,全省科技活动经费内部支出达到 86.2 亿元,占当年全省国内生产总值的 1.42%。其中研究与开发经费内部支出为 45.03 亿元,占当年全省国内生产总值的 0.74%,工业企业当年研究与开发经费占产品销售收入的比重为 0.73%。与国外和省外先进水平相比,这三者仍处于较低水平。

从研究与开发经费支出类型看,2004年全省研究与开发经常费内部支出为44.23亿元,其中基础研究支出占2.3%;应用研究支出占18.3%;试验发展支出占79.4%。由此可见福建省研究与开发活动中重试验发展轻基础研究的倾向(见表4—6)。

表4—6 2004年福建省研究与开发经费支出情况

项目		2004年	比重(%)
1. 研究与开发经费内部支出(亿元)		45.03	100
2. 研究与开发经常费内部支出(亿元)		44.23	98.2
其中	基础研究	1.03	2.3
	应用研究	8.09	18.3
	试验发展	35.11	79.4
3. 科研基建费支出(亿元)		0.80	1.8

资料来源:《福建经济与社会统计年鉴·2005(社会科技篇)》。

(5)科技产出状况

2004年,全省专利申请数为7498项,比1995年增长2.8倍;专利授权数为4758项,比1995年增长3.8倍。表明专利申请数和授权数都出现较大的增长。在专利授权数中,2004年发明专利占3.4%,实用新型专利占37.3%,外观设计专利占59.3%。表明外观设计专利是专利授权中的主要部分,而发明专利占有较小的比重,说明福建省研究与开发活动中,实质性创新的能力较弱(见表4—7、图4—3)。

表4—7　福建省专利申请授权情况

年份	专利申请数（项）	专利授权数（项）	其中					
			发明专利		实用新型		外观设计	
			项数	比重	项数	比重	项数	比重
1995年	1979	983	17	1.7%	489	49.7%	477	48.5%
2004年	7498	4758	160	3.4%	1776	37.3%	2822	59.3%

资料来源：1.《福建科技统计年鉴·1996》。
2.《福建经济与社会统计年鉴·2005（社会科技篇）》。

图4—3　1995年和2004年福建省专利授权的类型比较

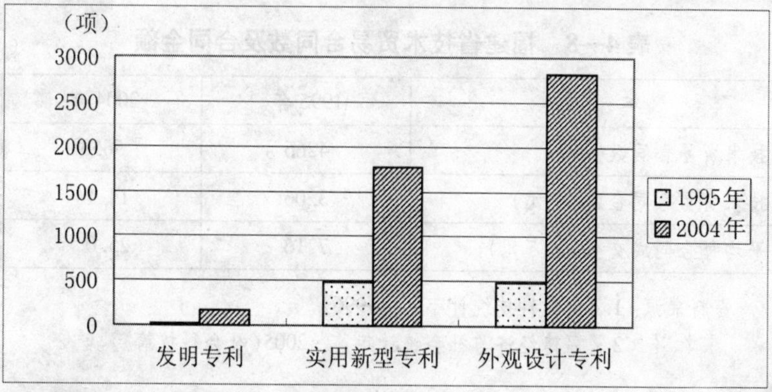

2004年，福建省科技人员发表科技论文14092篇，比1995年增长72.5%。其中，在国外发表1460篇，比1995年增长2.9倍；在国外发表的论文占论文总数的比重由4.5%提高到10.4%；科技论文被三大检索系统收录935篇，占论文总数的6.6%，比1999年提高0.8个百分点。表明，全省科技人员近年来发表科技论文数量有较大的增长，论文的质量也有一定提高。

技术贸易情况体现了一个国家或地区科技成果商品化的状况，同时也是一个国家或地区科技成果数量和质量状况的综合体现。

1995年以来,从福建省技术贸易情况看,技术贸易合同数波动较大,成交金额的总体趋势却是上升的。2004年,全省技术贸易合同金额达到14.14亿元,为1995年的4.6倍,年均增长18.5%;同时,平均每合同成交金额达到25万元,为1995年的3.5倍。表明福建省科技成果的数量和质量都有较大的提高(见表4—8)。但从技术贸易流向看,2004年,在全省技术贸易合同中,流向本省的合同数为5186项,合同金额12.38亿元,分别占总数的91.7%和87.6%,而流向省外的合同数、合同金额分别仅占总数的8.3%和12.4%。表明福建省的科技成果在国内的竞争力还不强。

表4—8 福建省技术贸易合同数及合同金额

年 份	1995年	2004年
技术贸易合同数(个)	4266	5656
技术贸易合同金额(亿元)	3.06	14.14
平均每合同成交金额(万元)	7.16	25.0

资料来源:1.《福建科技统计年鉴·1996》。
2.《福建经济与社会统计年鉴·2005(社会科技篇)》。

(6)高新技术产业和科技园区的发展状况

至2004年底,福建省已建立福州、厦门两个国家级及莆田、泉州、漳州、三明、南平5个省级高新技术产业开发区,两个国家级火炬计划软件产业基地。科技园区的创立和发展为高新技术及其产业的发展提供了广阔天地。2004年,全省高新技术企业达到2080家,从业人员41.4万人,高新技术产业产值达到2130.33亿元,高新技术产业增加值540.33亿元,占全省国内生产总值的比重为8.93%。高新技术产品出口额达到68.39亿美元,占全省商品出口额的

23.6%。2004年,全省高新技术企业人均产值达到51.46万元。

在全省高新技术产业的发展过程中,通过引进外资和吸引港澳台商投资,在引进资金的同时引进技术,对福建省高新技术产业的发展发挥了非常重要的作用。在全省高新技术产业单位中,虽然内资企业的单位数最多,但港澳台商投资企业的产值规模所占比重最大。2004年,全省外资投资企业产值为906.57亿元,占全省高新技术产业产值总数的42.6%;港澳台商投资企业产值为859.97亿元,占产值总数的40.4%;而内资企业产值为363.8亿元,仅占产值总数的17.1%(见表4—9)。表明通过对外经济、科技交流与合作,是推动全省产业结构调整、升级,促进经济发展的重要途径。

表4—9　2004年福建省高新技术产业产值按企业注册类型分布

项　目	产值(亿元)	比重(%)
合　计	2130.33	100
外资投资	906.57	42.6
港澳台商投资	859.97	40.4
内资企业	363.78	17.1

资料来源:《福建科技发展报告·2005》。

在福建省高新技术产业的行业结构中,工业高新技术产业是主体。2004年,全省工业高新技术产业产值为2099.10亿元,占高新技术产业总产值的98.5%,非工业高新技术产业仅占1.5%。在工业行业内部,首先是高新技术改造传统产业,产值为730.70亿元,占总产值的34.3%;其次是电子计算机及办公设备制造业,产值为682.67亿元,占高新技术产业总产值的32.1%;再次就是电子及通信设备制造业,产值为539.45亿元,占高新技术产业总产值的

25.3%；而其他产业占的比重都较小（见表4—10）。进一步从高新技术产品产值结构来看，全省高新技术产品主要集中在电子信息、新材料和光机电一体化三个领域，2004年其产值分别占高新技术产品总产值的65.6%、8.3%和4.6%，三者合计达到78.5%（见表4—11）。

表4—10 福建省高新技术产业分行业产值结构

项 目	2004年	
	产值（亿元）	比重（%）
合计	2130.33	100.0
工业	2099.10	98.5
医药制造业	56.03	2.6
航空航天器制造业	11.57	0.5
电子计算机及办公设备制造业	682.67	32.1
电子及通信设备制造业	539.45	25.3
医疗器械及仪器仪表制造业	30.26	1.4
信息、化学制品业	48.42	2.3
高新技术改造传统产业	730.70	34.3
非工业高新技术产业	31.23	1.5

资料来源：《福建科技发展报告·2005》。

表4—11 福建省高新技术产品产值结构 单位：%

	2004年
合计	100.0
电子信息	65.6
软件	1.0
航空航天	0.6
光机电一体化	4.6

生物、医药和医疗器械	0.8
新材料	8.3
新能源与高效节能	2.8
环境保护	0.8
农业	1.2
其他领域	14.2

资料来源:《2004 年度福建省高新技术产业发展情况统计公报》。

福建省高新技术产业在地域上主要分布在厦门市和福州市,2004 年其高新技术产业产值分别占全省的 31.7% 和 49.7%,合计占到全省的 81.4%,而其余 7 个设区市占的比重都较小,合计仅占全省高新技术产业产值的 18.6%(见表 4—12)。表明全省的高新技术产业在地域上的集中度非常高。

表 4—12 2004 年福建省高新技术产业产值的地区分布

项目	2004 年	
	产值(亿元)	比重(%)
福州市	675.60	31.7
厦门市	1058.42	49.7
莆田市	61.00	2.9
三明市	12.54	0.6
泉州市	129.48	6.1
漳州市	125.17	5.9
南平市	23.10	1.1
龙岩市	34.69	1.6
宁德市	10.34	0.5
合 计	2130.33	100

资料来源:《福建科技发展报告·2005》。

以上情况表明,改革开放以来,福建省的科学技术事业取得了较大发展,初步形成了服务经济和社会发展的科技体系,为开展闽台科技的交流与合作奠定了基础。

2. 台湾科技发展现状

(1)台湾科技发展概况

半个世纪以来,台湾的科技事业有了较大的发展,其发展过程大致可以分为三个阶段。

第一个阶段,奠基期(1959~1968)。20世纪50年代末,台湾当局开始重视科技的发展,1959年颁布《长期发展科技计划纲领》,这是台湾当局提出的第一个科技发展计划,重点是提供学术研究基金和吸收培养科技人才。同年成立了"长期科学发展委员会",负责计划和促进长期科学研究,分配研究发展预算,邀请外国教授来访,赞助学者外出进修等。这一时期,科技研究与开发方向以基础科学为主,兼顾应用科学,同时通过各种补助措施加紧培养研究人才。

第二个阶段,初步发展期(1969~1980)。1969年,台湾当局正式成立"行政院国家科学委员会",颁布《十二年科学发展计划》,设立"科学技术发展基金",后来,台当局相继设立了"工业技术研究院"、"行政院应用技术研究发展小组"、"行政院科技顾问组"及各部会的"科技顾问室"等机构。这一时期,台湾科技发展的重点是扩大基础研究,在改进科学教育的同时,加强应用科学的研究与开发,推动工业、农业、交通、医药等部门的专案计划,促进官营、民营企业对科技的投入。

第三个阶段,全面推动科技发展期(1981年至今)。1980年,台湾当局设立了新竹科学工业园区,1983年提出了《加强高级科技人才培育延揽方案》,后来又提出了《国防科技发展方案》、《科技发展十年长程计划》、《科技发展中长程计划》。同时,从1978年开始,台湾当局基本上每4年召开一次由产、官、学界参加的科学技术会议，检讨台湾科技发展情况，修改科技发展规划，制定科技发展政策。这一时期，台湾官方和民间都加大了对科技的投入，重点发展光电、软体、工业自动化、材料应用、高级感测、生物技术、资源开发和能源节约等八项关键性技术，以及通讯、资讯、半导体、消费性电器、精密器械与自动化、航太、高级材料、特用化学品与制药、医疗保健、污染防治等十大新兴工业，目标是将台湾建成一个"科技岛"。这一时期，台湾科技发展相对比较迅速。2000年与1986年相比，14年间研发经费增长了6倍，占岛内生产总值的比例由1.14%提高到1.97%；研究人员数量增长了2倍，每万人口中研究人员数量由14.3人增加到33.4人；本地专利核准项目数达23737项，增加了3倍。

2000年，台湾还提出发展成为"全球高科技制造中心与服务中心"的"绿色矽岛"构想。其主要内容为在原有技术基础上，引进新科技产品、加强软体硬体建设，发展电脑、半导体与宽频网络等产业与技术等，并于2001年制定和开始实施《台湾科技发展计划（2001～2004）》。至2004年，台湾的研发经费比2000年增长了32%，研发经费占岛内生产总值的比例达到2.42%，每万人口中研究人员数量增加到74人；本地专利核准项目数达33517项，比2000年增长41.2%。

台湾科技的发展对台湾经济的发展做出了较大的贡献。据统计，早在20世纪60年代，台湾的科技贡献率就达到60%。1999年，数据机、笔记本电脑及CDR光碟片三项产量均跃居世界第二，成为世界上重要的生产加工基地，半导体集成电路生产技术已接近和达到世界先进水平。2004年，台湾半导体产业产值首度突破兆元大关，半导体设计业产值仅次于美国，半导体专业代工制造产值更位居世界第一；TFT－LCD显示器产业，不仅技术与世界同步，产能更达到全球第二位；高技术密集型产品出口值占总出口的65%以上。据2005年洛桑国际管理学院公布的研究报告，台湾的整体竞争力排名居世界第11，其中科技竞争力的表现优异排名第5。

(2)台湾的科技体制状况

总的来看，台湾科技发展由官方主导。台湾“行政院长”设有“科技顾问组”作为其咨询机构，共有11位顾问分别负责科技政策、基础科学、人才培养等各个领域，每年召开一次会议，针对岛内科技发展提出具体意见。“行政院”下面设立“国家科学委员会”，负责研拟整体科技发展政策、方案并加以推动；改善科技研究环境，培养、招揽和奖励科技人才；协调、审议、管制、考核其他各部、会、署的重要科技发展计划。各部、会、署的科技顾问室，负责科技的推动与发展工作。科技经费投入方面，80年代官方占60%，民间不足40%。20世纪90年代以来，民间投入有所上升，各占一半左右。研究机构大致分为三类：第一类是官方研究机构，有“中央研究院”和“中山科学研究院”等，其中“中央研究院”是最高学术研究机构，下设十多个研究所，研究经费由“国科会”提供，主要负责基础研究；“中山科学研究院”隶属“国防部”，是台湾最高的军事科研机构，下设4个研究所和6个研究中心，拥有科技人员1万人以上，其中博士400余人、硕士2800多人，研究力量比较雄厚，近年来在新型武器装备的研制方面取得了较大的进展。第二类是财团法人性质的研究机构和加工业技术研究院，主要从事应用技术的研究，其资金来源主要靠捐助。第三类是民间大企业和财团设立的私营研究机构，主要负责新产品的开发和推广，经费由私人提供。此外，高等院校设有大量研究机构，其研究方向和经费来源都不一样。

(3)台湾的科技人力资源状况

2004年，台湾有研究与开发人员168525人，比1995年增长了

59.3%,年均增长4.8%。研究与开发人员中科学家、工程师为91490人,占54.3%;技术人员59583人,占35.4%;辅助人员17451人,占10.4%。从1995~2004年,研究与开发人员中科学家工程师占的比重呈上升趋势,而技术人员、辅助人员占的比重呈下降趋势,表明台湾的研究与开发人员类别结构逐步改善(见表4—13)。

表4—13　台湾研究与开发人员中人员类别的历年情况　单位:人,%

年份	研究与开发人员	其中					
		科学家、工程师	比重	技术人员	比重	辅助人员	比重
1995年	105822人	47867人	45.2	44246人	41.8	13709人	13.0
2004年	168525人	91490人	54.3	59583人	35.4	17451人	10.4

资料来源:《科学技术统计要览(台湾)》2005年版。

研究与开发人员中的科学家工程师是台湾科技创新的主要力量,在台湾称为"研究人员"。2004年,台湾拥有科学家、工程师91490人,比1995年增长91.1%,年均增长7.5%。2004年,每万人口中科学家、工程师数为40人,比1995年提高81.8%;每万劳动力中科学家、工程师人数为89人,比1995年提高71.2%。表明近年来台湾的科学家、工程师数量有较大的增长(见表4—14)。

表4—14　台湾研究与开发人员中科学家工程师情况

年份	科学家、工程师数(人)	每万人口中科学家、工程师数(人)	每万劳动力中科学家、工程师数(人)
1995年	47867人	22人	52人
2004年	91490人	40人	89人

资料来源:《科学技术统计要览(台湾)》2005年版。

从研究与开发人员的部门结构看,企业研究与开发人员成为台湾科技人员的主体。2004 年,岛内企业研究与开发人员占总数的 63.8%。同期,政府部门、大专院校仅分别占有 20.0%和 15.4%,表明企业的研究与开发人员占有绝大的比重(见图 4—4)。同时,研究与开发人员中科学家、工程师人数的部门结构也呈现出同样的情况(见表 4—15)。表明企业科技人力资源在台湾各部门中占有较大优势。

表 4—15 2004 年台湾研究与开发人员的部门结构

	研究与开发人员		其中科学家、工程师人数	
	人员数(人)	比重(%)	人员数(人)	比重(%)
合　　计	168525 人	100	91490 人	100
企　　业	107473 人	63.8	50795 人	55.5
政府部门	33744 人	20.0	17020 人	18.6
大专院校	25967 人	15.4	22781 人	24.9
私人非营利部门	1340 人	0.8	894 人	1.0

资料来源:《科学技术统计要览(台湾)》2005 年版。

图 4—4 2004 年台湾研究与开发人员的部门分布比较

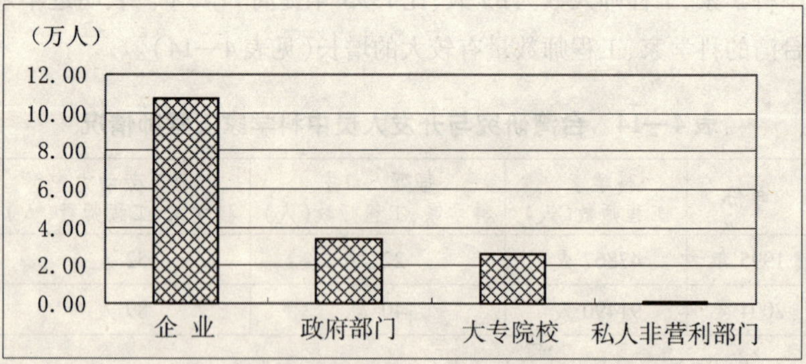

从研究与开发人员中科学家、工程师的学科结构看，工程与技术科学占的比重最大，为 68.2%；其次是医药科学、人文与社会科学和自然科学，分别占总数的 7.4%、6.6%、14.3%；比重最小的是农业科学，仅占 3.5%。

台湾科技人员具有较高的学历结构。2004 年，岛内科学家、工程师中具有大学本科及以上学历的人数占总数的 100%。其中具有博士学位的占 25.5%，具有硕士学位的占 42.5%。表明台湾近年来通过改善科技研究环境，培养、招揽和奖励科技人才的政策措施取得了较好的成效。

（4）台湾的科技经费投入状况

台湾 2004 年研究与开发经费投入为 260851 百万元新台币，比 1995 年增长 65.2%，年均增长 7.6%，但 2000 年和 2001 年的增长率都仅为 3.7%，增长率较低。2004 年，在经费投入中，台湾省政府投入经费为 88468 百万元新台币，占 33.9%，民间投入经费 172383 百万元新台币，占 66.1%，表明研究与开发经费投入中民间投入占主导地位。从 1995—2004 年民间投入所占比重的变化看，民间投入的主导作用还在逐步增强。

2004 年，台湾研究与开发经费占岛内生产总值的比重为 2.54%，比 1995 年提高了 0.76 个百分点；从 1999 年开始，已经连续六年超过 2% 的水平且逐年在提高，与台湾"政府"制定的 2010 年达到 3% 的目标已逐步靠近。同时，企业研究与开发经费占产业附加价值比率由 1999 年的 1.65%，提高到 2004 年的 2.08%，表明台湾企业的研发密集度也在不断提高（见表 4—16、图 4—5）。

表4—16 1995年至2004年台湾研究与开发经费及来源情况

单位:百万元新台币

年份		1995年	1999年	2000年	2001年	2002年	2003年	2004年
研究与开发经费		125031	190520	197631	204974	224428	240820	260851
增长率(%)		9.0	8.0	3.7	3.7	9.5	7.3	8.3
其中	政府投入经费	72127	74167	75790	85464	74167	85580	88468
	比重(%)	37.9	37.5	37.0	38.1	37.5	35.5	33.9
	民间投入经费	118394	123464	129184	138964	123464	155280	172383
	比重(%)	62.1	62.5	63.0	61.9	62.5	64.5	66.1
研究与开发经费占岛内生产总值的比重(%)		1.78	2.05	2.05	2.16	2.30	2.45	2.54
企业研究与开发经费占产业附加价值比率(%)		—	1.65	1.64	1.75	1.82	1.95	2.08

资料来源:《科学技术统计要览(台湾)》2005年版。

图4—5 1995年至2004年台湾研究与开发经费占岛内生产总值的比重

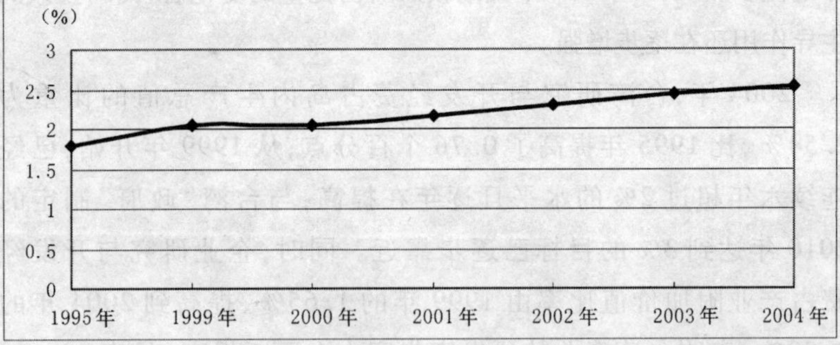

台湾科技经费支出中,企业科技经费支出占有较大的比重。2004年企业研究与开发经费支出占其经费支出总额的64.4%,官方部门支出占24.0%,大专院校支出占11.6%。从1996~2004年,企业投资占的比重在逐步提高，政府部门、大专院校投资占的比重呈下降趋势（见表4—17）。

表4—17　台湾研究与开发经费部门支出分布

单位：百万元新台币

年份	企业支出	%	政府部门支出	%	大专院校支出	%	私人非营利部门支出	%
1996年	79806	57.9	40592	29.4	17557	12.7	—	—
2004年	167873	64.4	61144	23.4	30350	11.6	1484	0.6

资料来源：《科学技术统计要览（台湾）》2005年版。

2004年，台湾投入基础研究领域的经费为29631百万元新台币，占研究与开发经费总额的11.4%；投入应用研究经费为65449百万元新台币，占26.1%；投入试验发展的经费为165771百万元新台币，占63.6%，试验发展经费占较大比重。这一状况从1995年至2004年期间都没有太大的变化，表明台湾科技发展策略中长期以来重技术应用研究轻基础理论研究的倾向（见表4—18、图4—6）。

表4—18　台湾研究与开发经费按研究性质分组的结构

年份	基础研究经费（%）	应用研究经费（%）	试验发展经费（%）
1995年	12.2	28.7	59.0
2000年	10.4	30.0	59.6
2004年	11.4	25.1	63.6

资料来源：《科学技术统计要览（台湾）》2005年版。

图 4—6　台湾研究与开发经费按研究性质分组的结构

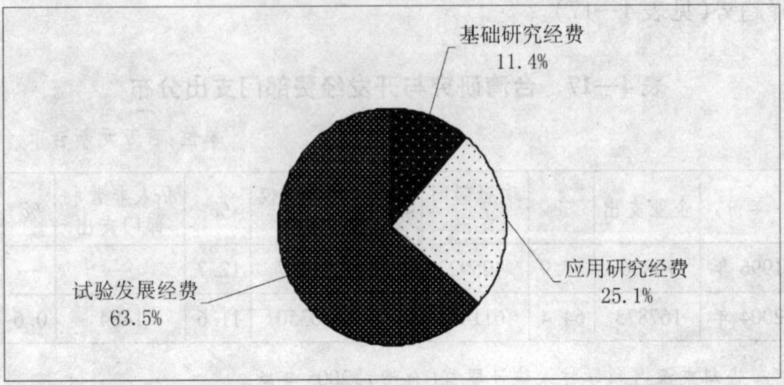

(5)台湾的科技产出状况

台湾的科技成果主要可通过发表学术论文情况、专利情况、技术贸易情况等反映。

2004 年,台湾共发表国际学术论文 23919 篇,比 1996 年增加 12209 篇,增长 104.3%。其中,发表 SCI 论文 2939 篇,增长 72.8%,在世界排名与 2003 年持平为第 18 位;发表 EI 论文 10980 篇,增长 160.2%,在世界排名第 11 位,比 2003 年上升一位(见表 4—19)。

表 4—19　台湾国际学术论文发表数

年份	1996 年	1999 年	2000 年	2001 年	2002 年	2003 年	2004 年
发表 SCI 论文(篇)	7490	8944	9203	10635	10831	12392	12939
发表 EI 论文(篇)	4220	4690	4878	5103	5350	8011	10980
合计(篇)	11710	13634	14081	15738	16181	20403	23919

资料来源:《科学技术统计要览(台湾)》2005 年版。

2004 年,台湾专利申请数为 43020 项,比 1995 年增长 48.9%;

专利授权数为33517项，比1995年增长61.8%。表明专利申请数和授权数都出现较大的增长。在专利授权数中，2004年发明专利占22.4%，实用新型专利占67.1%，外观设计专利占10.5%，表明实用新型专利是专利授权中的主要部分。但从1995年开始，发明专利占的比重在逐年增长，表明台湾研究与开发活动中，实质性创新的成效越来越大（见表4—20、图4—7）。

表4—20　台湾专利申请、授权情况

年份	专利申请数（项）	专利授权数（项）	其中					
			发明专利		实用新型		外观设计	
			项数	比重（%）	项数	比重（%）	项数	比重（%）
1995年	28900	20717	1138	5.5	12962	62.6	6617	31.9
2004年	43020	33517	7521	22.4	22493	67.1	3503	10.5

资料来源：《科学技术统计要览（台湾）》2005年版。

注：专利申请数、专利授权数不包括外国人申请数。

图4—7　1995年和2004年台湾专利授权的类型比较

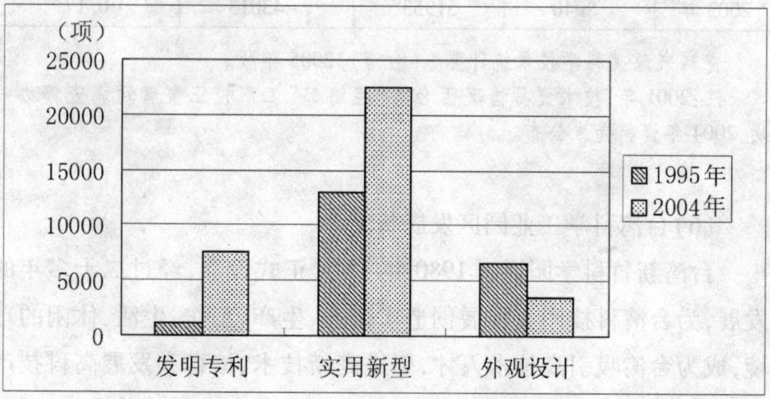

台湾2003年技术进口额51953百万元新台币，技术出口额8940

百万元新台币，净技术贸易额为-43013百万元新台币，技术贸易赤字较大，表明台湾还是一个以技术输入为主的地区，该地区的科技开发成果的数量和水平还远远满足不了当地企业和经济发展的需要。但从纵向上来看，1995～2003年，台湾技术进口额仅增长了1.84倍，而技术出口额增长了11.3倍，使技术贸易收支比由0.04提高到0.17，提高了3.25倍。表明，近年来台湾的科技创新能力和满足技术市场的需求能力不断增强（见表4—21）。

表4—21　1995年至2003年台湾技术贸易情况

单位：百万元新台币

年份	技术出口额（A）	技术进口额（B）	净技术贸易额（A-B）	技术贸易收支比（A/B）
1995年	728	18240	-17512	0.04
1998年	922	38910	-37988	0.02
1999年	1224	39003	-37780	0.03
2000年	3949	40727	-36778	0.10
2002年	11260	45245	-33985	0.25
2003年	8940	51953	-43013	0.17

资料来源：《科学技术统计要览（台湾）》2005年版。

注：2001年，技术贸易情况因台湾"经济部"工厂校正暨营运调查停办一次，2004年资料尚未公布。

（6）台湾科学工业园区发展状况

台湾新竹科学园区于1980年12月正式设立，经过二十多年的发展，为台湾科技产业发展创造了研发、生产、工作、生活、休闲的环境，成为台湾吸引高技术人才，引进高新技术，培育和发展高科技产业的基地。台湾在园区内提供了厂房、土地、住宅及公共设施，对投资高技术的企业给予税收优惠。台湾清华大学、交通大学和工业技术研究院都设立在新竹,为台湾的IC产业发展提供了技术支持和人才需求。由于新竹园区的容量有限,1995年确定在台湾中部的云林县兴建科技工业区,在台南县兴建台南科学工业园区,在台南市建立台南科技工业区,以改变高科技产业高度集中北部的格局,建构台湾北、中、南三大科技中心的蓝图。至2005年底,台南科学园区已有106家企业入驻,其中84家企业已经投产。

2004年,台湾科学工业园区的从业人数为146613人,比1995年增长2.47倍;销售收入达到13438.74亿元新台币,比1995年增长2.49倍;人均销售收入为9.17百万元新台币,比1995年增加2.09百万元新台币(见表4—22)。

表4—22　台湾科学工业园区基本情况

年份	销售收入（亿元新台币）	从业人数（人）	劳动生产率（百万元新台币/人/年）
1995年	2992.18	42257	7.08
2004年	13438.74	146613	9.17

资料来源:《科学技术统计要览(台湾)》2005年版。

台湾科学工业园区以集成电路产业为主,2004年其销售收入占园区销售总收入的61.5%;光电产业、电脑及外设产业和通讯产业,分别占园区销售收入的22.3%、10.4%和4.6%;精密机械产业和生物技术产业占的比重较小,仅分别占园区销售收入的1.0%和0.3%。从1995年以来产业结构的变化来看,集成电路产业、光电产业所占的比重呈上升趋势,其所占比重分别提高了12.1个百分点、18.9个百分点,而电脑及外设产业则下降了30.2个百分点(见表4—23)。

表4—23 1995年至2004年台湾科学工业园区各产业销售收入的比重

单位:%

年份	合计	集成电路	电脑及外设	通讯	光电	精密机械	生物技术
1995年	100	49.4	40.6	5.7	3.4	0.8	0.1
1998年	100	50.7	35.1	5.8	6.5	1.6	0.1
1999年	100	55.4	30.9	5.0	7.9	0.7	0.1
2000年	100	61.9	22.3	5.4	9.5	0.8	0.1
2001年	100	56.8	22.6	8.0	11.6	0.8	0.2
2002年	100	62.5	15.4	7.1	13.9	0.9	0.2
2003年	100	61.7	13.3	5.6	18.2	0.9	0.2
2004年	100	61.5	10.4	4.6	22.3	1.0	0.3

资料来源:《科学技术统计要览(台湾)》2005年版。

2004年,科学工业园区的研究与开发人员为26996人,占台湾研究与开发人员的16.0%,占园区从业人数的18.2%;园区中科学家、工程师数16328人,占台湾科学家、工程师数总数的17.3%,占园区从业人数的11.1%。从研究与开发人员的产业分布看,集成电路产业有研究与开发人员13081人,占48.4%;电脑及外设产业有研究与开发人员4806人,占17.8%;通讯产业有研究与开发人员2319人,占8.6%;光电产业有研究与开发人员5459人,占20.3%;精密机械产业有研究与开发人员658人,占2.4%;生物技术产业有研究与开发人员673人,占2.5%(见表4—24)。

表4—24 2004年台湾科学工业园区研究与开发人员分产业情况

产业	研究与开发人员数(人)	其中:科学家、工程师数(人)
合计	26996	16328
集成电路	13081	8563
电脑及外设	4806	2523
通讯	2319	1434
光电	5459	3030
精密机械	658	344
生物技术	673	436

资料来源:《科学技术统计要览(台湾)》2005年版。

2004年,台湾科学工业园区的研究与开发经费为57090百万元新台币,比1995年增长3.5倍,年均增长16.3%,处于高速增长状态。研究与开发经费占销售收入的比重也与1995年的4.2%持平(见表4—25)。

表4—25 1995年至2004年台湾科学工业园区研究与开发经费情况

年份	总计	
	研究与开发经费(百万元新台币)	占销售收入比重(%)
1995年	12570	4.2
1998年	32322	7.1
1999年	35454	5.4
2000年	40064	4.2
2001年	46000	6.5
2002年	46530	5.8
2003年	50404	5.0
2004年	57090	4.2

资料来源:《科学技术统计要览(台湾)》2005年版。

综上所述，从研究与开发的人力、经费、科技研究论文、专利申请与核准数、技术密集型产品输出额及技术贸易额、科学园区发展等关键指标的分析中可以看出，台湾的科技发展水平已有较大提升。但台湾科技发展水平参差不齐，尤其是基础研究落后于应用研究，基础创新能力不足，关键技术、关键零部件主要还得依赖美国和日本。在相关科技产业中，除计算机信息产业比较发达外，其他产业则成绩平平。因此，如何加强基础研究实力，大力开发产业核心技术，全面提高各产业综合创新能力，是台湾科技发展面临的关键问题。

二、闽台科技发展的态势

1. 福建省科技发展的态势

2005 年，福建省人民政府制定了《福建省中长期科技发展规划》，提出福建省 2006 年至 2020 年科技发展的战略思想是：紧紧抓住为海峡西岸经济区建设提供强有力的科技支撑和服务这个中心，走建设创新型大省发展道路，实现福建科技发展向不断增强自主创新能力和重点跨越式发展方向转变，努力使福建省成为我国海峡西岸比较发达和先进的创新型省份，为本省国民经济和社会可持续发展奠定可靠的科学和技术基础，大幅度增强福建省的科技实力和区域创新能力。具体发展目标为：

(1) 到 2010 年，全社会研究与开发支出占全省国内生产总值比重达到 2.0%，2020 年达到 2.5%；2020 年对外技术依存度下降至 50% 以下。争取到 2010 年全省科技综合实力进入国内先进行列，构建好海峡西岸经济区创新型大省的基础；2020 年建成创新型大省，进而为建成创新型强省奠定坚实的基础，为海峡西岸经济区建设提供可靠的科技服务和有力支撑。

(2) 基本建成适应市场经济运行机制和符合科技自身发展规律

的区域科技创新体系和科技基础条件平台。加强优势领域科研机构和高校重点学科、重点实验室基础条件建设，力争在电子信息、生物技术、环保技术、生物化学、新材料、工程机械装备等领域的某些学科原始创新和集成创新能力居全国前列。

(3)发展高新技术及其产业。“十一五”期间，做强做大电子信息、新材料和生物技术领域高新技术产业，大力发展环保和新能源高新技术产品，培植180家产值过亿元的高新技术企业(集团)，高新技术产业产值占全部工业总产值的比重达到30%以上；高新技术产品出口额占出口商品总值出口额的比重达到30%以上；至2020年分别达到40%、40%以上。

(4)提升制造业创新能力。以区位科技发展模式为示范，发挥高科技产业聚集效应和辐射功能。加快培育福州电子信息技术、新材料和汽车产业集群基地，厦门电子信息技术、软件与环保产业集群基地，泉州电子信息技术、石油化工产业集群基地三大基地。到“十一五”期末，反映制造业科技竞争力的有关指标达到或超过全国平均水平；到2020年，全省制造业的大部分产品及制造技术达到国内先进水平，部分主导产业达到国际先进水平，在全国装备制造业的振兴中占有一席之地。

(5)推进“数字福建”建设和服务业科技创新。“十一五”至2020年，“数字福建”建设继续围绕着眼于推进国民经济和社会信息化，建立较为完备和先进的国民经济和社会信息化体系。重点建设福建省公用信息化平台和信息资源数据库应用系统，构建覆盖全省的信息共享网络体系；开发完成本省地理信息系统、全球定位系统以及遥感信息系统，建立与完善数字政府、数字商务、数字社区三个示范主工程，加快制造业信息化和服务业信息化的实施步伐。使福建省国民经济和社会信息化进入国内先进行列。

(6)加快现代农业科技创新进程。建立具有国内先进水平的新型农业科技创新体系,使福建省农业技术研发能力与科技综合实力"十一五"至2020年进入国内先进水平行列。科技成果转化率分别达到45%、60%,高新技术应用水平提高到分别占当年农业国内生产总值的比重从现有1.9%增加到5%和10%。农、林、畜良种覆盖率分别从现有90%、40%、50%提升到95%和70%以上;农产品加工值占农业国内生产总值比重从现有35%提升至150%~200%。

(7)加快水产和海洋高科技创新进程。"十一五"期间对传统水产与海洋产业进行技术改造,加大科技投入,加强应用基础研究,提高技术开发和创新能力,增加技术装备,积累资金和技术,为全面发展水产与海洋高新技术产业打下基础。2011~2020年进入海洋高新技术产业发展为主导的现代水产及海洋科技开发阶段,以发展水产养殖、海洋天然产物及药物、海洋微生物资源开发利用、海洋环境动态监测及保护等高新技术为主,培育和带动其他海洋高新技术的发展和创新。

(8)推进社会发展科技进步。开展医药卫生等领域的科学技术研究与开发,实现若干重大技术突破,推动社会发展领域的科技创新,促进社会发展相关产业发展和科技成果的推广应用。"十一五"期间,建设并完善一批适应社会发展领域急需的疾病防控中心、智能交通安全控制中心、食品安全中心、产品质量检测中心、自然灾害防御控制中心等公共安全服务及基础设施和平台,建立若干生态环境保护和资源合理利用的科技示范工程,以科技为先导,做好可持续发展实验区工作。2020年,全省人口、健康和公共安全科技发展处于全国前列水平。

(9)建立和完善全社会、多元化、多渠道的科技投入体系。省财政科技投入的年增长速度高于财政经常性收入的年增长速度。建立科技成果转化基金,增加科技贷款规模,建立政府科技贷款担保基金,建立完善科技风险投资机制,推进科技风险投资事业的发展。

(10)科技人才队伍有较大发展。健全政府宏观调控与市场机制相结合的人才资源开发体系,完善科技人才的选拔、培养和使用机制,建立成果转化、技术推广等多层次、多元化的科技创新人才队伍。实施“155”专家工程,努力培养造就100名进入国内外科技前沿,体现国家水平的学术技术带头人;500名在某一学科或技术领域有较高造诣,代表福建省先进水平的学术带头人;5000名在各领域起骨干作用的优秀人才。

2. 台湾科技发展的态势

2003年,《台湾科学技术白皮书(2003~2006)》提出了在2010年使台湾科技发展达到世界先进水平的远景规划。规划投入方面:要求台湾研发总经费至2006年达到岛内生产总值的3%、每万人口大学以上研究人员数至2007年达到32人年;产出方面:至2013年至少有一所大学成为世界一流大学、美国核准专利数(不含外观设计专利)至2007年达到核准总数的3.5%,互联网宽带用户超过600万户。2005年6月,台湾“行政院”根据《科技基本法》的规定,制定了《台湾科技发展计划(2005~2008)》。该计划提出了台湾科技发展的总目标、远景及策略。科技发展的总目标是:加强知识创新体系、创造产业竞争优势、增进全民生活品质、促进可持续发展、提高全民科技水平、强化“自主防卫”。具体目标是使科技发展达到世界先进水平,建成世界级学术环境,在某些领域做出重要贡献,建设国际一流大学及亚洲顶尖的学术研究中心,5年内至少15个顶尖系、所及跨校研究中心,排名亚洲第一名;10年内至少有一所大学跻身国际一流大学之列,如居全世界大学排名前100名,大学及研究机构成为知识创新与科技创新的主要来源,使台湾成为亚太地区学术研究的重要中心；在产业技术方面，继续发展原有高科技产业，带动整体产业转型与升级，知识密集型产业产值要占岛内生产总值的60%以上，技术进步对经济增长的贡献率达75%以上。为实现以上的目标，台湾当局制定了以下发展策略和具体措施：

(1)健全科技政策体系，加强资源有效运用。健全科技政策的形成、推动与评估机制，建构“政府”科技绩效预算机制，有效运用科技资源；强化“政府”科技计划的规划与管理，研发经费的充实与开创，加强“政府”部门研发投资。2006年，“政府”科技预算以15%以上增长，各类基金增加其相关研发计划的投入，逐年加强公营事业研发投资，使其研发经费占营业额的比例达到一般民营企业的水平；采取具体策略措施，促成民间增加研发投入，扩大“政府”补助企业增加研发投资的机制，增加企业研发贷款额度；引导跨国研发中心落实研发投入。从2006年开始，使研发经费占岛内生产总值的比重达到3.0%以上。

(2)加强人才规划实施，拓展科技人力资源。加强推动科技人才发展方案，以落实科技人力资源发展计划；推动《高等教育宏观规划》的实施，鼓励跨领域学科发展，缩短大学教育与产业科技人才需求的差距，加强推动产学研建教合作，提高科技人才素质培养；推动与海外研发资源建立长期合作关系，强化本岛博士的国际互动机制，建构国际化科技人才发展机制；建立“筑巢引凤”、“楚才晋用”引才用才观念，持续推动“政府”机关与民间机构科技人才交流，完善人才环境建设，强化科技人才引进与交流。

(3)提升学术研究水准，发展特色学术领域。发展国际级大学及研究中心，推动重点学术研究领域建设，并奖励具有突出贡献的机构和人员；积极促进跨岛内企业研发中心、岛内企业研发中心与学界之间的研发创新合作，密切产学研关系、追求卓越创新，将大学与研究机构的前瞻性研究成果及时向产业应用转化,发展新型高新技术企业和产业;强化海洋科技、绿色科技及跨领域尖端研究能力,建立“政府”海洋研究、训练船队及技术支持团队,并建立配套的组织及法规,成立“政府”海洋专责机构。推动具有高附加值的生物医药产业与半导体、信息、通信等跨领域全面整合的绿色科技相关产业的发展。筹建台湾光子源作为航天科技新的发展方向。

(4)促成知识创新,突破产业发展。加强知识产权管理,以提高知识经济的竞争力:疏通知识产权的创新、增殖、转让与应用过程,建立知识产权创造、保护与运用整合及衔接机制,推动高附加值创新产业科技研发体系的形成,使台湾发展成为亚太地区科技服务的重要中心;强化产学科技创新的连结,鼓励大学通过技术转让或自主创业,促进大学知识产业化;多渠道积极参与国际标准制定,以掌握产业前瞻创新趋势;推动数字家庭、第三代移动通讯、智能型医疗护理器械与可携式绿色电源等具有发展潜力的新兴科技产业的发展;善用地方特色与民间能量,建构多元化的产业集群与园区发展机制,改善科技产业的创业成长环境;协助传统产业创新研发,发展自主核心技术,提升产业知识创造能力和产业附加价值,加快传统产业的转型升级。

(5)促进科技民生应用,强化社会互动发展。在数字台湾与电子化生活方面,要求整合医疗卫生信息,提升医疗服务品质;发展生物技术与信息科技,建构科技伦理与法制;创新科技、电子化交通,落实交通运输的可持续发展;建立台湾大百科知识库,推动文化网路化建设;建构安全、可信赖的信息通讯环境;缩小数字鸿沟,提升数字平等。在环境科技与可持续发展方面,加强资源再生利用及建构绿色产业,建立综合性环境健康风险评估及管理制度,促进环境品质的提升;建立关键技术的预警与风险管理机制,以降低生态环境冲击,应对全球环境的变迁,达到永续发展的目标;强化救灾及预警科技的评估研发及应用，建立完整监测体系，提升灾害应变与预警能力；推动水利产业知识化及水利知识产业化，以创造台湾水利新兴产业，有效利用水资源；以可再生能源开发、能源新利用及节约能源技术为推动重点，依靠技术创新及产业优势，提升台湾的国际竞争力。在生活品质与民生科技运用方面，要建立完整的核医疗信息网路，提升核医药物制造品质，加强国际研究机构合作与岛内产业界策略联盟；推动生物制药发展整合计划，实现各机构现有核心设施与技术软硬件资源的互通共享，开发关键核心技术，提高研发与营销能力；加强工程建设管理，制定公共工程信息交换标准，促进建筑科技应用，推动公共工程的线上领投标、文件及设计图纸管理、资料审核管理等信息管理；加强生物技术药物管理及法规宣传教育，提升制药产业环境，推动药物流行病学研究，建立以实证科学为基础、消费者保护为先的药物管理体系，健全临床试验体系及运作机制，落实认证服务。

(6)强化国防科技体系，促进防卫军备发展。建立台湾防卫科技先进研究机制组织平台，带动产、学、研资源投入防卫先进科技的发展；建立可支持未来30年防卫兵力结构主要装备(系统)，并可创造军民通用的国际化科技产业；建立可掌握防卫科技及军备发展，结合岛内产业目标并紧跟全球防卫信息通信发展趋势的电子产业。

第二节　闽台科技创新能力综合评价

一、评价模型与方法

1. 评价模型

本节以IMD竞争力评价指标体系为参考，建立闽台区域科技创新能力综合评价指标体系，以便对闽台两地区域科技创新能力进行综合评价和比较。

区域科技创新能力是指一个地区将知识转化为新产品、新工艺、新服务的能力。它主要由知识创造能力、知识流动能力、企业技术创新能力、创新的环境、创新的经济绩效五个要素构成。

(1)知识创造能力。知识创造能力是一个地区的科技创新的基础。一个地区的知识创造能力取决于研究与开发的投入水平、科技产出的水平和知识创造过程的效率水平。因此,知识创造能力可从研究与开发投入、产出(分为专利、科研论文)及科技投入产出比三个方面进行评价。

研究与开发投入指标由研究与开发人力资源和政府科技投入两项构成。其中,研究与开发人力资源投入状况由研究与开发人员数、每万人中研究与开发人员数、年研究与开发人员增长率三个指标从投入总量、投入强度、投入增长潜力三个方面分别进行反映;政府科技投入状况由政府科技投入、政府科技投入较上年增长率、政府科技投入占国内生产总值的比例三个指标反映。

本节用最能反映实质性科技创新能力的发明专利指标来评价区域专利产出状况,由发明专利申请和发明专利授权两部分构成。其中,发明专利申请状况由年发明专利申请数、每万人发明专利申请数和年发明专利申请数增长率三个指标反映,发明专利授权状况由年发明专利授权数、每万人发明专利授权数和年发明专利授权数增长率三个指标反映。

科研论文产出指标主要由国内论文发表和国际论文发表两部分构成。受数据资料的限制,本节仅用国际论文发表情况进行反映,包括 SCI 论文和 EI 论文两个指标。

设计科技投入产出比的指标是为了考察一个地区的知识创造和管理的综合能力,主要由每万名研究与开发人员发表的国际论文数、每万名研究与开发人员产生的发明专利授权数、每百万元研究与开发经费投入产生的发明专利授权数等指标反映。

(2)知识流动能力。知识流动是区域创新体系中的第二个重要环节,只有知识的流动,一个地区才会有较强的将知识转化为创新的能力。对知识流动能力,可从区域科技合作程度、技术转移强度、外国直接投资水平三方面进行评价。其中,区域科技合作反映的是地区间、区域内各创新主体(企业、高校、科研机构)间科技合作的状况,也是知识有效流动的重要渠道;技术转移是技术或知识供求双方按照市场需求的方式在各个部门间有意识的流动;外国投资带来的不仅是资金,更重要的是生产技术、管理技术和大量的技术诀窍,是一种国际技术转移。

由于受资料可得性的限制,本节仅从技术转移方面对闽台知识流动能力进行评价,采用的评价指标有技术市场成交额、技术输入金额、技术输出金额、技术贸易收支比等。

(3)企业技术创新能力。企业技术创新能力是区域创新体系中第三个重要环节。因为,企业直接面向市场,直接将新技术转化为商品,市场又通过企业,有效地引导科技研究的方向。因此,在区域创新体系中,企业是主体,一个地区的创新能力最核心的是企业的创新能力。

从技术创新链条的角度看,企业先有基于市场需求的新思想,然后进行研究与开发,再进行产品设计、批量生产和销售。因此,企业技术创新能力的构成要素应包括企业的研究与开发投入能力、设计能力、制造能力和创新的产出能力等四个方面。在闽台两地的企业技术创新能力评价中,受数据资料来源的限制,本节仅从前两个方面进行评价和比较。

企业的研究与开发投入能力。这一方面的评价由企业研发人员投入、企业研发资金投入两项构成。其中,对企业研发人员投入状况用企业研发人员投入数、企业研发人员较上年增长率、每万人均企业研发人员数三个指标反映,对企业研发资金投入状况用企业研发资金投入量、企业研发资金较上年增长率、企业研发投入占销售收入比例三个指标反映。

设计能力。本节用实用新型专利申请受理、外观设计专利申请受理两项指标评价企业的设计能力。其中,实用新型专利申请受理情况用实用新型专利申请数和实用新型专利授权数两个指标反映,外观设计专利申请受理情况用外观设计专利申请数和外观设计专利授权数两个指标反映。

(4)创新的环境。在一定的科技投入、科技制度体系条件下,创新的环境是决定一个地区创新能力的关键。由于技术创新的环境涉及的因素较多,本节仅从基础设施、市场需求、劳动者素质、风险投资基金等方面进行评价。

基础设施。基础设施是一个地区创新的各种要素流动的载体,本节从通讯普及状况、铁路设施状况、公路设施状况三方面进行评价。其中,通讯普及状况用手机普及率和互联网普及率两个指标进行反映;铁路设施状况用铁路拥有量和铁路人均拥有量反映;公路设施状况用公路拥有量和公路人均拥有量反映。

市场需求。市场需求是拉动技术创新的重要力量,一般用居民消费水平、政府财政支出、商品进出口差额、国内固定资产投资增长率四个方面衡量。受数据资料来源的限制,本节从前三个方面进行评价。其中,居民消费水平用平均每人民间消费支出及其较上年增长率两个指标进行反映;商品进出口差额状况用商品进出口差额指标反映;政府财政支出情况用政府财政支出额及其较上年增长率反映。

劳动者素质。劳动者素质高低和劳动者的多少是创新环境的另一个重要因素。劳动者素质高,企业就容易获得创新所需的人才。但劳动者素质也是一个综合指标,本节用教育投资水平、劳动人口中大专以上人口所占比例、当年新增大学毕业生数等指标来综合衡量一个地区的劳动者素质。其中,教育投资水平用教育投资金额及其较上年增长率、教育投资占国内生产总值的比例三个指标反映。

风险投资基金。资金是决定创新成败的重要因素。风险投资作为高新科技企业的孵化器、推进器,在推动科技进步、加速科技成果转化、实现技术创新过程中发挥着关键的作用。本节用风险投资基金规模及其占企业产品销售收入的比重两个指标进行评价。

(5)创新的经济绩效。区域科技创新必然能够有力地推动区域经济的持续发展。本节从宏观经济、产业结构、产品国际竞争力、居民收入水平、就业水平五方面对闽台两地科技创新的经济绩效进行评价。

宏观经济。采用人均国内生产总值(GDP)指标和劳动生产率指标评价区域宏观经济的发展水平。

产业结构。采用第二产业对第一产业的产值比重之比、第三产业对第一产业的产值比重之比和高技术产业产值占国内生产总值比例三个指标反映区域产业结构优化度水平。

产品国际竞争力。采用商品出口额占国内生产总值(GDP)的比重和高科技产业出口值占总出口值比重两个指标进行反映。

居民收入水平。采用平均每人国民生产毛额指标反映。

就业水平。采用劳动人口占总人口比重、就业率、高科技产业从业人员占总制造业从业人员的比重三个指标进行反映。

根据以上分析,本节构建了闽台区域科技创新能力综合评价指标体系(见表4—26)。

表 4—26　区域科技创新能力综合评价指标体系

区域科技创新能力	一、知识创造能力	(一)研究与开发投入	1. 研究与开发人力资源投入	①研究与开发人员数
				②每万人中研究与开发人员数
				③年研究与开发人员增长率
			2. 政府科技投入	①政府科技投入
				②政府科技投入较上年增长率
				③政府科技投入占国内生产总值的比例
		(二)专利	1. 发明专利申请	①年发明专利申请数
				②每万人发明专利申请数
				③年发明专利申请数增长率
			2. 发明专利授权	①年发明专利授权数
				②每万人发明专利授权数
				③年发明专利授权数增长率
		(三)科研论文	1. SCI 论文数	
			2. EI 论文数	
		(四)科技投入产出比	1. 每万名研究与开发人员发表的国际论文数	
			2. 每万名研究与开发人员产生的发明专利授权数	
			3. 每百万元研究与开发经费投入产生的发明专利授权数	
	二、知识流动能力	技术转移	1. 技术市场成交额	
			2. 技术输入金额	
			3. 技术输出金额	
			4. 技术贸易收支比	

区域科技创新能力	三、企业技术创新能力	(一)企业研究与开发投入能力	1. 企业研发人员投入	①企业研发人员投入数
				②企业研发人员较上年增长率
				③每万人均企业研发人员数
			2. 企业研发资金投入	①企业研发资金投入量
				②企业研发资金较上年增长率
				③企业研发投入占销售收入比例
		(二)设计能力	1. 实用新型专利申请受理	①实用新型专利申请数
				②实用新型专利授权数
			2. 外观设计专利申请受理	①外观设计专利申请数
				②外观设计专利授权数
	四、创新的环境	(一)基础设施	1. 通讯普及状况	①手机普及率
				②互联网普及率
			2. 铁路设施状况	①铁路拥有量
				②铁路人均拥有量
			3. 公路设施状况	①公路拥有量
				②公路人均拥有量
		(二)市场需求	1. 政府财政支出	①政府财政支出额
				②政府财政支出额较上年增长率
			2. 商品进出口差额	
			3. 居民消费水平	①平均每人民间消费支出
				②平均每人民间消费支出较上年增长率

区域科技创新能力		(三)劳动者素质	1. 教育投资水平	①教育投资金额
				②教育投资金额较上年增长率
				③教育投资占国内生产总值的比例
			2. 劳动人口中大专以上人口所占比例	
			3. 当年新增大学毕业生数	①当年新增大学毕业生数
				②当年新增大学毕业生数较上年增长率
		(四)风险投资基金	1. 风险投资基金规模	
			2. 风险投资基金规模占企业产品销售收入的比重	
	五、创新的经济绩效	(一)宏观经济	1. 人均国内生产总值指标	①人均国内生产总值
				②人均国内生产总值较上年增长率
			2. 劳动生产率指标	①劳动生产率
				②劳动生产率较上年增长率
		(二)产业结构	1. 第二产业对第一产业的产值比重之比	
			2. 第三产业对第一产业的产值比重之比	
			3. 高技术产业产值占国内生产总值比例	
		(三)产品国际竞争力	1. 商品出口额占国内生产总值的比重	
			2. 高科技产业出口值占总出口值比重	
		(四)居民收入水平	1. 平均每人国民生产毛额指标	
			2. 平均每人国民生产毛额较上年增长率	
		(五)就业水平	1. 劳动人口占总人口比重	
			2. 就业率	
			3. 高科技产业从业人员占总制造业从业人员的比重	

2. 评价方法

从表4—26的综合评价指标体系可以看出，该指标体系是一个具有递阶层次结构的指标体系，适合用层次分析法（AHP）进行评价。理论和实践都证明，层次分析法对具有递阶层次结构的多目标决策和评价问题具有优良的适用性。因此，本文用层次分析法对闽台两地区域科技创新能力进行综合评价和比较。

二、评价步骤及结果

评价步骤如下：

第一步，建立具有递阶层次结构的指标体系。根据区域科技创新能力评价总目标，分解影响因素并分析各影响因素之间的关系，建立具有递阶层次结构的评价指标体系（见表4—26）。

第二步，构造判断矩阵。对评价指标体系中同一层次的各元素关于上一层次中某一准则的重要性进行两两比较，用九级标度法，构造比较判断矩阵。为了使评价结果具有客观性和科学性，笔者应用专业调查法，通过发放判断矩阵调查表，对从省内政府部门、科研机构、高等院校遴选出的13位有关专家进行书面调查。收回调查表后，应用众数法对各专家提交的判断矩阵进行归纳整理，得到了正式的判断矩阵。通过检验，各层判断矩阵均具有满意的一致性。

第三步，计算各层元素的相对权重。由判断矩阵计算被比较元素对于该准则的相对权重，然后计算各层元素对系统目标的合成权重，结果如表4—27（各表中有关台湾的货币指数全部按汇率折算成人民币）。

表 4—27　各层权重系数表

目标层	准则层		要素层		指标层Ⅰ		指标层Ⅱ	
	内容	权重	内容	权重	内容	权重	内容	权重
区域科技创新能力	知识创造能力	0.3968	研究与开发投入	0.1413	研究与开发人员	0.75	研发人员数	0.1038
							研发人员数较上年增长率	0.2311
							每万名劳动人员中研发人员数	0.6651
					政府科技投入	0.25	政府科技投入	0.1038
							政府科技投入较上年增长率	0.2311
							政府科技投入占国内生产总值的比例	0.6651
			专利	0.2664	发明专利申请	0.1667	发明专利申请数	0.1062
							发明专利申请数较上年增长率	0.2605
							每万人发明专利申请数	0.6333
					发明专利授权	0.8333	发明专利授权数	0.1062
							发明专利授权数较上年增长率	0.2605
							每万人发明专利授权数	0.6333
			科研论文	0.0840	SCI 论文			0.5
					EI 论文			0.5
			科技投入产出比综合指标	0.5083	每万名研究与开发人员发表的国际论文(SCI + EI)			0.1038
					每万名研究与开发人员产生的发明专利授权数			0.2311
					每百万元研究与开发经费投入产生的发明专利授权数			0.6651

区域科技创新能力	知识流动能力	0.0610	技术转移	……	技术市场交易	……	技术市场成交额	0.3346
							技术输入金额	0.0979
							技术输出金额	0.1646
							技术贸易收支比	0.4029
	企业技术创新能力	0.1686	工业企业研发投入	0.75	企业研发人员投入	0.75	企业研发人员投入数	0.1062
							企业研发人员较上年增长率	0.2605
							每万人均企业研发人员	0.6333
					企业研发资金投入	0.25	企业研发资金投入	0.1062
							企业研发资金较上年增长率	0.2605
							研发投入占销售收入比例	0.6333
			设计能力	0.25	实用新型专利申请受理	0.75	实用新型专利申请数	0.1850
							实用新型专利授权数	0.8150
					外观设计专利申请受理	0.25	外观设计专利申请数	0.1850
							外观设计专利授权数	0.8150
	技术创新环境	0.2117	基础设施	0.1233	通信普及状况	0.6	手机普及率	0.6
							互联网普及率	0.4
					铁路设施状况	0.2	铁路人均拥有量	0.75
							铁路拥有量	0.25
					公路设施状况	0.2	公路人均拥有量	0.75
							公路拥有量	0.25
			市场需求	0.4413	政府财政支出	0.1428	政府财政支出	0.25
							较上年增长率	0.75
					商品进出口差额	0.4287		
					居民消费水平	0.4285	平均每人民间消费支出	0.75
							平均每人民间消费支出较上年增长率	0.25

区域科技创新能力			劳动者素质	0.2929	教育投资水平	0.2611	教育投资金额	0.1038
							教育投资金额较上年增长率	0.2311
							教育投资占国内生产总值的比例	0.6651
					劳动人口中大专以上人口所占比例			0.4111
					当年新增大学毕业生数	0.3278	当年新增大学毕业生数	0.25
							当年新增大学毕业生较上年增长率	0.75
			风险投资基金	0.1425	风险投资基金规模			0.4
					风险投资基金规模占企业产品销售收入的比重			0.6
	创新的经济绩效	0.1619	宏观经济	0.3216	人均国内生产总值指标	0.5	人均国内生产总值	0.75
							人均国内生产总值较上年增长率	0.25
					劳动生产率指标	0.5	劳动生产率	0.67
							劳动生产率较上年增长率	0.33
			产业结构	0.3767	第二产业对第一产业的产值比重之比			0.1062
					第三产业对第一产业的产值比重之比			0.2605
					高技术产业产值占国内生产总值比例			0.6333
			产业国际竞争力	0.1516	商品出口额占国内生产总值的比重			0.25
					高科技产业出口值占总出口值比重			0.75
			居民收入水平	0.0774	平均每人国民生产毛额	……	平均每人国民生产毛额	0.75
							平均每人国民生产毛额较上年增长率	0.25
			就业水平	0.0817	劳动人口占总人口比重			0.2931
					就业率			0.1558
					高科技产业受雇人员占总制造业的比重			0.5511

第四步，查询并整理各指标的原始数据。指标层中各指标的原始数据来源如下：《中国统计年鉴·2004》、《中国统计年鉴·2005》，《中国科技统计年鉴·2004》、《中国科技统计年鉴·2005》，《中国高科技产业统计年鉴·2004》、《中国高科技产业统计年鉴·2005》，《福建统计年鉴·2004》、《福建统计年鉴·2005》，《福建经济与社会统计年鉴(社会科技篇)·2004》、《福建经济与社会统计年鉴(社会科技篇)·2005》，《福建科技年鉴·2004》、《福建科技年鉴·2005》、《福建科技发展报告·2004》、《福建科技发展报告·2005》、《科学技术统计要览(台湾)·2005》、《都市及区域发展统计汇编(台湾)·2005》、《"中华民国"统计年鉴·2005》(http://www.dgbas.gov.tw/,2006.4.3)、《"中华民国"统计月报·2005》(http://www.dgbas.gov.tw/,2006.4.3)、中国国家统计局网站(http://www.stats.gov.cn/)等。从以上文献查询原始数据并经整理后如表4—28所示。

表4—28 2004年闽台两地指标层各指标原始数据表

一、知识创造能力			单位	福建	台湾
研究与开发投入	研究与开发人员	研发人员人数	人年	28874	129388
		2004年较2003年研发人员增长率	%	8.49	8.19
		每万名劳动人员中研发人员人数	人/万	14.79	126.35
	科技投入	科技投入	亿元	4.23	221.17
		2004年较2003年科技投入增长率	%	13.10	3.37
		科技投入占生产总值的比例	%	0.07	0.87

专利	发明专利申请	发明专利申请数	项	850	6901
		发明专利申请数较上年增长率	%	6.65	12.01
		每万人发明专利申请数	项/万人	0.2421	3.04
	发明专利授权	发明专利授权数	项	160	1845
		发明专利授权数较上年增长率	%	16.79	86.55
		每万人发明专利授权数	项/万人	0.0456	0.81
科研论文	SCI 论文数		篇	1479	12939
	EI 论文数		篇	291	10980
科技投入产出比综合指标	2004 年每万名研究与开发人员发表的国际论文(SCI + EI)		篇/万人	612.46	1848.63
	2004 年每万名研究与开发人员产生的发明专利(授权)		项/万人	55.41	142.59
	2004 年每百万元研究与开发经费投入产生的发明专利		项/百万元	0.0355	0.1153
二、企业知识流动能力			单位	福建	台湾
技术转移	技术市场交易	技术市场成交额	亿元	14.14	152.23
		技术输入金额	亿元	12.38	129.88
		技术输出金额	亿元	1.76	22.35
		技术贸易收支比		0.1422	0.17
三、企业技术创新能力			单位	福建	台湾
工业企业研发投入	企业研发人员投入	企业研发人员人数	人年	12343	88106
		企业研发人员较上年增长率	%	15.65	11.42
		每万人均企业研发人员人数	人/万	3.5	38.83
	企业研发资金投入	企业研发资金投入	亿元	29.19	420.20
		企业研发资金投入较上年增长率	%	28.08	10.91
		研发投入占销售收入比例	%	0.73	1.23

设计能力	实用新型专利申请受理	实用新型专利申请	项	2524	9119
		实用新型专利授权	项	1776	7539
	外观设计专利申请受理	外观设计专利申请	项	4124	1821
		外观设计专利授权	项	2822	1647
四、技术创新环境			单位	福建	台湾
基础设施	通信	手机普及率	%	32.30	94.88
		互联网普及率	%	8.13	35.42
	铁路	铁路人均拥有量	公里/万人	0.4457	0.5509
		铁路拥有量	（公里）	1565	1250
	公路	公路人均拥有量	公里/万人	16.01	9.25
		公路拥有量(公里)	公里	56208	20994
市场需求	财政支出	财政支出	亿元	516.68	5515.56
		较上年增长率	%	14.23	3.14
	商品进出口差额	商品进出口差额	亿美元	108.20	61
	居民消费水平	平均每人民间消费支出	元	5920	70846.1
		较上年增长率	%	11.05	3.58
劳动者素质	教育投资	教育投资金额	亿元	100.896	1655.27
		较上年增长率	%	8.53	4.29
		教育投资占生产总值的比例	%	1.67	6.43
	劳动人口中大专以上人口所占比例		%	8.32	32.89
	当年新增大学毕业生数(专科以上)	当年新增大学毕业生人数	人/万	52818	325971
		当年新增大学毕业生较上年增长率	%	10.52	1.29
风险投资基金	风险投资基金规模		亿元	22.62	461.25
	风险投资基金规模占企业产品销售收入的比重		%	0.34	1.67

五、创新的经济绩效			单位	福建	台湾
宏观经济	人均生产总值指标	人均生产总值	元	17218	112454
		人均生产总值增长率	%	15.15	3.26
	劳动生产率指标	劳动生产率	万元/人年	3.39	26.07
		劳动生产率增长率		0.1353	0.0138
产业结构	第二产业对第一产业的产值比重之比			3.75	16.98
	第三产业对第一产业的产值比重之比			3.22	39.49
	高技术产业产值占生产总值比例		%	34.68	55.06
产业国际竞争力	商品出口额占生产总值的比重		%	39.01	57.0
	高科技产业出口值占总出口值比重		%	23.26	65.27
居民收入水平	平均每人国民生产毛额	平均每人国民生产毛额	元/人	17475	117239
		平均每人国民生产毛额较上年增长率	%	14.97	3.59
就业水平	劳动人口占总人口比重		%	51.67	45.13
	就业率		%	96.3	95.57
	高科技产业受雇人员占总制造业的比重		%	7.76	53.70

第五步，数据处理与评价结果。

(1)对各指标的原始数据进行标准化处理，具体方法如下：

在每一指标下均有福建与台湾的两组数据，设指标X下的原始数据分别为a和b，标准化后的值为A和B，若$|a|>|b|$，则取$A=100$(若a为负值，则$A=-100$)，$B=A*(b/a)$。若$|a|<|b|$，则取$B=100$(若b为负值，则$B=-100$)，$A=B*(a/b)$。

由以上说明可见，a与A，b与B正负相同。

(2)通过对指标层Ⅱ中各要素标准化后的数据的加权，可计算出上一层即指标层Ⅰ中各要素的得分。采用相同的处理方法递推计算出上一层次所有要素的得分，并最终得出目标层——区域科技创新能力综合指标的得分。各层目标的评价结果如表4—29、表4—34

所示。

表 4—29 准则层及目标层评价得分

	知识创造能力	知识流动能力	企业技术创新能力	创新的环境	创新的经济绩效	区域综合科技创新能力
福建得分	24.89	39.04	41.58	52.27	43.05	37.30
台湾得分	99.31	100	90.29	76.38	91.20	91.66

表 4—30 知识创造能力及其从属各层评价得分

<table>
<tr><th></th><th></th><th></th><th>福建得分</th><th>台湾得分</th></tr>
<tr><td colspan="3">一、知识创造能力</td><td>24.89</td><td>99.31</td></tr>
<tr><td rowspan="10">1. 研究与开发投入</td><td rowspan="4">研究与开发人员</td><td>研发人员</td><td>22.32</td><td>100</td></tr>
<tr><td>2004 年较 2003 年研发人员增长率</td><td>100</td><td>96.47</td></tr>
<tr><td>每万名劳动人员中研发人员人数之比</td><td>11.71</td><td>100</td></tr>
<tr><td>小计得分</td><td>33.21</td><td>99.18</td></tr>
<tr><td rowspan="4">科技投入</td><td>科技投入(亿元)</td><td>1.91</td><td>100</td></tr>
<tr><td>2004 年较 2003 年研发人员增长率</td><td>100</td><td>25.73</td></tr>
<tr><td>政府科技投入占生产总值的比例</td><td>8.05</td><td>100</td></tr>
<tr><td>小计得分</td><td>28.66</td><td>82.84</td></tr>
<tr><td>合计得分</td><td></td><td>32.07</td><td>95.10</td></tr>
<tr style="display:none"></tr>
<tr><td rowspan="9">2. 专利</td><td rowspan="4">发明专利申请</td><td>发明专利申请数</td><td>12.32</td><td>100</td></tr>
<tr><td>较上年增长率</td><td>55.37</td><td>100</td></tr>
<tr><td>每万人发明专利申请数</td><td>7.96</td><td>100</td></tr>
<tr><td>小计得分</td><td>20.78</td><td>100</td></tr>
<tr><td rowspan="4">发明专利授权</td><td>发明专利授权数</td><td>8.67</td><td>100</td></tr>
<tr><td>较上年增长率</td><td>19.40</td><td>100</td></tr>
<tr><td>每万人发明专利授权数</td><td>5.63</td><td>100</td></tr>
<tr><td>小计得分</td><td>9.54</td><td>100</td></tr>
<tr><td>合计得分</td><td></td><td>11.41</td><td>100</td></tr>
</table>

3. 科研论文	SCI 论文数	11.43	100
	EI 论文数	2.65	100
	合计得分	7.04	100
4. 科技投入产出比综合指标	2004 年每万名研究与开发人员发表的国际论文(SCI + EI)	33.13	100
	2004 年每万名研究与开发人员产生的发明专利(授权)	38.86	100
	2004 年每百万元研究与开发经费投入产生的发明专利	31	100
	合计得分	32.90	100

表 4—31 知识流动能力评价得分

		福建得分	台湾得分
二、知识流动能力		39.04	100
技术转移	技术市场成交额	9.29	100
	技术输入金额	9.53	100
	技术输出金额	7.87	100
	技术贸易收支比	83.65	100
	合计得分	39.04	100

表 4—32 企业技术创新能力及其从属各层评价得分

			福建得分	台湾得分
三、企业技术创新能力			41.58	90.29
1. 企业研究与开发投入能力	企业研发人员投入	企业研发人员人数之比	14.01	100
		企业研发人员较上年增长率	100	72.97
		每万人均企业研发人员人数之比	9.01	100
		小计得分	33.25	92.96

	企业研发资金投入	企业研发资金投入量	6.95	100
		企业研发资金较上年增长率	100	38.85
		企业研发投入占销售收入比例	59.35	100
		小计得分	64.37	84.07
	合计得分		41.03	90.74
2. 设计能力	实用新型专利申请受理	实用新型专利申请数	27.68	100
		实用新型专利授权数	23.56	100
		小计得分	24.32	100
	外观设计专利申请受理	外观设计专利申请数	100	44.16
		外观设计专利授权数	100	58.36
		小计得分	100	55.73
	合计得分		43.24	88.93

表4—33 创新的环境及其从属各层评价得分

			福建得分	台湾得分
四、创新的环境			52.27	76.38
1. 基础设施	通讯普及状况	手机普及率	34.04	100
		互联网普及率	22.95	100
		小计得分	29.61	100
	铁路设施状况	铁路人均拥有量	80.90	100
		铁路拥有量	100	79.87
		小计得分	85.68	94.97
	公路设施状况	公路人均拥有量	100	57.78
		公路拥有量	100	37.35
		小计得分	100	52.67
	合计得分		54.90	89.53

2. 市场需求	居民消费水平	平均每人民间消费支出	9.37	100
		平均每人民间消费支出较上年增长率	100	22.07
		小计得分	31.27	83.10
	商品进出口差额	商品进出口差额	100	56.38
		小计得分	100	56.38
	财政支出	财政支出额	8.36	100
		财政支出额较上年增长率	100	32.40
		小计得分	77.34	41.55
	合计得分		67.31	65.71
3. 劳动者素质	教育投资水平	教育投资金额	6.10	100
		教育投资水平用教育投资金额较上年增长率	100	50.29
		教育投资占生产总值的比例	25.97	100
		小计得分	41.02	88.51
	劳动人口中大专学历以上人口所占比例		25.30	100
	当年新增大学毕业生数	当年新增大学毕业生数	16.20	100
		当年新增大学毕业生数较上年增长率	100	12.26
		小计得分	79.05	34.20
	合计得分		47.02	75.43
4. 风险投资基金	风险投资基金规模		4.90	100
	风险投资基金规模占企业产品销售收入的比重		20.36	100
	合计得分		14.18	100

表4—34　创新的经济绩效及其从属各层评价得分

			福建得分	台湾得分
五、创新的经济绩效			43.05	91.20
1. 宏观经济	人均生产总值指标	人均生产总值	15.31	100
		人均生产总值较上年增长率	100	21.52
		小计得分	36.48	80.38

	劳动生产率指标	劳动生产率	13.00	100
		劳动生产率较上年增长率	100	10.20
		小计得分	41.71	70.37
	合计得分		39.10	75.37
2. 产业结构	第二产业对第一产业的比重		22.08	100
	第三产业对第一产业的比重		8.15	100
	高技术产业产值占生产总值比例		62.99	100
	合计得分		44.36	100
3. 产品国际竞争力	商品出口额占生产总值的比重		68.44	100
	高科技产业出口值占总出口值比重		35.64	100
	合计得分		43.84	100
4. 居民收入水平	平均每人国民生产毛额指标		14.91	100
	平均每人国民生产毛额较上年增长率		100	23.98
	合计得分		36.18	81
5. 就业水平	劳动人口占总人口比重		100	87.34
	就业率		100	99.24
	高科技产业从业人员占总制造业从业人员的比重		14.45	100
	合计得分		52.85	96.17

三、评价结果的分析

通过以上计算,可知福建和台湾的科技创新能力综合指数分别为37.30和91.66。与台湾相比,福建科技创新的总体能力有着明显的差距。下面从以下五个方面分别论述其具体情况:

(1)知识创造

在知识创造能力上,闽台两地的综合得分分别为24.89和99.31,二者有较大的差距。究其原因,可以从知识创造能力所包含的“研究与开发投入”、“专利”、“科研论文”、“科技投入产出比综合指标”这四项做详细的对比。

——研究与开发投入。该项指标闽台两地的得分分别为32.07

和95.10。其中包括两项指标:"研究与开发人员"和"科技投入"。

研究与开发人员:福建无论在研究与开发人员总量上还是每万名劳动人口中研究与开发人员数均远落后于台湾,只有在研究与开发人员较上年的增长率上与台湾相当。此项指标闽台两地的得分分别为33.21和99.18。

科技投入:在此项指标上,台湾在"科技投入总量"、"科技投入占生产总值比例"两项指标上相对于福建高几倍、甚至几十倍的优势,在"科技投入较上年增长率"上福建领先。此项指标闽台两地的得分分别为28.66和82.84。

——专利。该项指标闽台两地的得分分别为11.41和100。其中包括:"发明专利申请数"、"发明专利授权"。

发明专利申请:福建在"发明专利申请数"和"每万人发明专利申请数"上均远落后于台湾,在"发明专利申请数较上年增长率"上约为台湾的一半。此项指标闽台两地的得分分别为20.78和100。

发明专利授权:福建在"发明专利授权数"、"发明专利授权数较上年增长率"和"每万人发明专利授权数"三项指标的得分上远落后于台湾。此项指标闽台两地的得分分别为9.54和100。

——科研论文。该项指标闽台两地的得分分别为7.04和100。在"SCI"、"EI"两项指标上,福建均落后于台湾省。

SCI:福建和台湾的得分分别为11.43和100。

EI:福建和台湾的得分分别为2.65和100。

——科技投入产出比综合指标。该项指标闽台两地的得分分别为32.90和100。具体可分解为以下三项指标的得分情况:

每万名研究与开发人员发表的国际论文(SCI+EI):闽台两地的得分分别为33.13和100。

每万名研究与开发人员产生的发明专利(授权):闽台两地的得

分分别为38.86和100。

每百万研究与开发经费投入产生的发明专利(授权):闽台两地的得分分别为31和100。

可见,在每项指标上福建的得分都落后于台湾,尤其是科研论文和专利二项,福建得分与台湾相差悬殊,这就导致了福建在知识创造能力的综合得分上远落后于台湾。

(2)知识流动能力

在"知识流动能力"上,闽台两地的综合得分分别为39.04和100,二者有较大的差距。究其原因,可以从知识流动能力所包含的"技术市场成交额"、"技术输入金额"、"技术输出金额"、"技术贸易收支比"这四项做详细的对比。

——技术市场成交额。该项指标闽台的数值分别为14.14亿元和152.23亿元,福建仅为台湾的9.29%。

——技术输入金额。该项指标闽台的数值分别为12.38亿元和129.88亿元,福建仅为台湾的9.53%。

——技术输出金额。该项指标闽台的数值分别为1.76亿元和22.35亿元,福建仅为台湾的7.87%。

——技术贸易收支比。该项指标闽台的数值分别为0.1422和0.17,二者相差不大。

(3)企业技术创新能力

闽台两地的"企业技术创新能力"得分分别为41.58和90.29,福建的得分还不到台湾的一半。在该项指标下给出了两项细分指标:"工业企业研发投入"、"设计能力"。

——工业企业研发投入。该项指标闽台两地的得分分别为41.03和90.74。其中包括"企业研发人员人数"和"企业研发资金投入"。

企业研发人员人数:福建在“企业研发人员人数”和“每万人均企业研发人员”上均落后台湾较多,只有在“企业研发人员人数较上年增长率”领先于台湾。此项指标闽台两地的得分分别为33.25和92.96。

企业研发资金投入:其中包括“企业研发资金投入量”、“企业研发投入占销售收入比例”、“企业研发资金投入较上年增长率”三项。福建在前两项指标上的得分均落后于台湾,第三项指标得分领先台湾较多。此项指标闽台两地的得分分别为64.37和84.07。

——设计能力。在这一细分指标下闽台两地的得分分别为43.24和88.93,福建与台湾的得分有一倍的差距。其下包括“实用新型专利申请和授权”和“外观设计专利申请和授权”两项。

实用新型专利申请和授权:在实用新型专利申请数和实用新型专利授权数的绝对量上福建均落后于台湾,此项指标闽台两地的得分分别为24.32和100。

外观设计专利申请和授权:在外观设计专利申请数和外观设计专利授权数的绝对量上福建均领先于台湾,此项指标闽台两地的得分分别为100和55.73。

福建虽然在外观设计专利申请数和授权数上领先台湾,但在实用新型专利申请数和授权数上落后于台湾,但由于后者的重要性和计分权重大于前者,所以整体上福建的设计能力得分落后于台湾。

(4)创新的环境

在“创新的环境”指标中,闽台两地的得分分别是52.27和76.38,比较接近。该项指标又包括“基础设施”、“市场需求”、“劳动者素质”、“研究与开发经费”四项细分指标:

——基础设施。该项指标闽台两地的得分分别为54.90和

89.53。其中包括“通信”、“铁路”、“公路”三项指标。

通信:在“手机普及率”和“互联网普及率”上闽台两地有较大差距,闽台两地在该项指标上的得分分别为29.61和100。

铁路:在“铁路拥有量”指标上福建超过台湾,在“铁路人均拥有量”上福建落后于台湾。闽台两地在该项指标上的得分分别为85.68和94.97,相差不大。

公路:在“公路拥有量”、“公路人均拥有量”两项细分指标上福建均高于台湾。闽台两地在该项指标上的得分分别为100和52.67。

——市场需求。该项指标闽台两地的得分分别为67.31和65.71,对此项指标,福建相对于台湾有一定优势。其中包括“财政支出”、“进出口差额”、“居民消费水平”三项指标。

财政支出:在财政支出的绝对数上福建远低于台湾,但在“财政支出较上年增长率”上台湾低于福建。由于后者指标的重要性和计分权重大于前者,故在此项指标上福建的得分高于台湾。闽台两地在该项指标上的得分分别为77.34和41.55。

进出口差额:福建的进出口差额为108.20亿美元,台湾的进出口差额为61亿美元,故闽台两地在该项指标上的得分分别为100和56.38,福建具有较大优势。

居民消费水平:在“平均每人民间消费支出”一项,福建远落后于台湾,但在“居民消费较上年增长率”一项,台湾低于福建。闽台两地在该项指标上的得分分别为31.27和83.10。

——劳动者素质。该项指标闽台两地的得分分别为47.02和75.43。其中包括“教育投资”、“劳动人口中大专以上人口所占比例”、“当年新增大学毕业生数”三项指标。

教育投资:在“教育投资金额”与“教育投资占生产总值比例”两

项上，福建均落后于台湾，但"教育投资金额较上年增长率"一项福建相对台湾有较大优势。闽台两地在该项指标上的得分分别为41.02和88.51。

劳动人口中大专以上学历人口所占比例：针对该项指标福建相对于台湾有较大差距，闽台两地在该项指标上的得分分别为25.30和100。

当年新增大学毕业生人数：福建当年新增大学毕业生总人数不及台湾，但当年新增大学毕业生增长率则高出台湾9.23个百分点。闽台两地在该项指标上的得分分别为79.05和34.20。

——风险投资基金。福建的风险投资基金规模总量及其所占企业销售收入的比例均远落后于台湾。闽台两地在该项指标上的得分分别为14.18和100。

从以上分析中可以看到，在"基础设施"、"风险投资基金"和"劳动者素质"三项指标的得分上福建均处于明显的劣势，但在"市场需求"这项指标上，由于台湾财政支出较上年增长率、进出口差额和居民消费水平较上年增长率均低于福建，在这项指标上福建略具优势。

(5)创新的经济绩效

闽台两地的企业技术创新绩效得分分别为43.05和91.20。该项指标下包括五项细分指标："宏观经济"、"产业结构"、"产业国际竞争力"、"居民收入水平"、"就业水平"。在这五项指标中，福建的得分均低于台湾，尤其是"产业国际竞争力"、"产业结构"和"居民收入水平"等项，福建得分不及台湾一半。

——宏观经济：其中包括"人均生产总值指标"、"劳动生产率指标"两项。该项指标闽台两地得分分别为39.10和75.37。

人均生产总值指标：在"人均生产总值"上福建相对于台湾有较

大差距,但在“人均生产总值增长率”上,领先台湾11.89个百分点。该项指标闽台两地的得分分别为36.48和80.38。

劳动生产率指标:台湾的劳动生产率绝对值远高于福建,但在该项指标的增长率上,福建则领先于台湾。该项指标闽台两地的得分分别为41.71和70.37。

——产业结构:其下包括“第二产业对第一产业比重之比”、“第三产业对第一产业比重之比”、“高技术产业产值占生产总值比例”三项。该项指标闽台两地的得分分别为44.36和100。

第二产业对第一产业比重之比:该项指标闽台两地的得分分别为22.08和100。

第三产业对第一产业比重之比:该项指标闽台两地的得分分别为8.15和100。

高技术产业产值占生产总值的比例:该项指标闽台两地的得分分别为62.99和100。

——产业国际竞争力:其中包括“商品出口额占生产总值比例”、“高科技产业出口额占总出口额比重”两项。该项指标闽台两地的得分分别为43.84和100。

商品出口额占生产总值的比例:该项指标闽台两地的得分分别为68.44和100。

高科技产业出口额占总出口额比重:该项指标闽台两地的得分分别为35.64和100。

——居民收入水平:该项指标以“平均每人国民生产毛额”来体现,在绝对值上福建相对台湾有较大差距,但在较上年增长率上福建则领先于台湾。该项指标闽台两地的得分分别为36.18和81。

——就业水平:其中包括“劳动人口占总人口比重”、“就业率”、“高科技产业受雇人员占总制造业比重”三项。该项指标闽台两地的得分分别为52.85和96.17。

劳动人口占总人口比重：该项指标闽台两地的得分分别为100和87.34。

就业率：该项指标闽台两地的得分分别为100和99.24。

高科技产业受雇人员占总制造业比重：该项指标闽台两地的得分分别为14.45和100。

第三节　闽台协同推进科技创新的可能性

一、推进科技创新是两岸的共同要求

1. 应对知识经济发展的挑战的需要

随着知识经济的发展，经济全球化和世界经济一体化趋势加强，国际经济竞争日趋激烈。在知识经济时代，国际经济竞争实质上是科技的竞争、人才的竞争，最根本的还是科技创新能力的竞争。为应对知识经济的挑战，抢占国际经济竞争制高点，提高国际竞争力，无论是发达国家还是发展中国家都把科技创新及其产业化放在战略核心地位，千方百计加快发展。尽管闽台两地都十分重视高新技术产业的发展，但两地的科技创新能力都较弱，核心技术和关键技术仍主要来自引进、模仿和改良发达国家的研发成果。而发达国家历来都是对关键核心技术采取严密的政策性保护，严格控制技术的输出，不轻易出售知识产权给新兴国家和发展中国家，以保持其科技领先地位和商品竞争优势。所以，如果闽台两地仅靠引进技术、购买知识产权，那就永远只能落后于发达国家技术水平。

面对世界经济竞争的新格局，闽台两地若能充分发挥双方的优势，加强科技合作，取长补短，努力提高双方的科技创新能力和科技

竞争力，才能在激烈的世界经济竞争中占有一席之地。

2. 台湾产业升级和发展的需要

台湾由于20世纪70年代开始大力发展出口加工型经济，推动了经济的大发展而成为亚洲“四小龙”之一，并实现了农业社会向工业社会的转变。进入20世纪90年代后，台湾的出口加工型经济面临着岛内外严峻的挑战。由于岛内土地、工资和原材料成本大幅提高，产业竞争力下降，同时出口导向型经济还面临着国际市场的巨大挑战。要取得经济的新突破，必须实行产业升级，在实现劳动密集型产业外移的同时，大力发展资本、技术密集型产业，提高产品的附加价值。但产业升级的关键在于技术升级，技术升级又主要包含自主创新型技术比例的提高，自创技术的比例应以不依赖某一技术来源为限度，以台湾为例，应以能摆脱美、日的技术控制为限度。在未摆脱对美、日的技术依赖之前，就谈不上实现了产业升级。

闽台两地科技各有所长，且有很高的互补性，还能得到祖国内地雄厚的科技、智力资源支持，倘若进行广泛的科技交流与合作，定可相辅相成，推动两地科技发展，提高技术水准，加速两地产业升级步伐。

3. 建设海峡西岸经济区的需要

党的十六大提出：我国要在本世纪头20年，集中力量，全面建设惠及十几亿人口的更高水平的小康社会。经过这个阶段的建设，再继续奋斗几十年，到本世纪中叶基本实现现代化，把我国建设成为富强民主文明的社会主义国家。福建作为率先改革开放的省份，省委、省政府提出了提前三年全面实现小康的奋斗目标，要求年均经济增长率比全国高1～2个百分点，达到8.5%～9%，国内生产总值提前三年比2000年翻两番，基本实现工业化、城镇化。2004年1月，省委又提出了大力建设海峡西岸经济区的宏伟蓝图和战略构想，把以福建为主体的海峡西岸发展成为一个综合实力更强、可以提升我国东南沿海整体经济实力和影响的区域。这些目标是宏伟的，是令人振奋的。

但是，福建地处祖国东南沿海，背山面海，长期以来出省交通不畅，腹地难以拓展，严重影响了与周边省市、内陆地区的经济交往。再加上能源、矿产资源贫乏，国家的重点建设项目分布少，导致吸引外商投资的硬环境竞争力不强。近几年随着长三角经济圈和珠三角经济圈的迅速崛起，福建处在二大经济区的夹缝中面临被边缘化的趋势。

面对严峻的形势，福建只有寻求并扩大与毗邻的台湾地区的经贸、科技合作，利用台湾研发资金雄厚、与国际市场联系紧密及科技成果商品化能力强的优势，大力提升自主的科技创新能力；尤其是福建具有良好发展基础和优势的电子信息、机械制造、石油化工等三大支柱产业的关键技术创新能力，以智取胜，加快高新技术产业和产业集群的发展，把支柱产业做大做强，使福建在国内外市场的激烈竞争中处于有利地位，保证省委、省政府宏伟战略目标的实现。

二、协同推进科技创新的可能性

1. 闽台科技创新的优势和劣势分析

从前面的分析可以看出，就整体来看，台湾具有较强的科技创新能力，但就具体影响区域创新能力的各要素上，闽台两地却各具特色，以下做进一步的具体分析。

(1)福建科技创新的优势

政治经济形势稳定，创新环境不断优化。改革开放以来，福建省和全国一样，政治稳定，经济快速发展，社会祥和，人民安居乐业；坚持以经济建设和发展社会生产力为中心，进行经济体制改革，社会主义市场经济体系不断完善，特别是加入世界贸易组织后，祖国大陆经济体系已逐步融入到国际市场经济体系，已完成了与国际市场的初步对接。根据国家的统一政策，福建省从本省的实际出发，先后制定并颁布实施了《福建省推进高新技术产业发展的若干政策规定》、《关于支持新一轮创业的若干财政税收政策措施》和《关于进一步加快福建省高新技术及其产业发展的若干规定》等鼓励科技创新、推动科技发展的政策，有力地促进了福建省高新技术产业的发展。特别是1995年，福建省人民政府制定并实施科教兴省战略以来，全省的科技基础水平不断提高。这些都为福建省的科技创新创造了良好的环境。

科技体系完整，具有相对较强的基础研发力量。福建省已建立起一个较为完整的、以企业为主体的科技体系，造就了一大批科技人才，在若干高技术和基础研究领域中取得了明显成就，甚至在一些研究领域已达到世界水准。2004年，福建省科技活动人员为7.73万人，比1995年增长了2.4倍，而且科技人才基础素质好，薪酬要求不高，形成良好的创新人力基础。改革开放后，福建省相继组织实施或参与了国家的科技攻关计划、星火计划、高技术研究发展计划（即863计划）、火炬计划、科技成果重点推广计划和攀登计划，取得了一些重大科技成果。如非线性光学晶体材料的发明获1991年国家发明奖一等奖，无铬高变化肥催化剂研制成功彻底解决了九十多年来高变催化剂中铬污染的世界难题，获2000年国家技术发明二等奖，等等。这些都是处于国际领先水平的科研成果。为了继续保持基础研究的持续稳定发展，福建省对基础研究的投入也在不断增长。

科技发展潜力大，前景好。福建省自从1978年底改革开放二十多年来，全省国内生产总值以年平均19.83%的增长率（以现价计算）高速增长。从20世纪90年代开始大力发展高新技术产业，经过近十多年的努力,2004 年高新技术产业产值达到 2130.33 亿元,比上年增长 32.9%(以现价计算)。2004 年,全省高新技术产品出口额达到 68.39 亿美元,占外贸出口总额的比重为 23.6%,较上年成长 46.88%,显示福建省高新技术产业发展潜力较大,增长速度快。预计到 2010 年,福建省利用高新技术改造传统产业后的产品,可以占传统产业产品的 50% 比重;高新技术产品的出口值将占出口总额的 50% 以上,使福建省出口产品的产品结构发生质的变化,由低附加价值和低科技含量转向高附加价值和高科技含量。

科技发展具有较强的市场驱动力。与台湾相比,福建省地域宽阔,资源丰富,人口众多,随着经济的快速发展,市场容量不断扩大。特别是有广大的内陆地区作为市场腹地,市场资源巨大。随着福建省基础设施建设的逐步完善,福建走向内地市场的交通障碍已大大消解。福建省也正在大力推进"数字福建"工程建设。这些都将为信息产业大发展提供广阔的市场空间,必将带动信息产业技术的大发展。

有祖国大陆强大的科技资源作为支撑。祖国大陆已建立起一个较为完整的科技体系,培养和造就了一支覆盖各个学科领域、具有相当水平和实力且总量庞大的科技人才队伍,在若干高技术和基础研究领域中取得了明显成就,甚至某些领域的技术在世界上处于领先地位。如至 2004 年底,祖国大陆有专业技术人员 2716.3 万人,从事科技活动人员有 348.1 万人,其中科学家、工程师 225.2 万人,在航空航天技术、核能技术、生物工程技术、电子信息技术、新材料新能源技术、激光技术、重化机械技术等方面,祖国大陆都有雄厚的科研基础和杰出的研究成果。这些科技资源都将为福建的高新技术及其产业的发展提供强有力的支撑。

(2)福建在科技创新方面的劣势

整体经济发展水平还不高,资金不足,无论是政府还是企业的科技投入水平都较低,使科技创新的能力和水平受到很大的制约;科技研发机制不够灵活,缺乏国际市场观,而且科技成果商品化与市场拓展能力不足,使研发绩效不明显,科技对经济的促进作用未能充分发挥;技术市场和资本市场还不完善,高新技术风险投资业尚处于起步阶段,存在风险投资机构少、资本规模小、结构单一、体系与机制建设和政策环境建设相对滞后,使市场对科技创新的推动机制还不够健全。

(3)台湾科技创新的优势

科技发展实力雄厚,国际竞争力强。台湾经过几十年的发展,现已跻身世界新兴工业化地区行列。台湾的经济发展为其在世界经济中赢得了显赫的一席之地,而它的高科技产业已成为经济竞争力的重要来源。1997 年,台湾高科技产业生产总值达 27670 亿元新台币,比 1992 年增长近 70%,占制造业的比重由 34.1% 扩增为 43.4%。台湾在一些高科技领域,特别在电子、信息产业,部分产品的设计、生产、制造的水平已开始接近世界先进水平。台湾在科技产业发展领域中也已成为全球资讯科技产业的主要生产地区,主要资讯产品中有主机板、监视器等 11 项产品产量称冠全球,国际市场占有率均超过 40%,个人电脑市场占有率排名在世界上仅次于日本。

科技市场化、商品化方面比较成功。台湾善于吸收外来技术,面对国际市场进行再开发,在科技与产业、科技与市场结合上,走出了自己的道路。新竹科学工业园区也在高技术产业化发展上取得了可喜的成绩。台湾技术产品加工体系完整,市场导向强烈,资讯取得容易,竞争力强,能将科研成果迅速转化成商品。在开发风险投资上,台湾也取得了令世界瞩目的经济成就,已建立了较为成熟和完善的风险投资机制。

企业科技研发机制灵活,市场适应性强。台湾企业的国际视野较宽,具有国际化经验和经营管理能力,也习惯于国际市场的竞争机制。台湾高科技产业通过与国际大企业密切合作,建立了全球产销分工及全球运筹体系,使企业的生产技术水平与国际先进水平保持同步,企业的产品和结构反映全球市场的需要,使企业的科技创新建立在以市场为导向、以经济效益为中心的基础上,具有很强的市场适应性。

(4)台湾的科技发展面临的问题

台湾科技产业仍是“代工”模式。台湾经济是以加工出口为主要特征,与过去不同的是已从劳力密集型产业的产品加工转为以半导体、集成电路与电脑为主的信息产业的加工、“代工”,即委托加工生产(DEM)与委托设计生产(ODM)的“代工模式”。由于一直停留在加工技术层次,并没有发展出具有自主知识产权的关键技术,因而主要生产技术仍然依靠引进。

基础研究与科技人才不足。台湾的科技研究集中在应用研究方面,基础研究人力与资金投入相对较少,基础研究薄弱。

科技产业发展单一、不平衡。台湾只有电子信息业发展较具实力,其他高科技产业较弱,通讯、微机电系统、环保及生物技术产业等产业规模与技术能量十分有限,航空航天技术则更落后。

面临知识产权保护压力。近两年来,不断发生台湾企业被控侵犯知识产权与窃取商业秘密案件,台湾许多知名企业如宏基、永丰余与南亚科技等公司均成为被指控对象,对台湾科技产业发展形成巨大压力。

2. 闽台协同推进科技创新的优势互补性

两地在推进科技创新、发展科技产业方面各有优势与不足,使得双方有相当的互补性。因此,这一客观条件为两地加强科技合作、协同发展,共创双赢的局面,奠定了坚实的基础。两地协同推进科技创新的优势互补性具体体现在如下几个方面。

(1)科技创新要素具有互补性

科技创新要素包括科技人力资源、科研资金、科技体制与机制、科研基础条件与设施、科技研究基础等。闽台两地在科技创新诸要素中各具特色。福建已建立起一个较为完整的、以企业为主体的科技体系,科技人才众多,在若干高技术和基础研究领域中取得了明显成就,甚至在一些研究领域已达到世界领先水平。但是,科研资金不足,科技体制较为僵化,科研机制不活,研究人员市场观念较为淡薄,科研成果转化率还不是很高。而台湾拥有雄厚的科技开发资金和丰富的科研成果转化和产业化管理经验,但科技人才紧缺,造成研发后续能力不足,制约了台湾科技业的进一步发展。特别是十几年来台湾以引进技术为科技发展的主要方针,这个方针虽然为台湾带来了一轮发展机遇,也造成了台湾优势科技严重依赖外国技术的"软骨病"。因此,闽台两地在科研开发上加强合作,充分利用福建的科技人力和基础研究优势,结合台湾的充裕的科研资金和科技管理优势,则可实现优势互补,互相促进。

(2)科技创新体系相互衔接

一个完整的科技创新体系包括科技创新决策体系、科技研究开发体系、科技成果转化体系、科技产品市场开拓和营销体系。闽台两地科技创新体系各具特点和优势。福建省科技创新体系具有较强的科技研究开发能力,在部分高技术和基础研究领域也取得了许多重要成果,但由于科技决策体系不健全,使大量科研成果不适应市场需求而难于推广,同时由于科技成果转化体系不完善也使大量科技成果束之高阁。台湾具有较强的科技与市场结合能力,在科技成果产业化、拓展国际市场方面经验丰富,如台湾的高科技产业与国际大公司合作密切，建立了全球产销分工及全球运筹体系，特别是在电子、信息产业上，台湾与美国硅谷建立了“硅谷研发，台湾设计、制造，全球营销”的产业链，完全融合进国际产业链分工体系中，同时在科技成果产业化方面，台湾建立了完善的风险投资运行机制，至2004年底已有创投公司259家，累计投入实收资本额达新台币1845亿元，累积投资金额达新台币1772.11亿元，投资案件数达9782件，分布在光电、半导体、电子、资讯、通讯等产业。台湾的创投业仅次于美国排名全球第二，为台湾科技产业的发展做出了重要贡献。但是，台湾科技基础研究薄弱、研发深度不足，使目前台湾高新技术产业在关键技术、关键零部件生产等方面都严重依赖日本和美国，多半台湾厂商的生产技术仍然依靠引进。信息、半导体等产业虽然发展较快，但由于缺乏自己的关键技术，大多只能采取受委托加工制造方式，利润大多由掌握关键技术与零部件的外国厂商抽走。因此，两地企业若能更好地利用对方优势，深入探讨建立科技标准、合作机制等问题，加强人才培育等方面的交流合作，可以争取更大的发展空间，增加彼此在世界经济中的分量，实现双赢目标。

（3）高新技术产业具有较强的互补性

从整体上看，台湾在高新技术领域的技术水平具有较大的优势，特别是在电子、信息产业上优势明显。但是，福建在新材料、生物医药领域也具有一定的技术优势，而这两个领域正是台湾的弱项。在电子产业方面，由于福建的电子产业以消费类为主，投资类、基础类产品比重较小，而台湾则以投资类产品为主，使两地电子产业具有较高的互补性；在信息产业方面，台湾在硬件制造业上领先，如个人电脑、主机板、鼠标器等多项产品上名列世界第一，成为仅次于美国、日本的全球第三大信息硬件生产基地。福建在软件服务业上较有特色，目前，福建在管理信息系统软件、金融财税商业软件和多媒体软件方面已开发出一批拥有自主知识产权的软件系统，具有较强的软件开发水平。因此，两地若能加强高新技术产业的技术交流与合作，协手共进，协同创新，将在整体上推进两地高新技术产业的更大进步。

(4)闽台科技产业关联紧密

台湾确定了以通讯、信息、消费电子、半导体、精密器械与自动化、航天、高级材料、特用化学及制药、医疗保健及污染防治等十大新兴产业为支柱产业，而福建省也制定了以发展电子、石化、机械为支柱产业的发展战略。因此，两地的支柱产业具有较高的同一性。十几年来，随着两岸经贸关系的发展，出现了台商到大陆投资的热潮。台商在福建投资的主要产业是电子、轻工、机械、石化等，两地在主导产业上已形成了紧密的产业关联。据统计，台湾对祖国大陆的出口依存度2004年为25%，祖国大陆对台湾的进口依存度为14.7%。在两岸的产业经济活动中，各产业间存在着广泛、复杂、密切的技术经济联系。形成了两岸产业间的分工合作联系，建立了两岸产业间“垂直分工”与“水平分工”相结合的产业关联，并由产业关联过渡到技术关联。为了发挥产业技术波及效应，促进上下游产业和相关产业的协同发展，必然要求两岸企业间开展科技合作。对两地产品间的配套与技术对接进行技术标准的研究与制定，利用各自技术优势开展两地厂商之间的技术合作研究、联合开发，或厂商之间的技术转让等，实现产业技术的整体创新，达到提高两地相关产业在国际市场竞争力的目的。

三、协同促进科技创新的领域和方式

1. 协同促进科技创新的重点领域

台湾海峡两岸关系由于众所周知的原因，特别是台湾当局中“台独”势力，逆历史潮流而动，阻碍和破坏了两岸的科技和经济的交流与合作。但是,经济和科技的全球化和区域发展的一体化趋势是不可阻挡的。两岸产业科技优势的互补现象,提供了双方开展科技交流与合作的空间。从发展高技术产业和关键性技术的规划来看,闽台两地存在许多一致性。根据两地科技产业发展的具体情况,选取电子信息产业、光电产业、汽车产业、石化产业、海洋科技产业、农业科技产业作为两地科技产业合作的重点领域。

(1)电子信息产业

电子信息产业包括硬件制造和软件工业。在产业发展计划上,台湾着重开发工作系统设计技术、人工智能及专家系统、语言影像、图形高速界面、计算机网络设计、特殊用途处理机、软件开发工具等;而福建着重发展软件产品开发及应用系统、网络技术及其产品、计算机外部设备、计算机视觉应用系统、集成电路芯片设计与应用、信息工程与图像处理技术等。所以,闽台两地发展电子信息产业,有其共同点,又有其不同点。如能率先形成软硬件系统和产品开发配套优势,在竞争中前进,在合作中发展,则将产业"龙头效应",带动其他高科技产业优势互补和产业分工体系的建立。

闽台两地电子信息产业今后合作应以微电子技术为基础,促进软件产业建立合作生产、良性竞争和资源整合的科技产业战略伙伴关系,加强超大规模集成电路、高性能计算机、超高速网络系统、新一代移动通信装备和数字电视系统等核心信息技术的交流合作与产业化,共同发展新型元器件、计算机网络产品、数字视听产品、通信终端产品和新一代元器件及关键配套件产品等,重点推进光存储技术的发展,提高信息化装备和系统集成能力。

(2)光电产业

根据福建省光电产业在半导体照明的优势以及与台湾光电产业的互补性,闽台两地光电产业合作可以优先发展半导体发光二极管等光电产业核心技术，鼓励发展包括中下游产业链的配套项目。重点合作产品可以集中在半导体发光二极管(LED)和器件、光通信器件、光电探测器、接收器件、激光器件、光纤收发器、光纤收发模块、塑料光纤、光交换机、收集光纤直放站、液晶显示器、液晶显示模块、超高亮度发光二极管、大屏幕显示器、环保仪器、数字液晶电视、等离子体电视、高清晰度数字电视、数码显微镜等。闽台两地光电产业合作前景广阔，合作层次可以包括相关学术交流，台商投资福建，以及两地企业间技术、人才交流，等等。两岸光电产业可以进行“两岸分工、优势互补、互惠互利”合作，台湾光电产业以国际市场为导向，未来必将加大与祖国大陆进行产业合作的力度，而福建凭借着海峡区位优势，可以成为台商投资祖国大陆的桥梁与窗口，并可率先与台湾光电企业合作，提升产品质量，共同开拓欧、美、日等发达国家和地区的市场。

(3)汽车产业

福建省要充分总结汽车产业合作的成功经验，发挥闽台两地汽车工业的独特优势，使互补合作向深层次发展。在闽台两地汽车产业分工上，改变目前把福建作为生产基地的单一垂直分工形式，逐步向水平分工与交叉分工转变。同时，要在双方合作的基础上，更多地吸引国际大汽车集团前来参与合作，不断提高自主研发能力，组建一支高素质、稳定的研发队伍，生产完全拥有自主知识产权和技术产权的中国汽车。在产业技术上，重点合作开发应用环保技术、安全技术、节能技术、电子控制技术的汽车零部件及系统，加强新型汽车零部件技术的开发和设计，促进引进汽车国产化。

(4)石化产业

闽台两地石化产业的合作应对关键技术、共性技术(如新分离技术、新催化技术、新合成技术、生物化工等)进行合作攻关，重点发展石油化工、合成树脂、合成纤维、合成橡胶及其深加工、精细化工等主导产品，大力推行生态化的石化技术。一方面研究并应用先进的化工技术，如膜技术、生物技术、纳米技术等；另一方面加速绿色化工技术的开发应用，以促进石油炼制产品的升级换代，减少污染、优化环保指标。

（5）海洋科技产业

福建省海洋优势十分明显，拥有“渔、油、能、港、景”优势资源。因此，闽台两地在海洋科技产业的潜在合作性很大。闽台两地可以充分利用地缘优势，发展浅海滩涂名优水产品健康养殖，包括水产养殖品种良种化养殖关键技术、生态优化与水产健康养殖技术、重大水产养殖病害控制关键技术、水产品精深加工及水产品质量安全控制技术；发展远洋渔业、海洋养殖业、水产品加工业和休闲渔业；海洋生物工业技术开发，包括研制海洋系列特效药物，开发高附加值海洋功能食品、海洋藻类的异养化等；海洋环境动态监测及保护技术，包括海洋生态环境动态监测的关键技术、海洋生态系统和生物多样化的动态监测及保护的关键技术等。同时，加快临海工业、海洋渔业、海洋交通运输业、海盐及海洋化工、海洋生物医药和海水利用业等产业发展，逐步形成海岸带、海岛、近海、远洋多层次开发格局，不断提高海洋经济在国民经济中的比重。

（6）农业科技产业

闽台两地未来农业科技合作的重点领域主要有：①以农业生物技术和农业信息技术为核心的农业高新技术，包括农业生物技术、农业信息技术、核农业技术，以及激光、遥感、微波能、新能源、新材料、航天、海洋工程等高技术在农业上的应用；②常规技术与现代科技手段相结合的农业育种新技术及杂交优势利用；③以良种为中心，实现良种与培育配套，建立农作物模式化栽培和畜禽集约化饲养的综合配套技术;④应用现代农业设施,调控作物生长环境,进行快速繁育,立体种养,自动化、半自动化生产的设施农业栽培技术;⑤利用现代信息技术,建立农业自然资源和农业环境质量动态监测和管理系统,维护农业生态平衡,提高农业和农村环境质量的农业环境保护技术。

2. 闽台协同促进科技创新的方式

(1)技术转移模式

——用技术转让、企业兼并等方式,积极引进台湾先进技术改造福建省传统产业,快速提高福建省传统产业技术水平。

——利用福建省现有国家级和省级高新技术开发区、台商投资园区等引进台湾高新技术企业在开发区、投资园区安家落户,在带来资金的同时,也带来先进技术,通过产业的技术波及效应和技术溢出效应,提高整个科技园区以至福建省产业技术水平。

——基于两地科技优势互补特性,台湾可以科技专案计划引进福建省高科技的基础技术,进而改良为产业应用技术,再移转企业界进行商品转化。

——台湾企业可成立科技贸易公司,作为福建省科学技术与产品的代理商,提供必要的交易与技术服务。

(2)松散合作开发模式

——台湾企业可针对国际市场竞争需要,出资委托福建省科研机构、高等院校进行技术开发,并依协议分享研究成果与专利权。

——台湾企业可寻求具有潜力的福建省科技企业、科研机构或高等院校,合作开发技术与专利,并结合台商的科技商品化与管理能力及商品设计等优势,以开拓市场。

(3)紧密合作开发模式

——台资企业出资参与福建省科研院所的企业化改制,建立股份制的企业化科研机构,结合台资企业技术发展的需要,嫁接台湾灵活的科技管理模式和研发机制，进行研究与开发，将研究成果按协议向台湾母公司转让，并由台湾母公司进行中试和产业化，实现优势互补。

——根据闽台两地主导产业的相似性，在两岸科技主管部门引导和支持下，在两地相关行业协会的推动下，联合建立一批研究院所和工程研究中心，整合两地相关产业的优势科技资源，开展相关产业基础研究和应用研究领域核心技术研究，使闽台两地在支柱产业形成具有自主知识产权的核心技术，提高两地支柱产业的国际竞争力。

——引进台湾风险投资基金和风险投资运作机制，在福建设立独资或合资的风险投资公司，通过台湾风险投资商敏锐的技术眼光和成熟的市场化经验，对福建省科研院所、高等院校及企业的高科技成果进行应用转化和产业化开发，提高福建省科研开发面向市场的能力。

四、协同推进科技创新的制约因素

1. 投资环境还不够完善

从投资硬环境方面看，福建地处祖国大陆的边缘地带，三面环山，一面临海，在地理上与我国经济最活跃、市场最集中的长江三角洲和珠江三角洲相隔绝，腹地狭小，市场容量有限；工业基础落后，能源不足；陆路交通不便，与内地经济联系不通畅，对周边省市的经济辐射能力差，与交通便捷、腹地广阔的长江三角洲地区相比，无疑处于劣势。从投资软环境方面看，在政策环境建设上，福建省目前吸引台商投资的政策还不够完善，政策的执行还存在许多问题。常常出现政策前后不一致，有上面制定政策与下面执行政策不一致的情况，令许多台商无从把握。在政策执行过程中，存在灵活性差，执行不力，效率低下等问题，使得政策实施效果不够理想。在台商投资的政府服务上，存在着管理体制不完善、服务水平低、法律环境建设滞后、税外乱收费等问题。在人文环境上，存在着科教基础差，教育、文化、体育基础滞后等问题。据台湾机电电子同业公会一项大型调查，根据自然环境、基础建设、公共设施、社会环境、法政环境、经济环境、经营环境等七个方面对祖国大陆城市的投资环境进行评价，并依据满意度高低划分成A、B、C、D四个等级，厦门市被划为C级城市，福州市则被列为D级城市，台商较满意的大多为长江三角洲地区的城市。福州、厦门作为福建省投资环境最好的两个城市尚且如此，可见福建省整体投资环境与全国其他省市相比，特别与长江三角洲地区相比还有较大差距。因此，从2000年开始，台商在祖国大陆投资已出现了北上的局面。2000年，台商对上海和江苏的投资为12.59亿美元，占台商对祖国大陆投资的48.3%，对广东的投资为10.1亿美元，占38.7%，而对包括福建省在内的其余地区投资仅占13%。所以，如何下大力气，改善福建省投资的硬环境，切实优化投资的软环境，将决定着台湾企业尤其是高科技企业能否来闽投资兴业，与福建省的企业、高校、科研院所进行科技合作，协同推进科技创新的决定因素。

2. 产业发展基础和配套能力差

产业组织理论认为，在一个有限的地理区域内大量生产相关或相同产品的企业聚集在一起而形成产业集群效应，一方面使每个企业获得在获取信息、供应商、高素质熟练员工、产品市场、公共物品等方面的优势，产生外部经济性和范围经济性；另一方面通过产业生产技术的技术扩散和技术溢出效应，能够促进创新信息的正式交流和非正式交流，促进区域内技术创新网络的建立。产业集群效应使区域内产业在整体上获得竞争优势。福建省由于历史原因工业基础落后，改革开放后利用濒临港台及国家赋予的经济特区和沿海开放城市的优惠政策,大力引进外资,发展外向型经济,但工业经济依然薄弱。表现在:全省劳动密集型企业多,技术与资本密集型企业少;中小企业多,大型企业集团少;中小企业专业化分工配套协作差,无法充分发挥中小企业整体竞争优势。至2002年,全省工业产品销售收入仅占全国市场总体份额的3.2%,而广东省为14.8%、江苏省为12.4%、浙江省为8.9%、上海市为7.3%。而且福建省的企业技术设备落后,技术创新能力差。至2000年,福建省企业技术设备中属于20世纪80年代以后水平的不到1/4,新产品开发项目居全国第三十二位;电子信息产业作为全省的支柱产业之一,生产规模虽大,但产业自主知识产权少,产品多属于加工组装型的;石化工业工艺技术和装备水平普遍比较落后,不少化工企业的生产设备仍然停留在20世纪六七十年代水平。

由于全省工业基础比较薄弱,产业体系发育不完全,产业配套能力差,使在福建省投资的台商难以得到相关专业化企业的协作配套,台商所需的零部件大部分要到外省购买,生产成本居高不下,产业集聚效应更无从谈起,严重影响了全省引进台资的能力,闽台两地协同推进科技创新也面临着巨大的障碍。

3. 政治因素影响

闽台两地经济是在不同的政治经济制度下发展起来的相对独立的经济。由于政治、意识形态的对立与差异,两地之间的经济交流与合作,无论采取何种形式都不可能是纯经济的,总会带有某种政治因素。尽管台湾当局迫于经济上的压力采取了一些开放措施,但是,出于拖延和阻挠两岸统一的政治目的,也延续和强化了一系列限制性政策与措施,如迟迟不开放两岸直接"三通"、禁止台湾大企业以及高科技企业、金融业等到祖国大陆投资、限制祖国大陆产品进入台湾等。这些不合时宜的政策措施严重干扰和阻碍了海峡两岸经济关系的正常发展。值得关注的是,1999 年 7 月,李登辉发表所谓“特殊的国与国关系”的论调,完全背离了一个中国的原则,蓄意破坏祖国和平统一的基础。2000 年 3 月,民进党候选人陈水扁成为台湾地方新领导人及 2004 年连任后,仍一意孤行地推行渐进式“台独”政策,进一步为两岸关系发展的不确定性埋下了更大隐患。由于一个中国原则受到台湾当局的歪曲与冲击,两岸互信的基础受到破坏,任何偶发事件都足以使两岸关系陷入低谷,从而影响两岸经济与科技合作的顺利进行。可见,政治因素的影响对两岸经济与科技合作形成了一道巨大障碍。能否排除意识形态上的阻力,减少政治因素的影响,通过经济上的交流与协作,缓和或化解两岸政治对立态势,是两岸经济与科技合作能否顺利开展的关键所在。

总之,投资环境是闽台两地协同推进科技创新的决定因素,产业发展基础是实现这一目标的现实条件,政治因素是其前提。福建省只有大力改善投资环境,使硬件变“硬”,软件变“优”,并且注重培育支柱产业发展的产业基础,才能在扩大吸引台商投资的同时,提高引资的层次和技术含量,以加强高科技产业的交流与合作,协同促进科技创新,共同发展。

第四节　闽台协同推进科技创新的进展和典型案例

一、闽台协同推进科技创新的进展

随着福建省科技事业的不断发展,近年来,闽台两地科技交流与合作也日趋活跃,交流领域不断拓宽,交流层次也日益提升。据福建省科技厅不完全统计,近年来台湾方面已先后有各类专家、学者五百多批四千多人次来闽考察交流,洽谈合作项目;福建省也有二百多批一千二百多人次赴台考察交流。学术交流与合作内容涵盖了农业、工业及高新技术产业、服务业、教育、信息、气象、地质、地震、海洋等领域。福建省设立了海沧、杏林、集美、马尾等台商投资区,建立了漳州和福州海峡两岸农业合作实验区,台资企业纷纷来闽投资。据统计,截止到2004年3月底,福建省累计利用台资项目7766个,合同利用台资140.84亿美元,实际到资100.33亿美元。特别是在信息产业方面,闽台双方已经有了良好的合作基础。台湾电子信息企业中已有34家落户福建,产值占福建省全行业总产值的46%,有力地推动了福建省电子信息产业的发展和生产技术水平的提升。两岸的科技交流与合作呈现出以下特点:

1. 科技合作层次越来越高,产业带动效应日趋明显

近年来,闽台两地经济合作领域不断拓展,合作层次不断提高。一是台商投资领域由劳动密集产业向电子信息、石化、汽车、精密仪器等资本、技术密集产业演进,使产品的技术含量逐渐提高;二是闽台两地科技产业的合作方式由原来的"三来一补"、"贴牌加工"、"组装制造"向设立生产基地、研发机构的方向发展。

在产业带动方面,由台商投资引起的产业上下游带动效应、产业辐射效应日益显著。如冠捷电子(福建)有限公司成立后,目前已成为全球最大的显示管生产企业,为所在地的马尾开发区引来十多家外商投资的配套协作企业及数十家相关的台湾电子企业落户,形成了比较完善的上下游产业链。同时,冠捷电子作为福清市融侨电子基地的龙头,不仅带动了本地配套产业发展,而且也带动了全省计算机整机产业和一大批电子元器件产业的发展,其辐射效应突出,吸引和带动了更多关联企业来闽投资。台资企业不仅吸引台湾的配套企业在福建聚集,而且通过自身的增资扩产和吸引一些外国企业在福建形成产业链。如华映光电带动了韩国LG荫罩、日本JVC偏转线

圈、日本NEG玻壳等配套项目落户马尾，形成以华映光电为龙头的电子产业链，项目全部投产后，年产值将突破100亿元人民币，马尾电子信息基地也将由此成为全球最大的显示管生产基地之一。再如，以台资企业为龙头的东南汽车公司成为机械行业产业集聚度最高、产业链最长的行业。如今，以东南汽车为龙头引导的下游产业蓬勃发展，在福建省形成了52家配套厂的产业聚集效应，累计实现投资超过30亿元。

2. 科技合作、交流更加向纵深发展

当前，闽台两地科技交流与合作已从单向交流向双向交流转变，从一般性的考察来访向实质性的研究合作转变。2003年以来，福建省先后组织召开了“海峡西岸科技与经济论坛”、“海峡两岸中西医结合研讨会”、“闽台地区水资源开发专题研讨会”、“闽台汽车合作论坛”、“闽台农业合作经验交流会”等一系列研讨会。合作形式日趋多样，从过去较为单一的互访和讲学发展成合作研究、共建实验基地、共同申报科研项目等。福州软件园与台湾富邦公司合作建设海峡两岸软件示范基地，近六万平方米的海峡软件园研发大楼即将建成投入使用。2004年初，福建省科技厅启动建设了海峡两岸经济植物引种中心，拟在名优特新品种和病虫害防治等方面开展合作研究。2004年6月，福建省科技厅还推动成立了台湾学者(泉州)创业园，创业园首期工程——服务中心大楼已建成。为促进闽台两地科技交流与合作，从1988年起福建省科技厅拨专款设立闽台科技合作计划，迄今已审批立项三十多个项目，共投入经费五百多万元人民币。福建省农科院与台湾中兴大学签订了农业科技合作协议，内容涉及农业生物科技合作研究、联合培养研究生、互派培训班师资、定期交换学术期刊资料等。至今双方合办的闽台农业科技合作培训班已培训农业科技骨干五百多人。至2003年底，台湾158所大专院校中有近六成到过福建,并与福建省高校进行各种形式的学术交流。两地的科技合作项目也日益增多,不仅有科技成果转化项目,也有一些前瞻性的技术项目。

3. 闽台科技产业合作中产业集群现象越来越明显

进入21世纪,台商在祖国大陆投资呈现出集群化的特征,而扩资增产是集聚的一种重要形式。近年来,台商配套投资逐渐增多,并成为台商投资祖国大陆的一大趋势。

福建省是台商重要投资区之一,台商在闽投资所引发的闽台产业合作分工的新格局正在形成,农业方面目前已初步形成东山的芦笋、鲍鱼产业,龙海的现代农产品加工业,福清的水产与生猪,安溪的茶叶,南靖的兰花业,漳浦的花卉产业,长泰、平和的水果产业,这使福建省现代农业的发展更具地方特色。在石化、汽车和电子信息方面的产业分工与合作已逐步由劳动密集型产业向资本、技术密集型产业转变,从垂直分工向水平分工方向发展,并具较强的产业关联度和发展链。目前,投资1亿美元以上的台资企业有15家,台湾岛内100家大型企业已有35家在福建落户,台企增资新建或扩建已成趋势。闽台两地产业合作在轻纺、食品、服装鞋帽、机械、石化等领域已形成较强的配套能力,产生了聚集与规模效应,出现了东南汽车、中华映管、翔鹭化纤、后石电厂等产业关联度强的大型台资项目,形成电子、石化、汽车、纺织等产业群,并成为福建省的主导产业。特别是近期落户福建的台资规模化企业、高新技术企业、集团性企业迅速增多,出现了高科技产业聚集的态势,台商在闽投资所引发的闽台产业合作分工的新格局正在形成。

二、漳州海峡两岸农业合作实验区发展壮大过程

1. 发展概况

1997年7月,外经贸部、国务院台办、农业部批准漳州为海峡两岸农业合作实验区。实验区以科技开发为依托,以国家鼓励的农业利用外资项目和出口创汇为导向,通过引进资金、良种、技术,着力发展名、优、特、新、稀等农副产品,优化农业结构,发展高效优质农业。旨在培植先进生产力的辐射源,形成农业升级转型的启动力量,使实验区起到实验、示范、辐射和带动作用。基本功能设置包括:一是引进功能。通过农业良种、技术、设备和资金的引进,为改造传统农业、对接国际市场打下基础;二是出口功能。利用台商的营销网络,联手开拓外销渠道,提高漳州农产品在国际市场的占有额;三是科研功能。借助两岸农业科技优势,开展工业科技攻关,探索依靠科技发展现代农业的新路子;四是辐射功能。以实验区为课堂,开发两岸农业的科技交流,及时推广农业科研成果,推动全省乃至全国农业的发展。

实验区根据全市已有的两岸农业合作基础和农业资源、发展潜力及所处的地理位置、交通状况等有利条件,重点规划并引导投资建设“两个中心、八个合作区和28个带动项目”。两个中心:海峡两岸漳州农业科技交流中心,设置科技培训功能和良种引进与开发功能,配套设立海峡两岸农业科技培训中心、良种引进与开发基地、农业信息交流中心等三个分支机构。目前,该中心已建成运作。海峡两岸农产品集散中心,旨在承接两岸农产品及其加工品的集散与贸易,设置商品交易、商品展示、市场信息和综合服务等四个功能区。该项目位于龙文区兰田,目前已完成项目预可研报告,完成征地140亩,成立了中心工作机构,正进行广泛招商和前期准备工作。八个合作区:农业引进良种下蔡隔离区。位于漳浦下蔡林场,主要是对引进台湾和国外的优良品种进行隔离观察,对没有列入检疫对象的良种,进行中试、示范推广。长桥农业园艺科技合作园区。沿324国道从龙海市九湖镇至漳浦县绥安镇，重点是发展花卉、蔬菜、水果等园艺作物的设施精致栽培、无土栽培、产期调节和良种速生繁育等。南溪流域耕地综合开发合作区。以龙海市东园镇为中心，覆盖海澄、白水、浮宫、东泗等乡镇，主要是粮油、蔬菜、渔牧、食用菌、水果等综合开发。芗江流域山地综合开发合作区。位于南靖县芗江流域沿319国道的6个乡镇（场），重点是改良果树品种，发展竹类产业。角美及西浮公路沿线农产品加工合作区。继续引导台商到龙海市角美工业综合开发区内创办保鲜、速冻、饮料等农产品加工企业和相关配套项目，并辐射延伸建设角美至海沧的“文圃工业走廊”和西溪至浮宫的“西浮公路沿线农产品加工走廊”。东山湾水产养殖合作区。以东山湾为中心，包括漳浦、云霄、东山、诏安四个县的沿海地带，重点是发展鱼、虾、贝、藻养殖，尤其是浅海开发和珍稀海产品育苗等高科技种苗繁育。东山水产品加工贸易合作区。以东山县大澳、澳角为中心，建立海产品加工、交易市场，发展水产品加工、水产品专业营销市场和渔业关联产业。云洞岩——三平观光休闲农业合作区。以现阶段观光农业发展的基础和实际可能，鼓励台商参与开发龙佳观光农业园、云洞岩风景区和沿省道郊柏线至三平寺沿线旅游资源，建设集南亚热带风光、林果花卉、名胜古迹及现代景观为一体的观光休闲旅游农业区。

自海峡两岸农业合作实验区挂牌后，漳台农业合作出现由点到面、由单项零星向产业整体配套、由沿海向内陆山区梯度推进的全面发展态势，使漳州进一步成为海峡两岸农业合作与交流的密集区。至2001年底，全市累计批办农业“三资”企业项目1216个，实际利用外资10.3亿美元；其中台资农业企业项目685个，实际利用台资6.1亿美元。至2001年底，全市新批办的农业项目数和实际到资额等于前16年的总和。

2. 科技创新情况

从1997年至2001年,通过两岸农业合作,漳州市累计引进农业新品种近千种,其中大面积推广六十多种,推广面积达六十多万亩。如蔬菜类的荷莲豆、甜豆、紫茄等;水果类的番石榴、芒果、香瓜、火龙果等;花卉类的大花蕙兰、蝴蝶兰等;水产类的罗非鱼、鲍鱼、草虾等;食用菌类的白木耳、袖珍菇等。这些品种的引进推广,促进了漳州农产品的更新换代,推动了农业结构调整,增加了农民的收入。

与此同时,吸引应用了一批农业种养加工先进技术。至2001年底,全市累计引进台湾各种先进农业加工设备一千六百多台(套),吸收应用了许多科技含量高、资金技术密集、适应国际市场需求的农业种养加工技术,如种养植物组培脱毒技术、草虾和对虾育苗技术、鲍鱼工厂化养成技术、果树产期调节技术等,大大提高了漳州市现代农业生产科技水平。其中,1997年至1999年农业部海峡两岸农业交流协会与台湾财团法人农村发展基金会合作,在福建开展了漳州香蕉综合技术改进等项目。经过两岸农业专家和项目组三年努力,顺利完成计划目标。漳州香蕉项目采用台湾种植香蕉科学施肥、单杆护蕉等7项实用先进技术,香蕉外观、品质、一级品率均达到项目计划指标。三年来漳州香蕉已推广2.6万公顷。

此外,加快了漳州农业国际化进程。台商在该市创办的农业项目涉及农业的种植、养殖、农产品精深加工,以及农业的上下游产业、农业观光休闲等项目。台湾农业企业大多数采取"订单农业"、"公司加基地加农户"的经营模式,外接国际市场,内联种养基地和农户,产品经过整理、加工、冷藏后全部出口。这种经营模式对台商转移到大陆发展,保住和扩大固有的市场份额起到了积极作用,也培育出漳州新型的农业合作经济组织,进而提升了漳州农业的外向度。据统计,2001年漳州提供出口的农产品及加工制品的交货值相当于全市农业总产值的20%。

第五节　促进闽台创新人才的交流与合作

一、闽台科技人才资源的特点

1. 福建科技人才资源的特点

福建省科技人才资源建设已取得了较大的发展,但与科技、经济和社会发展的要求相比,仍然存在一些问题和不足,科技人才资源建设呈现出以下特点。

(1)从事科技活动人员的数量逐年增长,但科技人才资源总量仍然偏小。如前所述,福建省科技人力资源已具备了一定的规模,已经拥有了一支专业齐全、数量较为可观的人才队伍,但在全国所占分量仍然很低,与广东、上海、江苏、浙江、山东、台湾等东部沿海省市相比,在科技人力资源实力上还有着较大的差距。如2004年,福建省每万人口从事科技活动人员数仅为22.17人,其水平列全国的第19位,而同期北京、上海的该指标数值分别为180.83人和110.08人。

(2)高层次科技人才缺乏。由于福建的高等院校和科研机构较少的历史原因,使福建的高层次科技人才十分缺乏,尤其是学科技术带头人、顶尖的领军人物,诸如电子信息、生物、环保、新材料等技术领域的高层次科技人才,熟悉世界贸易组织规则、了解国际惯例、精于国际贸易的外向型人才,以及懂技术、会管理、善经营的现代企业管理人才和科技开发经营人才缺乏。高层次人才远远满足不了科技、经济、社会快速发展的需求,成为制约福建省快速发展的一个瓶颈。

(3)企业科技人员成为科技活动的主体,但企业的科研力量还相当薄弱。2004 年,在全省科技人员中,科研机构拥有 0.44 万人,占 5.66%;高等院校有 0.90 万人,占 11.66%;工业企业有 4.29 万人,占 55.51%。企业是全省拥有从事科技活动人员最多的一个群体,而且企业科技成果在全省科技成果中占有重要的地位。但是,企业的科研力量还相当薄弱。至 2000 年,全省大中型工业企业设立科研机构的只有 124 家,仅占大中型工业企业总数的 41.2%,规模以上小型工业企业中设立科研机构的仅为 14.4%,表明企业的科研机构还很不健全;2000 年,全省开展科技活动的规模以上工业企业有 1356 家,只占规模以上工业企业总数的 22.6%,近八成的工业企业没有开展自主科研活动。

2. 台湾科技人力资源的特点

台湾正处于经济转型期,大力发展高科技产业和向科技岛目标迈进,都凸显科技人才的极度重要性。目前,台湾科技人力资源主要表现出以下几个特点:

(1)人才培育与人才需求出现结构性失衡。一方面人才培养的层次结构与需求失调。表现在大学毕业生"供过于求",硕士以上学位的毕业生却"供不应求"。调查显示,在拥有学士学位的理、工、医、农四类科技人力方面,预计 2002 年至 2007 年,年平均毕业人数达 7.7 万余人,扣除流失因素后,年平均有 5 万余名学士学位的毕业生进入就业市场,与需求数 3.9 万人相比,明显"供过于求"。到 2011 年,拥有学士学位的与科技相关科系毕业生人数约 5.7 万人,而需求数仅为 4.2 万人,除个别领域外,大学学历的科技人力,每 5 个人中就有一个找不到工作。2002 至 2007 年硕士、博士学位的毕业生,则呈现"供不应求"。另一方面人才培养的专业结构与需求失调。表现在有些专业的毕业生供过于求,而一些专业的毕业生却供不应求。人才供需缺口明显的领域包括:数学统计、物理、资讯电子、材料工程、生物工程与食品营养等专业，而运输航运、农林科学、纺织工程、海洋渔业等领域则已供给饱和。

（2）企业科技人力资源实力雄厚。台湾的科技人力资源主要分布在企业。大企业和财团法人设立的研究机构，聚集了一大批各专业各学科的优秀科技人才，主要进行新技术的产业化应用研究和企业新产品的技术开发和推广。2004 年，台湾研究与开发人员中，企业占 63.8%，而科研机构和大专院校仅分别占 20% 和 15.4%；研究与开发人员中的科技人才总数中，企业占 55.5%，而科研机构和大专院校仅分别占 18.6% 和 24.9%。

（3）台湾科技人才外流情况严重。由于多种原因，台湾难以留住科技人才，导致科技人才出现大量流失的局面，楚才晋用现象屡见不鲜。一般来说，台湾人才的外流主要有三类：

一是个别被高薪招聘到其他地区去工作的台湾科技人才。这部分以台湾享誉全球的资讯电子业人才，产业土壤还不够肥沃的生物工程人才，以及学有专精的专家学者为最多；二是随着产业外移而被派出去工作的科技人才。无论是大型企业或是中小型企业到外国投资，通常都会派遣高级技术人员到外国的工厂工作，其中还有的企业在投资之后，就逐步举家迁移而当地化，进而落地生根；三是由跨国公司派到岛外工作的科技人才。凭借高薪和优越的工作环境优势，跨国公司在台湾吸引了不少优秀科技人才，这些人才经常被调往世界各地的分公司工作，而离开台湾。

无论是哪一种渠道外移，祖国大陆都是最重要的外移地点，其次是东南亚国家和美国。外流到东南亚国家的人才，主要是随着台湾产业外移；外流到美国的，以具有专长的专家学者居多；而到祖国大陆的，则是近年来到祖国大陆投资办厂的台商，他们由台湾的母公司派遣，高级技术人才是其中很大的一个群体。

(4)高级技术人才依然相当缺乏。台湾科技人才的大量流失，造成了发展科技产业的“人才饥荒”。随着网络时代的到来，网络软件公司所需的专业人才更是空前奇缺，有时出现一个萝卜数个坑的局面。台湾的高科技产业，以其诱人的发展前景，虽然已吸纳了大批专业人才，但是，随着产业规模的不断扩大和升级，高级技术人才依然十分缺乏。这是关系台湾企业未来兴衰成败的关键，也是困扰高科技产业发展的难题。由此，台湾的企业界不得不采用异地成立研究与开发中心，运用当地专业人才进行研究与开发新技术、新产品，或者用高薪和优惠条件直接从海外招聘各类优秀科技人才赴台服务。台湾90%以上的科技业者纷纷呼吁，希望当局松绑、放宽条件，让他们引进祖国大陆和海外的专业科技人才，以解科技产业求贤若渴的局面。同时，台湾高科技产业之间也展开了科技人才的争夺战。目前，晶圆制造产业，以高配股的优势，吸引了台湾不少理工科毕业生，使半导体产业的IC设计、通讯产业、光电产业等所能得到的毕业生所剩无几，根本不够需求，造成高科技产业之间科技人才失衡。

二、科技人才交流与合作的分析

随着科技的发展，经济全球化的加剧，尤其是知识经济时代的到来，国际间的竞争越来越体现在科技及其产业的竞争，而相对于自然资源、地理位置、气候条件等初级生产要素，科技人才日益体现出其突出的重要性。可以说，科技的竞争最终体现在科技人才的竞争。

海峡两岸的科技人员，从最初的互相不通音讯，到零星的民间的交流，再到近年来日益频繁的交流与合作，可以说，闽台两地科技人才的交流与合作乃是大势所趋，是双方的共同需要。目前，海峡两岸科技人才合作最主要的障碍来自台湾方面出于政治目的所搞的种种限制。因此，要实现闽台两地科技人才交流与合作顺畅化，满足双方科技及其产业发展的需要，关键是两地都要认识到在当前环境下，为适应国际竞争，发展自身的科技与经济，进行科技人才交流的必要性以及实现这种交流的可能性。

1. 科技人才交流与合作的必要性

(1)现实要求双方进行交流与合作。"九五"以来，福建省科技人力资源虽然已取得了较大开发，但是，与科技、经济和社会发展的要求相比，仍然存在很多问题和不足。具体体现在：科技人力资源总量偏小、高层次的科技人员仍然缺乏，企业科研力量还相当薄弱，这些都是福建省科技创新的制约因素。而相对应的台湾科技人力资源的特点是，普通教育和职业教育两种人才教育体系并举，从事技术研究与开发的科技人力资源丰富，但基础理论研究人才稍显薄弱。企业科技力量雄厚，是台湾科技创新的主力军。从以上分析可以看出，闽台科技人力资源存在明显的互补性，加强交流与合作将对两地科技创新起到极大促进作用。

(2)两岸科技产业发展的需要。福建省科技型技术开发与台湾应用型技术开发正在形成良性互补。台湾一向重视应用技术和技术产业化，但在基础研究特别是高科技和尖端科技方面的实力显得不足。高科技人才，特别是研发人才的匮乏，已成为台湾产业升级的瓶颈。祖国大陆则是经过多年的科技积累和致力建设完整的科技体系，在若干基础科学、高新技术和尖端科技方面具备相当实力，在超导、生物基因研究和原子能研究等领域还取得了一批有国际影响的研究成果。如果把两者结合起来，优势互补，对加速海峡两岸产业的升级换代和高新技术发展，将是一个有力的促进。

(3)学科的性质和发展要求。在电子、气象、农业、地质等一些学科领域，很需要科技人员进行密切的交流与合作。闽台两地在未来科技发展的重点领域选择上，有着很大的相关性，信息技术、生物技术、新材料、新能源等将成为共同关注的焦点。日益激烈的国际竞争也要求两地进行各种资源尤其是科技人力资源的交流。从资源的优化配置上来说,加强科技人才的交流,有利于促进两地科技产业的发展,符合两地人民的利益,促进两地经济与科技发展。

2. 科技人才交流与合作的可能性

(1)闽台两地地缘相近,人缘相亲。如果说海峡两岸利益互补机制是从经济层面推动着两岸人力资源开发合作的话,那么,同根同源的中华文化则将中国人所具有的心理、行为和习惯等,都深深地埋藏在两岸中国人精神的深处,并在更深层面上影响着心理和行为方式,对两岸人力资源开发的合作起着黏合、加固、推动的作用。第一,闽台两地语言相通;第二,闽台两地居民的饮食、生活习惯及习俗等相同或相近;第三,中华文化以儒家思想为本,推崇人性伦理,形成了中国式的"情、理、法"的管理理念。因此,在闽台两地人力资源开发合作中,双方能找到认同感和归宿感,从而更易沟通。总之,闽台两地同文同种,深厚的血缘、地缘、亲缘、情缘关系使两岸人民有着传统的人文亲和力,这将有力地推动两岸人力资源开发合作的持续发展。随着祖国大陆经济的快速发展,内地生活水平不断提高,也使得越来越多的台湾科技人才愿意到祖国大陆发展。

(2)台湾在福建省投资促进了科技人才的交流。目前,台湾在福建省的投资继续保持良好的增长势头。在台湾资本及其技术人才流入福建的同时,带动了大批中、高阶层的管理及技术人才前往福建就业,使这类人才在台商中的比例日益增加。随着台资企业的进入,越来越多的台湾科技人才来福建工作、学习、生活等。同时,在闽的台资企业也将招收大量的福建科技人才,并且许多福建的企业也招收大量台湾科技人才,这就为闽台两地科技人才的交流提供了一个平台,使交流与合作有了更大的可能。

(3)闽台两地科技交流与合作有着许多共性要求。闽台两地在科学研究与开发中存在许多共同关注的领域,如电子、信息、农业、气象、地质等。依据科学技术自身发展的规律,为满足两地科技内在发展的需要,闽台两地应进行科技交流,同时也伴随着科技人才的交流。

(4)两地在人才交流方面虽然仍未达成共同的协议,但政策上都在不断地向着有利于人才交流的方向发展。2000年,台湾当局已修订延揽祖国大陆科技人才来台办法,规定在台总停留期可延长至三年,比过去多一年。福建省在对台交流有中央赋予的"同等优先,适当放宽"政策,闽台两地科技交流大有可为。1997年,福建省曾先后组织了"海洋科技经贸考察团"、"发明协会考察团"等多个团组赴台进行交流考察,并与台渔业界和企(实)业界签订多项合作协议,为建设"闽台海洋科技养殖园"以及为福建省科技产品进入台湾打下了基础。此外,闽台两地还进行多项学术交流,如举办了有闽台两地专家参加的"海峡两岸城市规划与建设学术研讨会"和"海峡两岸中医药学术研讨会"等。仅2002年,福建省有关部门就组织了150个闽台交流项目。其中,台湾来闽交流、参访达43.28万人次,福建省组织赴台交流263批2552人次。在这些交流中,科技人才交流占有一定的比例,且较以前有大幅增长,从中可以看出闽台两地科技人才交流的勃勃生机及无限前景。

(5)加入世界贸易组织后闽台两地分工合作的可能性大增。闽台两地拥有各自优势,若能加强科技交流与合作,优势互补,就能增强竞争能力,实现闽台两地科技的共同进步。福建省科技人才众多,在一些基础科学研究上领先;而台湾在应用技术研究与开发方面具有自身特色与优势。如果能将二者有机结合起来,便能有效地做到闽台两地协同发展。比如,在电子信息产业,如果福建省在科技人才和科研能力方面的优越条件与台湾的制造能力和市场营销经验有机结合起来,那么,闽台两地合作发展科技产业商机无限。在此过程中,双方的科技人才也能做到很好地交流。

三、科技人才交流与合作的方式

加强科技合作,促进双向交流。闽台两地科技合作存在很强的互补性,为促进两地科技的双向交流,推动两地科技资源的有效转移,建议采取以下三种方式。

1. 以个体为单位的科技人才流动

闽台两地的企业、科研机构、高等院校可根据各自需要,公开招聘对方具有相对优势而本地紧缺的科技人才,实现科技人才的优势互补。如福建省可在台湾招聘学有专精的各类专业人才,而台湾可在福建招聘具有较高水平的基础研究人才。

2. 高校、科研机构、学术团体的科技人才交流与合作

可以采取学术团体互访,互聘客座教授,代为培养人才等方式。闽台两地要加强科技人员交往,尤其要加强中青年科技人员的交流互访,发挥中青年科技人员在高科技领域交流的积极性、主动性和创造性。闽台两地科技人才交流除了以学术会议、参观互访等形式外,还可以采用科技人才代培、选派科技人才参与当地研究创新活动等多种形式进行,以推动闽台两地科技产业的共同发展。加强闽台专家学者及学有专精的科技人才交往,建立自由交流顺畅的合作研究渠道。比如,厦门大学台湾研究所与台湾政治大学中山人文社会科学研究所共同签署了《厦门大学台湾研究所、政治大学中山人文社会科学研究所学术交流合作协议书》。根据此项协议,两所将从2004 年 1 月起互派教师和研究生前往对方研究所从事为期四个月的教学、研究及选修课程;互相提供研究生论文指导;互派师生参访

团前往对方研究所参访。

近年来,闽台两地各种科研机构与学术团体交流合作日益频繁,两地科技交流合作已进入良性循环、滚动发展阶段。2001 年,福建省有关部门办理赴台参加科研合作的交流人员 4 批 5 人次;组织举办了第五届海峡两岸光电子学术研讨会,举办了闽港澳台科技经济合作论坛,接待了多批台湾考参团组,与台湾有关科研机构、学术团体建立密切关系,闽台两地科技人员的交往进一步活跃。同时,还以多种形式开展具有国际竞争力和共同需要的项目合作研究,促进人才的交流与合作。

闽台两地可通过资源要素的流动和转移,对当前共同面临的科技问题和具有国际竞争潜力的项目进行联手攻关,如在气象、海洋、地质、地震等领域进行联合攻关。比如,厦门市第一医院与台湾宏技生物科技有限公司正式签约,组建厦门生殖医学中心,进军第三代试管婴儿技术领域。据介绍,第三代试管婴儿技术是目前世界上治疗不孕、不育症最为有效的方法,也是优生优育的重要手段。当前,这项技术在我国只有广州及台湾拥有。合作双方还准备以股份制形式组建厦门市生殖医学股份有限公司。同时,福建省农科院还与台湾中兴大学建立了农业交流与合作,两年来取得了显著成效,在科技项目合作的同时也促进了科技人才的交流。

再以农业为例,由于地理、气候、人缘以及农作制度相近,闽台两地农业合作优势是其他省市无法取代的。20 年来,闽台两地农业科技人员的合作已经走过了引人注目的发展历程,不仅有效推动了福建省现代农业的发展,而且加快了台湾农业结构的调整和农业资源的转移。

3. 产业界的科技人才交流与合作

(1)直接雇用对方科技人才为己所用。随着台湾高科技产业的发展,台湾高科技产业已面临人力不足的问题。为解决科技人才不足的问题,台湾高科技产业界十分青睐祖国大陆专业科技人才,认为这些人才与台湾同文同种,且专业水平精湛、工资较低,所以为他们所垂青。因而,采用多种手段去招聘,甚至把触角伸向祖国大陆高校去抢人才。另外,由于台湾科技产业近年来不景气,投资环境恶化,越来越多高新产业人士乐意赴祖国大陆工作,主要是看好祖国大陆市场越来越重要,具有在祖国大陆工作经验者在高科技产业界越受重视,所以,台湾不少科技人把在祖国大陆工作的经验视为新世纪职业生涯的新挑战。

(2)随着相互投资、产业外移而带来的科技人才交流。目前,台湾企业界科技人才赴祖国大陆可分为两类:其一是投身在祖国大陆的分公司怀抱,如中芯国际集成电路公司、宏力半导体公司等的公司的科技人员大都属此类情况;其二是被台湾的母公司指派前往祖国大陆的子公司工作,这类科技人才多为任期制,在祖国大陆定居的时间至少一年以上。台湾不少企业早已开始在祖国大陆实践新的发展战略。2000 年,台湾的 IT 厂商掀起了第三波台商大陆投资浪潮,大企业取代了中小企业成为投资的主体,他们纷纷将研发机构迁往祖国大陆,融入内地工程技术人才资源的大潮中。再者,台资企业在祖国大陆建立公司后,不但会带来台湾科技人才,还会雇用内地人才,这样,便为他们提供了一个进行密切交流与合作的环境。

(3)创办异地研发机构,直接招揽当地的科技人才。台湾企业可以针对自身发展要求在福建省建立专门研发机构,直接雇用福建本地人才。同时,在适当的条件下,福建省内具有一定实力的企业也可以到台湾创办研究中心等,充分利用台湾科技资源。这为两地科技人才交流、融合提供了广阔的合作空间。

(4)设立科技园区吸引科技人才。台湾的许多产业及其科技人才都有往祖国大陆转移的趋势,福建省可以利用对台的区位优势,设立台湾学者创业园,大力吸引台湾科技人才和创业投资,对于扩大和加深两地科技人才的交流,促进两地科技事业的发展有着十分重要的意义。

参考文献

[1]《福建科技统计年鉴》编委会:《福建科技统计年鉴·1996》。

[2]福建省统计局:《福建经济与社会统计年鉴·2003》(社会科技篇),福建人民出版社2003年版。

[3]福建省科学技术厅:《福建科技发展报告·2004》,海潮摄影艺术出版社2004年版。

[4]福建省科学技术厅:《福建科技发展报告·2005》,海潮摄影艺术出版社2005年版。

[5]台湾"行政院国家科学委员会":《"中华民国"科学技术统计要览》,"民国"91年版(2002年)。

[6]台湾"行政院国家科学委员会":《"中华民国"科学技术统计要览》,"民国"92年版(2003年)。

[7]台湾"行政院国家科学委员会":《"中华民国"科学技术统计要览·2005》,"民国"93年版(2004年)。

[8]福建省统计局:《福建经济与社会统计年鉴·2005》(社会科技篇),福建人民出版社2005年版。

[9]李非:《海峡两岸经济合作问题研究》,九州出版社2000年版。

[10]王铃:《台湾的科技发展计划》,《政策与管理》2002年第

6 期。

[11]汪素芹:《两岸加入 WTO 后科技产业合作与发展的前景分析》,《海南社会科学》2002 年第 3 期。

[12]中国科学技术部:《2003 年中国科技统计年度报告》。

[13]常巧诗整理:《台湾科技人才的培养途径》,《海峡科技与产业》1997 年第 4 期。

[14]刘霜桂:《台湾科技人才危机与延揽大陆科技人才热》,《信息窗》2002 年第 1 期。

[15]周寄中:《科学技术创新管理》,经济科学出版社 2002 年版。

[16]王缉慈等:《创新的空间——企业集群与区域发展》,北京大学出版社 2003 年版。

[17]傅家骥等:《技术经济学前沿问题》,经济科学出版社 2003 年版。

[18]许树伯:《实用决策方法——层次分析法原理》,天津大学出版社 1988 年版。

[19]邹华等:《科技创新的内容及实现途径》,《商业研究》2002 年第 6 期。

[20]胡琴:《湖北省区域科技创新能力综合评价和研究》,《武汉理工大学学报》(信息与管理工程版)2003 年第 25 期。

[21]袁正:《关于科技创新的实证研究》,《科技情报开发与经济》2003 年第 13 期。

[22]林世渊等:《高新技术产业化环境建设与闽台科技合作》,《福建论坛》(经济社会版)2002 年第 11 期。

[23]林嘉騋:《关于推进闽台科技合作的思考》,《台湾农业探

索》2003 年第 2 期。

[24]肖士恩等:《科技创新政策评估的理论与方法初探》,《中国科技论坛》2003 年第 5 期。

[25]李宗璋等:《科技创新能力综合评价方法探讨》,《科学管理研究》2002 年第 5 期。

[26]《闽台科技与人才交流合作研究》课题组:《闽台科技与人才交流合作研究》2005 年第 11 期。

[27]台湾"行政院国家科学委员会",《"国家"科学技术发展计划》,"民国"94 年至 97 年。http://web. nsc. gov. tw/ct. asp? xItem = 13547&CtNode = 3480,2006. 4. 8.

[28]台湾"行政院国家科学委员会",《"国家"科学技术发展计划——附录》,"民国"94 年至 97 年。http://web. nsc. gov. tw/ct. asp? xItem = 13547&CtNode = 3480,2006. 4. 8.

第五章　闽台协同教育创新的探索

改革开放以来，福建与台湾两地经济贸易合作得到了社会的普遍关注，区域经济正在逐步形成。当前，福建省要实现经济的跨越式发展，归根结底必须首先发展教育事业，培养创新型人才；台湾需要走出教育困境，突破教育的地域局限，扩展教育市场已是大势所趋。面对海峡两岸顺应时代潮流、加快祖国统一步伐的机遇，协同促进教育创新，形成闽台教育区域发展特色，是当前闽台两地教育界共同关心的重大研究课题。笔者通过大量调研，在对闽台两地教育创新现状、各自存在的主要问题、所处的优势以及闽台两地协同教育创新的内容与发展趋势进行比较分析的基础上，结合典型案例进行研究，对促进闽台两地教育创新人才的交流与合作、协同发展教育产业，提出了相应的对策性建议。

第一节　闽台教育创新的现状和特点

一、福建教育创新的现状和特点

1994 年，中共福建省委、省人民政府主持召开了改革开放以来规模最大的全省教育工作会议，作出《关于贯彻实施〈中国教育改革和发展纲要〉的决定》，提出了建设教育强省的目标，制定了加大改革力度，优化教育结构，增加教育投入，鼓励全社会办教育，扩大教育对外开放，提高教育整体素质，改善教师待遇，加强学校德育工作等8项政策措施。这次教育工作会议以来，全省各地认真贯彻落实中共中央、国务院颁发的《中国教育改革和发展纲要》以及中共福建省委、省政府关于贯彻实施这一纲要的政策措施，使教育事业走上了快速、协调发展的新阶段。

2004年，福建省共有各类高校66所，其中普通高校53所，成人高校13所。普通高等教育全日制本专科在校生32.57万人，比上年增长26.5%；招生11.99万人，增长12.4%；毕业生5.28万人，增长10.5%；在学研究生18273人，增长37.7%；招收研究生7275人，增长24.2%；毕业研究生2820人，增长50.7%。成人高等教育在校生6.96万人，比上年下降29.5%，本专科招生3.73万人，下降4.4%。全省普通高中614所，招生25.57万人，增长17.1%；在校生65.98万人，增长14.7%。中等职业教育在校生47.8万人，增长7.7%；初中招生61.53万人，在校生186.13万人；小学招生36.49万人，在校生286.94万人；幼儿园7200所，在园幼儿74.82万人；各级特殊教育学校66所，在校生3.76万人。

1. 从以政府和计划办学为主向以社会和市场需求办学为主转变

建国以来，福建省教育同苏联教育模式具有很大的相似性，自从1951年初对教会办的两所高等学校、45所中学和96所小学进行接管后，由政府直接管理和独家承办教育，包括师资分配、教育经费资源配置、专业设置、招生、培养、毕业分配等决策都由政府直接制定和安排，这样导致了学校办教育的主动权受到很大约束，积极性受到严重挫伤，其后果是学校培养计划与社会需求相脱节，培养的学生不能满足社会的需要，动手能力较差等。改革开放以来，市场经济的价值取向对教育发展产生了很大影响，它促进教育与社会的密切结合，各类学校根据市场需求确定专业设置和培养模式,使教育既面向社会,又面向未来。

(1)由于我国社会主义市场经济体制的确立,高校价值的确认越来越偏重于社会的认可。高校的毕业生要接受社会的严格选择,高校的科研成果同样要接受市场的严格选择,高校正在弱化"象牙塔"式的形象而直接面向社会,并最终完全融入国民经济的运行中。一些高校的专业设置、招生计划、培养模式、就业导向越来越充分考虑社会的需求。高校与高校、高校与科研院所、高校与企业之间的交流障碍正在被打破。例如,福州大学成立了校企合作委员会,加强学校与企业间科研教学之间的合作与交流。随着福州大学城、厦门大学城的建设与发展,高校与企业间的科研、教育合作等越来越紧密。同时,国家增加对科技拨款,鼓励高校参与社会竞争。高校通过承担越来越多的科研任务、不断增加科研经费而争取快速发展。

(2)专业设置不仅适应市场需求,而且预见市场需求,使专业设置和课程设置站在市场前沿,专业技能和专业设施站在行业前沿。目前,毕业生就业难问题已成事实,这与以前高校专业设置不合理有一定的关系。为此,福建省有关部门决定尽快建立高等学校布局结构、发展规划、专业设置、招生规模、办学评估、经费投放、领导班子考核等工作与毕业生就业状况挂钩的管理机制和工作机制;研究制定科学的高校毕业生就业情况评估标准和办法,适时公布毕业生就业率,促进高校面向社会需求办学。同时,为了适应知识经济发展的要求和建设"数字福建"的需要,加紧了信息专业人才的培养。例如,2002年,经教育部批复同意,福建省成为全国首批试办软件高等职业技术教育的省份,并择优选择在信息科学教育上有优势、有特色的高等学校,通过改革人才培养模式和运行机制,试办一批软件高职专业;计划经过3至5年的努力,使之成为培养信息产业发展急需的专业人才的重要基地。

2. 从依赖型向自我发展型转变

建国以来的以政府为主体管理学校的机制中，学校教育经费由国家以财政形式拨款。改革开放以后，福建省各类院校开始从完全依赖于国家逐步向自我发展的轨道转变，特别是近十年来，福建省在发展教育方面，积极引入市场机制，通过向金融机构贷款等形式大力发展教育事业，目前已逐步建立起以国家财政拨款为主、多渠道筹措为辅的教育经费新体制，使教育经费投入的总体水平明显提高，为改善办学条件、发展教育事业提供了有力的保障。从2000年以来，在教育经费支出方面，随着福建省经济的增长，财政支出中用于教育的支出也在逐年增长，但增速却有所下降，同时财政性教育支出占全省地区生产总值的比重在2004年降为1.67%，这都有待进一步调整和提高（如表5—1所示）。

表5—1　财政性教育支出占地区生产总值的比重

年份	教育财政支出（万元）	年增长（%）	地区生产总值（亿元）	年增长现价（%）	教育财政支出占地区生产总值（%）	生均教育经费（元）	增长率（%）
2000年	619670	17.54	3920.07	10.41	1.58	807	—
2001年	724402	16.90	4253.68	8.51	1.70	948	17.47
2002年	812504	12.16	4682.01	10.07	1.73	1075	13.40
2003年	929670	14.42	5323.01	13.69	1.75	1229	14.33
2004年	1008963	8.53	6053.14	13.71	1.67	1327	7.97

注：生均教育经费按当年中小学人数计算。

资料来源：《福建统计年鉴·2005》，《福建经济与社会统计年鉴·2005》。

3. 从单一的事业型向事业、产业型相结合转变改革开放以来,福建省高等教育已经基本实现了由以政府管理学校为主的单一事业型逐步向事业、产业型相结合转变。

(1)教育产业蓬勃兴起。福建省教育产业是在改革开放以后开始起步的,并在近年来获得快速发展,现已逐步成为一个强劲的新兴产业、朝阳产业,特别是民办教育,获得了迅猛的发展。我国加入世界贸易组织后,新的人才需求呼唤教育产业的快速发展,教育市场的对外开放又加剧了教育产业的竞争。为此,福建省正在加紧筹建一批高等院校和职业技术学校,以抢占教育产业发展的制高点。20 世纪 90 年代初,全省先后成立了两个国家级高新技术开发区——厦门火炬高科技园区和福州市科技园区,在此基础上又成立了泉州、莆田、南平、三明、漳州五个省级高新技术产业开发区。高科技园区的发展为高校与产业结合构筑了相互交流与合作的平台。

(2)后勤工作社会化、产业化。长期以来,我国高等学校后勤服务模式落后、后勤社会化改革滞后、后勤负担沉重的状况,成为制约高等教育发展的瓶颈因素。20 世纪 80 年代后,福建省各高校后勤改革借鉴农村和城市经济体制改革的经验,首先从伙食改革起步,由单项定额承包发展到综合定额承包。进入 20 世纪 90 年代,各高校通过改体制、转机制、引入企业化管理,由综合承包模式发展到小机关、多实体或小机关大实体、大服务模式,继而又发展到组建后勤服务集团。近年来,随着高等教育改革与发展步伐的进一步加快,全省高校后勤社会化已经在一些学校取得了突破性进展。

4. 从非义务型教育向普及义务型教育转变

1986 年,全国人大颁布实施《义务教育法》以来,福建省把实现义务教育的目标摆上重要议事日程,全省掀起实施义务教育热潮。1988 年,福建省人大常委会先后通过《福建省实施〈义务教育法〉办法》和《关于进一步贯彻〈义务教育法〉,加强福建基础教育的决定》,

以法律形式确定了普及九年义务教育的规划、目标和一系列配套措施。为改善小学办学条件,实施了"一无二有"工程,即做到校校无危房,班班有教室,人人有课桌椅。1991年以后又进一步做出努力,使全省所有完小以上学校实现了校舍、校门、围墙、厕所、操场、课桌椅、升旗设施、教学仪器、图书资料、劳动基地十配套。

在实施初等义务教育的其他条件大为改善后,初中校舍严重不足,成为实施九年义务教育发展的瓶颈。福建省及时作出集中财力、物力、人力,打一场初中建设翻身仗的决策,从1991年到1998年,全省先后多次筹措初中建设经费21亿多元,新建初中校舍600多所,扩建教室近1万间。1998年,全省在校初中生194.68万人,平均每万人口中在校初中生由1991年的313人提高到590人,跃居全国第一位。在福建省的许多乡村,使得"最漂亮的房子是学校,最优秀的环境是校园"成为现实。

为了解决普及义务教育中师资不足的困难,福建省人民政府挤出钱来发展师范教育,累计向35所师范院校投入基建经费5.45亿元,新建校舍102万平方米,使师范院校不断扩大招生规模,为普及义务教育提供了更多的师资来源。同时,开展多种形式的教师培训,全省5.8万名小学教师取得从事相应学科教学的合格证书;通过开展在职中小学教师学历补偿教育,有8.6万名中小学教师取得大中专毕业学历。由于普及九年义务教育有了足够的合格教师,初中教师的学历合格率连续5年跃居全国前列。在中小学入学率方面从表5—2可看出,福建省小学生的在校生人数与小学学龄人口相比计算的小学生入学率自2000年以来每年有所上升;到2004年,全省落实外地民工子女入学的政策,小学入学率超过100%,但初中学龄的学生入学率则逐年下降。

表5—2 福建省中小学生入学率

年份	总人口（万人）	小学(7—12岁)		小学在校生	小学入学率（%）	初中(13—15岁)		初中在校生	初中入学率（%）
		%	人数			%	人口		
2000年	3410	11.6	395.56	369.10	93.31	5.9	201.19	196.28	97.55
2001年	3440	11.0	370.40	354.62	93.72	6.0	206.40	194.36	94.12
2002年	3466	9.9	343.13	339.18	98.84	6.5	225.29	189.98	84.32
2003年	3488	9.4	327.87	311.98	95.15	7.1	247.65	189.67	76.58
2004年	3511	7.9	277.37	286.94	103.45	6.9	242.26	186.12	76.83

注：中小学学龄人口按人口抽样调查数据推算。

资料来源：《福建统计年鉴·2005》。

5. 从单一的公有制办学制向公办与民办相结合的多种办学机制转变

民办独立学院是顺应高等教育发展形势，贯彻落实《民办教育促进法》，全面推进民办高等教育发展的重大改革与探索。在良好的政策环境下，全省先后组建了多所民办教育学校以及独立学院，达到办学体制多元化的目的。过去，那种单靠政府包办大学的单一模式已经被打破，高等教育办学体制正向多样化方向发展。现在，除公立大学外，还有民办大学、一些公立大学的内部也已经进行了相应调整，出现了“一校两制”，甚至“一校多制”的现象。

福建省仰恩大学是全省高等民办教育发展较好的一个典型例子。1994年，仰恩大学被国家教委和福建省教委批准成为全国私立大学教育改革试点单位后，仰恩大学得到了迅速的发展与壮大。从当时只有400余名学生，在短短的几年中发展到如今在校生近5000人的规模。在当前全国高校毕业生就业形势严峻的情况下，仰恩大学毕业生却被用人单位争相聘用。仰恩大学抓住我国深化教育体制改革的大好时机，充分利用私立大学的办学特色和办学优势，不断扩大办学规模，逐步增设新系科和新专业，进一步加强师资队伍建设，大力推进素质教育，全面提高教育、教学质量，一步步构建起独树一帜的"仰恩模式"。仰恩大学的办学效益鲜明地显示了私立大学顽强的生命力，实现了其在我国高等教育发展进程中所应承担的历史使命。

6. 从以专业教育为轴心向以素质教育为轴心转变

20 世纪 90 年代后期，福建省把全面推进素质教育摆上重要议事日程，要求各级各类学校把全面实施素质教育摆在发展教育事业的首要位置。各地建立了各类德育基地六百多个，完善各级各类学校德育体系，广泛开展爱国主义、集体主义和社会主义教育，进行了针对不同年龄层次学生的道德品质培养的探索，以促进德育工作的科学化。全省各地把加强薄弱校区建设，减轻学生过重课业负担，改革升学考试和考试测评制度作为落实素质教育的突破口。到 1999 年，全省基本实现初中招生就近免试入学；在保证小学入学率和巩固率不降低的前提下，调整小学布局，使边远山区小学的办学质量、办学效益得到提高。全省教育系统开展调整、改革普通高中会考制度，开展形式多样、内容丰富的教研活动，促进学校素质教育的落实。为了从小培养学生的科技意识、创新精神，加强了小学的科技教育，全省有 1200 多所中心小学建立了科技活动室，组织学生开展科技制作，并举办了全省小学生科技制度展评。为加强劳动教育，全省召开了农村中小学农业基地建设现场会，推广建瓯市等地的经验，促进全省中小学劳动教育逐步走向制度化、规范化的轨道。

二、台湾教育创新的现状和特点

为配合初步发展、快速发展和稳步发展三个时期经济建设，

1967年，台湾颁布了《人力发展计划书》，促进了台湾教育结构改革。经过近四十年的发展，目前台湾已经形成了普通教育与职业教育双重发展，成人教育、补习进修教育和特殊教育为补充的完善的教育体制。

1. 教育体系从封闭向开放转变

近年来，随着学校数量的扩充，学校教育在供需上产生很大程度的改变。由于社会日益开放且走向多元化，社会大众期望学校能提供更多的学习机会，发挥和推广教育服务的功能；同时，台湾家长会和社会义工自愿为学校教育服务，大学与社会互动日益频繁。

(1)台湾义工组织相当普遍，他们是在完成本职工作之余后不计报酬、经过培训正式聘用并专门从事某些公益性工作的义务工作者。如台南社教馆是一个现代化的大型活动场馆，正式职工只有13人，而各个部门全部由义工进行管理，并且各项活动开展得井井有条。台东社教馆现有义工996人，分布在各社教站，有很多年轻人把参加义工作为服务社会的起点视为非常光荣的事情。

(2)现阶段台湾教育体系结构分为国民教育、高级中等教育、高等教育、职业技术教育和补习教育。"国民教育"包括六年制"国民小学"和三年制"国民中学"。高级中等教育分高等(普通)中学和高级职业学校，学制三年。高等教育包括高等职业教育和普通高等教育，其中高等职业教育分为专科(二年制、三年制和五年制专科)、本科(二年或四年制技术学院、科技大学，普通大学附设二年制技术院系或课程)和研究生(技术学院等的研究所)三个层次；普通高等教育制大学和独立学院。补习教育有"国小"补习、"国中"补习、高级进修补校、专科进修补校和空中大学。除此之外，还设有少量特殊教育学校。到2004学年度，台湾共有"国民小学"2646所，在校学生

1883533 人，教师 102882 人；“国民中学”723 所，在校学生 956927 人，教师 48285 万人。高级中学 312 所，在校学生 409635 人，教师 33643 人；高级职业学校 161 所，在校学生 326159 人，教师 15504 人。大专学校 159 所，在校学生 1285867 人，教师 48649 人；大学及独立学院 145 所，在校学生 1054929 人，教师 47247 人。

（3）高速发展的台湾教育使得各个学校的招生显得富有竞争性，部分学校面临招生难的困境。为了使教育资源得到充分利用，台湾各学校特别重视招生宣传，不仅吸引台湾社会各年龄段的学生，而且还充分吸收南亚学生到台湾学习。为了吸收更多的学生来台湾就读，台湾教育机构还设有许多优惠条件。台湾的学校有很大的自主权，包括学校教育经费筹措，部分来自于财政拨款，部分来自于收取的学生学费，而吸引社会、产业界及金融机构发展教育，这方面台湾运营得相当成熟，目前已经成为台湾教育经费一大重要来源。

（4）台湾大学教育比较重视与企业界的合作，特别强调理论与务实并重，即根据学生的培养目标，通过学校与企业之间的合作安排，学生接受必需之学科及相应知识教学，并在训练岗位上接受入门就业知识及能力的训练。其过程是在学校与企业之间周详规划、联系，严密督导与执行，并在经常性评估、监督之下进行。

2. 教育制度从一元化向多元化转变

近年来，为适应社会开放后呈现出的多元化特征，台湾学校教育制度已逐渐进行调整，规划带有弹性学制，以促进学校教育的多元化发展。其中，较重要的改变包括建立各校发展特色、入学渠道多元化、学制弹性化、各校自行规划课程以及师资多元化等，足以显现学校教育朝着多元化方向发展。

（1）建立多元化的办学与教育投资体系。台湾教育界认为，为了促进普及、开放、多元、自主的教育体系的形成，必须首先实现办学体制和教育投资渠道的多元化（重点在于非义务教育阶段）。为此，台湾采取了三项措施：第一，通过制定“奖励私立学校预算编制原则”及推动“私立学校奖励方案”的实施，加大对私立学校的资助，促进私立学校的发展，实现办学体制和办学形式的多样化。第二，通过政策性导向，鼓励社会各界及私人出资办学或捐助教育，扩展教育经费的多元化渠道。第三，改革公立学校经费预算制度，鼓励学校通过募集、产学研合作、社会服务、收取学杂费及其他渠道，争取教育经费来源的多渠道化。目前，在幼稚园、高中、职业学校和大专院校中，私立学校占一半以上。根据台湾《私立学校法》的规定，各级“政府”除一视同仁对学生设立奖学金、助学金外，对每所私立学校每年都给予一定数额的补贴，一般为学校经费的20%～30%，从而调动了私立办学的积极性。

（2）建立多元化学习体系。随着高等教育向大众化、普及化发展，台湾教育界认为，必须从改革大学通招制度入手，建立多元化大学入学渠道。其具体做法是：对应届高中毕业生和非应届高中毕业生，允许高校依据其高中成绩自行决定录取；或采取二段式选拔办法：第一阶段类似学历鉴定，仅考少量基础科目，由台湾考试中心办理，每年办理两次。第二阶段由各校依据需要和本校特色，自行决定考试科目或选拔方式，以此避免考试引导教学及一试定终身。第二，对非应届高中毕业生，由各大学考虑本校发展的重点及不同学生的特殊需要，另辟入学渠道，另定入学方式等。

用“学习多元化，教材多元化、学制多元化”方式，促进“学习社会化，社会学习化”的形成。台湾教育界认为，家庭、学校、社会教育三者通力合作，交流并进，才能达成整体教育目标，而能够融以上三者为一体的基本单位是社区。所以，“学校社区化，社区学校化”，是

“学习社会化,社会学习化”的具体体现。为此,台湾试行在大专校系中设立社区学院制度,并要求社区学院与邻近的中小学、社区、文化中心及民间企业机构、团体等相结合,承担各种形式的社会培训服务,开设各种非传统的学位、学分课程,提供与“国民”多层次需求相适应的多元就学机会和条件。同时,要求成人教育、社会教育的教材朝着弹性化、乡土化、实用化、多样化方向发展并相互衔接,进而要求有关学制也要多元化并相互衔接,诸如要求各级学校举办的补习学校体系与短期进修、研修体系相衔接。通过衔接和拓展,形成“学习多元化,学习终身化”,“学习社会化,社会学习化”氛围。

(3)建立多元师资培养与提高体系。建立多元化的中小学及职业教育师资培训制度,以适应培养中小学师资和各类职业技术教育师资的需求。所谓多元化师资培训体系,包括:①师范院校;②设有教育系、教育科研所的综合性大学;③设有系统教育学课程的其他大学。由此,中小学师资来源也将由单一师范院校毕业生拓展到包括:①师范院校毕业生;②综合大学教育系、教育科研所的毕业生;③其他各类大学毕业并修满教育学学分的毕业生(台湾教育管理部门对修满教育学学分有具体规定);④被认可的国外大学毕业并修满教育学学分的毕业生。该体系及新的师资培训制度的建立,促进各种非师范类大学根据自身特点,参与师资培育,加速了台湾多元化师资培养体系的形成。

鼓励各校通过设置学科讲座及客座教授,并辅之以博士后研究员等多种途径,广泛吸纳产业界、科研界优秀人才,建立多元、流动的师资队伍,以充分发挥整体性教学、科研功能,提高大学教学和科研质量。

(4)开辟多元化的职业技术教育入学渠道。随着社会价值观念的日趋多元化与教育机会日渐普及，传统的招生入学考试制度显然无法满足教育的需求，多元化的入学方式势必是未来社会发展的趋势。台湾在开辟多元化职业技术教育入学渠道方面的具体做法是：①扩大推荐甄选及申请入学的范围；②鼓励学生在校期间选修高一层级学校课程，成绩优秀者经资格审查考试后被录取到高一层级学校就读；③提供可以积累和转移的学分课程，提供授予学历或学位证书的入学渠道；④对持有职业或技术证照的进行学历鉴定后取得相应的入学资格；⑤实施招考分离招生制度；⑥鼓励学校春秋两季招生。

（5）实施大学多元化入学新方案。从2002学年起，台湾全面实施大学多元化入学新方案，新方案将现行大学入学渠道分为甄选入学制和考试分发入学制两大类（如图5—1所示）。

图5—1　大学入学新方案构架图

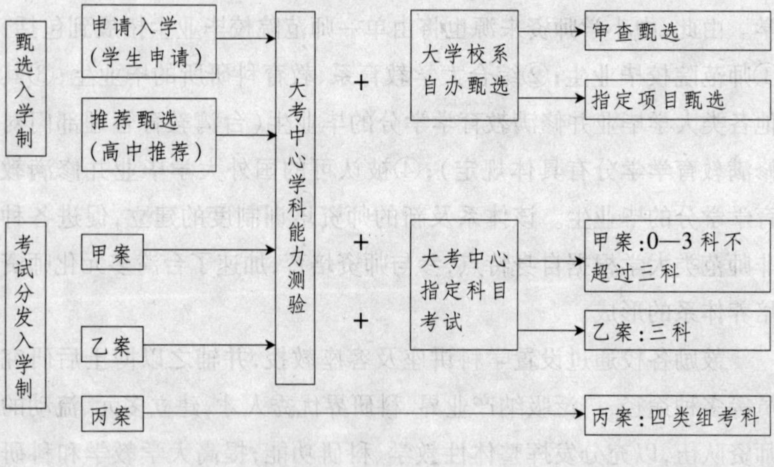

——甄选入学制。甄选入学制包括申请入学及推荐甄选两个渠道。

申请入学是学生根据各大学制定的条件，自行申请，名额不受限制。申请对象可以是应届毕业生、往届毕业生、高职毕业生等。

推荐甄选是普通高中根据各大学制定的条件，参照学生的意愿向各大学考试中心推荐学生。推荐有名额限制，一般是普通高中应届毕业生才具备被推荐的资格。学生在通过第一阶段的学科能力测验（五科）和第二阶段的大学自行办理的审查甄试或指定项目甄试后，即可进入大学（详见图5—2）。

图5—2　甄选入学制流程

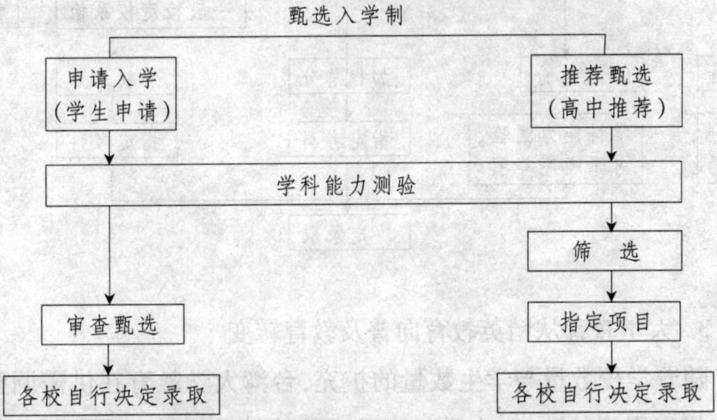

——考试分发制。考试分发制是由学科能力测验加上传统联考（即考试中心指定科目）转型而成的，凭借考试筛选学生，并依其考试阶段、科目、成绩统计及分发方式不同分为甲、乙、丙三个方案，由各大学选择其中一个方案办理。其中，甲方案和乙方案是二阶段考试考生需要分别报考学科能力测验和指定科目考试；丙方案与现行大学联招相似，考生无须参加学科能力测验，直接报考指定科目（详见图5—3）。

图 5—3 考试分发制流程

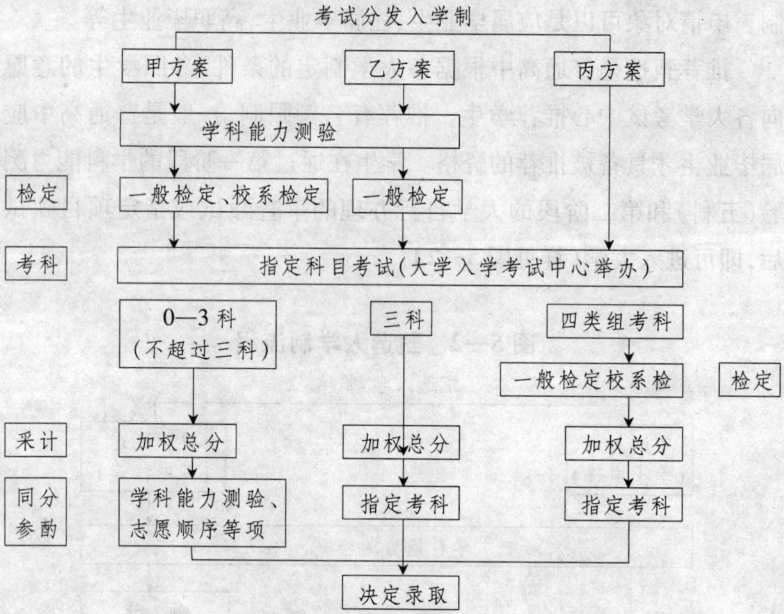

3. 大学教育从精英教育向普及教育转变

随着学校数量与学生数量的扩充,台湾大学教育在供需调整上产生相当程度的改变,大学教育已由传统精英式教育形态朝着普及式教育形态发展。目前,台湾每万人口中在各类学校学习的人数已占总人口的1/4,比20世纪50年代初增长80%。这种教育事业迅速发展的结果,是台湾人均受教育年限由20世纪50年代的不足6年,提高到目前的11年;其中,高等专业人才达300多万人,占台湾劳动力人口的1/4以上。台湾各阶段中各类学校的升学率也很高,且呈不断上升趋势(如图5—4所示)。

4. 教育行政体系由"中央集权"向学校自主化转变

解除对教育事业的不当管制,进行教育松绑。1996年11月,台

图 5—4　各类学生的升学率

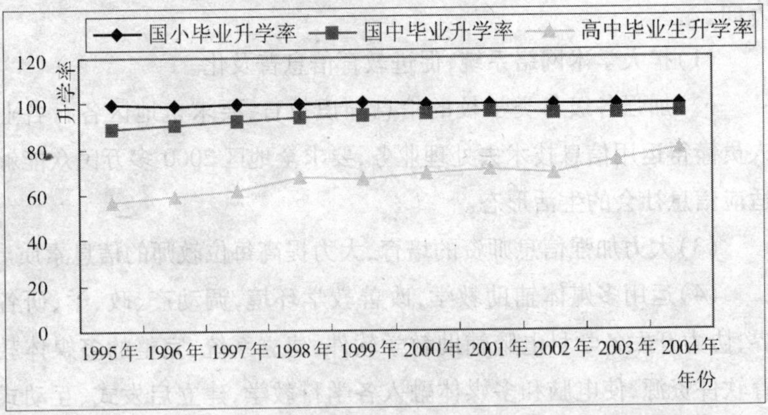

湾当局发表《教育改革总咨议报告》，提出，解除对教育事业的不当管制，扩大社区以及各级各类学校的办学自主权，教育体制改革的重点是"中央管制的放松"，适当下放权力，以增强各级各类学校办学的积极性和扩大其办学的自主权。与此同时，要求为各级各类学校进行教育松绑，解除对教育的不当管制，发挥地方和社区的办学积极性，扩大学校的办学自主权；改革高等学校的办学体制和招生制度，促进高等教育的持续发展。具体措施是：改变行政与学术不分的高等教育管理体制，增强大学的独立性和自主性，建立规范化的大学管理机制，成立董事会，使大学朝着法人化方向发展；完善公立大学的经费分配办法，加大对私立大学的补助力度，并放宽私立院校设立标准，扩大对大学生的助学贷款范围；扩充高等教育规模，以适应不断增加的社会需求；改革高等学校招生制度，改变大学联考一试定终身的弊端等。

5. 教育方式由传统教育向突出现代教育科技化转变

大力加强教育现代化建设，完善教育信息支持系统，其核心在于实现教育信息化和信息普及化。改革的着力点主要有以下四个方面：

(1)扩大学术网络系统,促进教育信息普及化。

(2)加强各级各类学校的信息知识教育,要求全地区各行各业人员懂得运用信息技术去处理业务,要求全地区2000多万民众能够适应信息社会的生活形态。

(3)大力加强信息师资的培育,大力提高每位教师的信息素质。

(4)运用多媒体辅助教学,改善教学环境,调动产、政、学、研各界,协力开发各学科电脑辅助教学软件,建立系统、完整的多媒体教育软件资源,使电脑和多媒体融入各学科教学,建立启发式、互动式学习环境,提高教学水平。

另外,为提高学生适应市场需求的能力,学校在高中阶段设置了物流、计算机、理工等现代务实学科,增强学生的动手能力。为台湾经济腾飞做出贡献的职业教育尤其突出了这方面的教学内容。台湾职业教育利用现代科技,在实验室中利用与时代同步的设备和仿真教室,突出了务实的教育理念。例如,台湾海洋大学驾驶专业和全球海难搜救系统,在实际运用方面达到了国际先进水平。

三、闽台教育创新优势与问题

1. 福建省教育创新的优势

(1)基础教育扎实。福建省坚持基础教育积极、均衡、持续、协调发展,不断深化教育改革,大力推进教育创新,全面推进素质教育,教育创新取得了显著成效。2002年,福建省教育厅颁布了《福建省基础教育新课程实验推广工作实施意见》,积极实施基础教育课程改革。改革主要有三个方面:一是改变课程过于注重知识传授的倾向,强调形成积极的学习态度,使获得基础知识与基本技能的过程同时成为学习和形成正确价值观的过程;二是改变课程结构过于强调学科本位、科目过多和缺乏整合的现状,整体设置九年一贯的课程门类和课时比例;三是改变课程实施过于强调接受学习、死记硬背、机械训练的现状,倡导学生主动参与,把信息技术教育、研究性学习、社区服务与社会实践等综合实践活动作为必修课,强调学生通过实践,增强探究和创新意识,学习科学研究的方法,发展综合运用知识的能力。

相对于台湾,福建省的基础教育具有明显的优势,特别是厦门作为全国38个中小学课程改革的实验区之一,能在世纪更替的特殊历史时期,依靠中华民族深厚的文化底蕴和闽南文化特色,与时俱进地对中、小学课程进行多方面改革,如政治开卷考,英语考试注重听力、口语等,并陆续策划一系列的科技文化活动,加强中小学素质教育,取得的成绩排在全国前列。据统计,2003年,共吸引台湾300余名学生在厦门各中小学就读。

(2)教育需求不断增长。福建省对教育需求的增长主要体现在两个方面:一是经济的高速发展,带来了巨大的人才需求。其传统产业电子、机械、石化将领头快速增长,目前这三个产业已经占据全省工业经济比重的一半。漳龙高速、赣龙铁路的全面铺开以及城市基础设施建设投入力度的加大、固定资产结构的进一步完善,导致对非国有资本参与投资的热情高涨。经济发展前景看好,必然带动教育的快速发展。二是随着人们生活水平不断提高,对自身教育的需求进一步增大。据抽样调查报告显示,2004年上半年,福建全省城镇居民人均可支配收入为5879.23元,同比增长11.8%,扣除物价上涨因素,实际增长8.2%;人均消费支出4052.45元,同比增长13.2%,扣除物价上涨因素,实际增长9.6%。与2003年同期相比,居民收支增幅分别高出0.3和3.2个百分点。人们物质生活水平的提高，必然更加重视追求精神生活；同时也更有能力承受教育负担，最终导致对教育需求的增长。

（3）中华文化教育底蕴深厚。五千年灿烂的中华文化是民族精神、民族认同和民族凝聚力的源泉。中国人之所以具有恋乡归根的本土意识、华夏族类的共同信念和内聚融合的情感心理，皆因中华文化的精神纽带在起作用。福建省正是具有这种独特的中华文化教育的优势，使得福建全省教育发展的基础非常雄厚。

——福建省地处我国东南沿海地区，与其他省份地市保持着密切的往来关系。早在秦汉时代就开始了有北方人民到福建定居，到两晋南北朝形成第一次高潮。当时是中国历史上著名的动乱时期，饱受战乱之苦的北方人民，远离中原成批地向南方的福建等地迁移，形成历史上所谓的“衣冠南渡”。近几十年来，福建作为我国经济开放地区，人员流动频繁，教育体系与整个大陆发展息息相关。因此，福建的中华文化教育跟整个大陆的中华文化教育一样，具有深厚的底蕴。

——相通的民间信仰和习俗。台湾民间奉祀的诸多神灵中，大多在明清随福、广移民传入，但这些对台湾社会产生重大影响是在中华文化特定的氛围中产生的，是按照中国人所特有的宗教观塑造出来的，所以不可避免地打上了中华文化的烙印，体现了中华文化某些共同的精神特征。如妈祖传说她通晓天文气象，精通医道，尤擅海上救护，是东南沿海民众共同的海上保护神；“保生大帝”传说他医术如神，一生行医救人，积善积德。这些神灵的共同之处，都不同程度地具有中华文化济公好义、积德行善的传统美德。

——台湾语言来自福建闽南话。台湾有2300多万人口，说闽南话的人至少有1600万人。“夫台湾之人，闽、粤之人也，而又有漳、泉之分也。”移民入台后，多聚族而居。语言学家指出，台湾闽南话有漳州腔和泉州腔之别，这是移民来台时多按姓氏家族或来源地聚居而形成闽南话地域差异的表现。以后，虽又形成程度不同的“漳泉滥”，即“亦漳亦泉”的闽南话，但基本语音没有变。实际上，台湾话即“福佬话”，完全是来自福建的闽南话。若从泉州知府汪大猷在澎湖建造房屋并派水军驻守算起，闽南话在台湾已流行八百多年。

2. 台湾教育创新的优势

（1）教育经费相对充足。几十年来，台湾教育投资的绝对量和相对量基本上呈上升趋势。教育经费占生产总值的比例呈先减后增趋势（见图5—5 和图5—6）。

图5—5　1995年至2004年，台湾教育经费投入

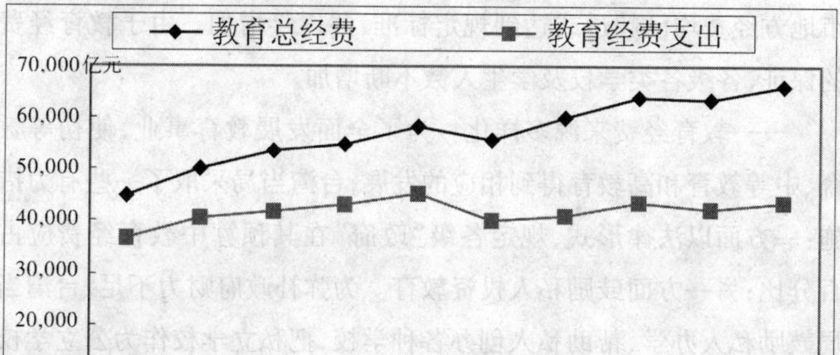

台湾在发展经济的同时，大力发展教育事业，千方百计解决教育经费问题，有许多经验是值得我们借鉴的。

——教育经费逐年增多。台湾“宪法”规定：每年教育、科学、文化的经费占预算总额的比例“中央”为15%、省为25%，县、市为

图 5—6　1995 年至 2004 年，台湾教育经费占生产总值的比率

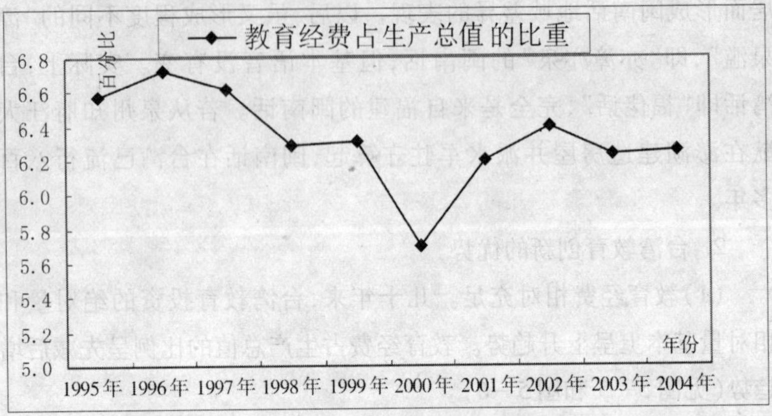

35%。目前，除“中央”的教育预算尚未能达到规定标准外，省、县、市地方经费均已超过或达到规定标准，并逐年增加。由于教育经费的保证，各级各类学校及学生人数不断增加。

——教育经费来源多样化。为了全面发展教育事业，使初等教育、中等教育和高教育得到相应的发展，台湾当局采取了一些有力措施：一方面以法律形式，规定各级“政府”在其预算中教育经费应占百分比；另一方面鼓励私人投资教育。为弥补政府财力不足，台湾当局鼓励私人办学，帮助私人创办各种学校，把私立学校作为公立学校的一种补充。现在，台湾各级教育经费主要部分来自财政所列预算，除此之外，还有以下来源与筹集的方式：地方教育捐款；教育文化基金，包括特种教育基金和教育建设基金等。

——教育投资重点合理转移。台湾有关部门根据经济发展的需要确定各个时期教育投资的不同重点。在经济恢复和准备起飞的 20 世纪 60 年代，教育投资重点是普及国民义务教育，提高整个人口、劳动力的素质；在经济调整的 20 世纪 70 年代，教育投资的重点放在职业教育上；在20世纪80年代初随着产业水平的上升，重化工业的发展，又迅速地发展高等专科教育，把职业技术教育提高到工业学院（大专层次）的水平；20世纪80年代中后期以后，台湾为调整产业结构，加速技术和工业升级，提高生产力，以强化对外竞争力，开始着手扩展高等教育，提高高等教育质量和科研水平，高等教育经费增加迅速。2004年，台湾高等教育的政府教育经费支出比例达到38.64%。

表5—3　10年来台湾教育经费支出各层次所占比例

年份	幼儿园	国小	国中	高中	高职	专科学校	大学及独立学院	其他
1995年	2.97	24.43	16.50	6.90	8.15	6.71	15.49	18.85
1996年	2.88	24.53	16.11	7.57	7.99	6.79	14.26	19.87
1997年	3.03	23.20	15.42	7.90	8.61	7.11	16.46	18.27
1998年	3.05	23.28	15.01	7.77	8.20	6.38	16.16	20.15
1999年	3.10	24.64	15.12	8.30	8.43	6.45	16.41	17.55
2000年	2.90	32.86	18.45	10.58	10.32	4.48	19.84	0.57
2001年	2.73	32.06	16.00	9.78	7.05	1.74	30.10	0.55
2002年	3.04	31.90	15.50	9.67	5.34	1.19	32.79	0.56
2003年	2.98	31.22	15.25	9.72	5.26	1.25	33.72	0.60
2004年	3.95	25.04	13.92	11.06	5.70	0.95	38.64	0.73

（2）高等院校数量骤增，海外人才大量回流。1995年，台湾高校学生数占全岛所有学生数的20%，2004年上升至40%。这是近几年重视教育投入的结果。海外人才回流也是人力资源的重要补充。1980年，海外学成归台的留学生有14882人，与岛内研究所培养人才的比例接近1∶1；1990年，回台人数为30238，约占当时岛内新获

硕士和博士人数的55%,1993年到1995年,每年返岛的人数有六千多人。

(3)师资力量雄厚。台湾当局对教师任职资格的要求比较高,因此教师学历较高。1987年,台湾把9所师专全部同时改制,升格为独立师范,把国民小学师资升到大学本科学历程度;幼教和特教资格则分列在师院设专修科。1994年,台湾公布的《师资培育法》中则规定高级中等校、“国民”中学、“国民”小学、幼稚园和特殊教育教师都要具备大学本科学历,从而实现了本科化、学位化。

(4)技术职业教育发展完善,注重培养应用型人才。随着台湾经济的起飞,经济结构由内向型转向外向型的劳动力密集型出口加工经济。经济转型向传统教育提出了挑战,客观上迫使教育转向实用。于是,台湾仿效美国20世纪二三十年代注重实用技术的做法——教育开始以职业技术教育为中心。技术职业教育优势体现在三个方面。

——教育体系完善。台湾的教育体系分一般教育体系和技术职业教育体系。一般教育体系需要经过九年制义务教育,升入普通高中,考入大学,毕业后进入社会或继续报考研究生。技术职业教育体系则是初中毕业后升入职业高中或五年制专科学校,职业高中毕业后,可升入二年制专科技术学院,技术学院可授予学士学位,也有研究所设有硕士及博士课程。工业技术学院的建立,使台湾技术职业教育形成一个有特色的系统。台湾的教育有70%是属于这类职业学院。

——注重实用技能的培养。台湾的职业技术教育十分重视实用技能的培养。为培养大量实用人才,台湾职业技术教育的专业和学习科目根据社会发展的不同阶段对技术劳动力的需求不断进行调整和更新。

——实行企业与职校合作制度。学校与企业界根据互利原则，采用观摩、实习、半工半读、委培、提供奖学金、承担专题研究、教学和技术人员交流等形式开展“建教合作”；既扩大了学校教育的外延，加强了人才培养和市场需求的针对性，还有利于新技术的推广和企业员工素质的提高。

(5)私立高等教育办学较大、质量较高。台湾私立高等教育起步早、发展比较快，在数量上超过了公立学校(据统计，2002 年台湾共有大中专私立院校 101 所，而公立学校仅为 53 所)，这一方面反映了台湾高等教育的快速发展，已经逐步跟上了世界的步伐；另一方面也反映了台湾高等教育产业运行的成熟。在适应社会需求和促进市场经济繁荣方面，台湾私立高等教育，特别是私立专科教育起到了举足轻重的作用，甚至可以说，没有民间兴学的热情，就不会有台湾今日繁荣的经济和丰裕的物质生活。在海峡两岸协同促进教育创新方面，台湾私立大学已经扮演了十分重要的角色，它们以一种自立自强的精神和民间的身份，突破当局的禁令，为海峡两岸的学术文化交流做了大量工作，赢得了海内外教育界的高度赞扬，如台湾私立大学、中国文化大学、淡江大学和东吴大学等。

3. 福建教育存在的问题

在改革开放浪潮的冲击下，教育事业日益受到重视，经过多年坚持不懈的努力，福建省教育事业得到了蓬勃发展，取得了很大的成绩。但是，福建省教育发展水平目前仍处在初级阶段，有许多问题亟待解决。

(1)教育地域之间差异较大。福建省沿海经济发达地区的教育比内地教育发展的更快。目前，全省市、县教育比农村教育发展的更快，由此形成了严重的教育发展不平衡的格局。特别是闽西北地区，财政状况比较薄弱，发展能力呈现弱化态势，如出现流生反弹、学校危房增加等现象。

——东西地区的差异。造成东西地区教育失衡的因素很多,主要有两个方面:其一是地区间的经济实力及其教育投入的差距。相对发达地区(如厦门、福州、泉州等东部地区)因其经济实力较为雄厚,因而有较多的教育投入;相对不发达地区因其经济实力比较薄弱而较难拿出大量财力投放于教育,有的甚至不能满足最低限度的经费需求。其二是群众的经济收入及家庭的教育支出。欠发达地区的一些贫困户因无力支付子女教育费用,甚至义务教育阶段的杂费,因而使义务教育的实施受到一定影响。

——城乡差异。2004 年,全省城乡居民收入差距为 2.73 倍,除经济因素外,影响城乡教育发展不平衡的因素还有地理、自然环境及文化传统与教育价值取向等各种非经济因素。据统计,2004 年,福建省每万人口初中在校生数居全国第十位,小学、初中在校生的流失率分别为 1.45% 和 9.56% 以下。而福建省农村义务教育工作中还存在一些亟待解决的问题,如农村初中校舍不足的矛盾十分突出,有的学校甚至有校无园,影响了学校的教学质量和学生的身心健康;2003 年,全省农村小学升学率出现了上升,达到 63.96%,初中生升学率则出现下滑,仅为 8.22%。

(2)教育经费投入偏低。闽西北山区、老区由于基础薄弱,加上地区发展不平衡以及投入机制和办学模式方面的缺陷,致使教育事业经费投入远不能满足教育事业快速发展的要求。具体表现如下:

——教育经费总量投入和人均投入相对偏低。①人均预算内教育经费偏低,教育投入潜力有待进一步挖掘。据统计,2003 年预算内教育经费 116.41 亿元,与先进省份相比,预算内教育经费相对偏低。同期,上海市为 169.03 亿元,广东省为 348.54 亿元,北京市为 231.96 亿元。②财政性教育事业费支出比例占国民经济比例偏低。

2003 年,全省财政性教育事业费为 124.18 亿元,占省内国民生产总值比例为 2.05%,已达到历史最高水平;从国内比较看,这一指标比较适中。据统计,同期的广东、江苏、浙江省分别为 192.57 亿元、260.7 亿元、232.03 亿元,分别占国内生产总值比重的 2.5%、1.69%、2.06%。

——教育经费来源单一。教育经费投入至今仍以财政性投入为主,其他来源相对偏少。2003 年,全省教育经费投入中,国家财政性教育经费占 63.17%,不仅明显高于江苏省 56.02%、浙江省 56.37% 和上海市 62.71% 的比例,而且高于全国 62.02% 的平均比例;而社会团体和公民个人办学经费仅占 8.9%,明显偏低。

(3)高等教育改革困难重重。20 世纪 80 年代至 90 年代初,福建省高等教育事业与广东、江苏、浙江、山东等省份大致处于同一水平,但经过十几年的发展,目前福建省高等教育与这些省份的差距正在逐步拉大。

——高等教育总量提高任重道远。"九五"以来,福建高等教育事业虽然有了很大发展,但由于基础差、底子薄,从总体上来看在全国仍处于中下水平,滞后于其基础教育和经济社会发展。主要表现在:①高等教育规模偏小。2004 年福建省普通高校在校学生数为 32.57 万人,低于上海市 41.57 万人,江苏省 99.48 万人,浙江省 57.27 万人,仅占全国总量的 7.28%;研究生仅占全省高校在校生的 5.6%;每 10 万人中拥有大专以上文化程度的人口不到北京、上海、江苏和广东的一半(见表 5—4)。②高校数量偏少。截止 2004 年,福建省普通高校仅有 53 所,而同期浙江、广东、山东、江苏省分别有 67、94、97、112 所,在沿海几个开放省份中福建高校数量最少。③招生规模偏小。1999 年福建省高等教育院校招生数为 11.9 万人,低于浙江省的 18.2 万人、山东省的 32.7 万人、广东省的 26.4 万人和江苏省的31.3万人。从平均在校生规模看,2004年全国每10万人口高等院校平均在校生规模为1420人,浙江省为1651人,山东省为1361人,广东省为1285人,江苏省为1768人,福建省仅1186人,在沿海5省市中规模最小。

表5—4　每10万人中拥有大专以上文化程度人口比较

单位:人

地区	全国	北京市	上海市	江苏省	广东省	福建省
2004年	67945人	3289人	3001人	3393人	3760人	1461人

资料来源:《中国统计年鉴·2005》。

——高等教育结构错位、缺位现象较为突出。这突出表现在高等教育的类型、形式结构上,仍普遍存在着重全日制普通高等教育,轻职业、成人高等教育的现象。当前,部分高等职业教育机构仍有意无意地淡化自身的功能定位,即使是成人高等教育中也只重学历教育、轻岗位培训和忽视高层次继续教育。

——科技创新和科技成果产业化的总体水平偏低。根据《2001年高等院校科技统计资料汇编》,福建省高校科技实力排名偏低,教学与科研人员、科技活动人员在全国排名在23和19位;科技成果数、获奖数等排名均在全国17位左右。

(4)民办高校亟待发展。民办高校作为福建省高等教育体制改革中出现的新生事物,目前仍存在着一些影响其健康发展的因素,在许多方面有待于进一步规范和提高。

——在实践中,民办高校的发展尚未进入稳定期。目前,福建省民办高校正处在上升发展时期,在《民办教育促进法》实施后的几年内也将进入一个资源整合时期,不仅将有大批民办高校成立,而且现有的民办高校也将在激烈的竞争中进行合并、分离，其中不乏知名学校脱颖而出，也难免有相当一部分学校昙花一现。由于当前民办高校得不到国家的任何补贴，吸纳社会资金也比较困难，只能凭借收取学费滚动发展，因此对民办高校来讲，生源是关系到学校生死存亡的大事。所以，每年招生时都会爆发一场激烈的“生源大战”，各校使出浑身解数、千方百计吸引生源。另外，这几年公办高校在扩招的同时、也在通过“公办大学二级院校”、“成教学院”、“继续教育学院”等“准民办大学”形式与民办高校争夺生源；另外，自考制度也抑制了民办大学面向市场加大职业技能培训的自主办学活力等，这都将在无形中给以落榜生为主要生源的民办大学带来生源数量及质量的严峻挑战。

——投资主体单一。当前，民办高校的资金来源主要来自企业、私人投资，基本上没有国家资金的支持，也缺乏公益性教育基金、社会慈善捐款的介入。

——缺乏专业师资力量。师资问题是民办高校发展过程中存在的突出问题之一。有关调查显示，当前奔波忙碌在民办高等教育第一线的教师，年龄在60岁至70岁的离退休人员占师资队伍的33%，年龄在60岁以上的办学人员占了56%，而40岁以下的仅为21%。而在调查民办高校中，专职教师少于20人的占38%，专职有20至40人的占29%，还有部分院校没有专职教师。

——管理方式有待改进。目前，大部分民间办学机构还是家族式、家长式管理方式，缺乏一套严格的法人治理结构。我国颁布的《民办教育促进法》中虽然规定，民办学校应设立理事会、董事会或其他形式的决策机构，但在民办学校现有投资结构不改变的情况下，主要投资者就是学校实质上的管理者。由于企业投资者或私人投资者控制着学校的管理权，难免产生高营利要求，不利于学校的长远发展。在家族式的管理方式下，民办高校不仅缺乏应有的活力，而且容易造成一些决策上的失误，影响学校的长远发展。同时，科学民主的管理方式和透明的管理制度也很难建立起来。如当前不少民办高校中存在着不顾自身实际、一味贪大求高等现象，影响了社会教育资源的合理配置和自身教育质量的稳定。

（5）职业教育招生困难，新生报到率低。近几年，福建省普通高等学校招生规模持续扩大，但一些职业院校在办学上却遇到了新情况和新问题，不少职业院校新生报到率较低。主要原因是：①这些院校办学起步晚，时间短，信誉不高，教育质量和硬、软件建设等综合实力与普通高等院相比差距大，在教育实力的较量中处于弱势地位。②一些高职院校对高等职业教育的认识较为肤浅，没有突出职业教育的实践能力和现代科学技术应用的中心地位，专业结构设置不合理，传授的知识面偏窄，导致学生适应岗位能力差，所培养的人才既脱离市场需要，又不具有适应技术岗位要求的能力，使得学生就业率低。由此造成相当一部分学生和家长对高职院校信心不足，影响了高职院校的生源。

（6）高校与产业界结合不紧密。福建省高校产、学、研结合不密切的主要原因是由于科研成果转化中的资金短缺因素以及短期行为的制约，而且企业与高校、科研院所之间缺乏有效的交流和联系机制，在利益和权益上存在分歧。

——短期行为制约因素。目前，高校在评定个人业绩和职称时，往往以获得几项成果奖、发表几篇论文等优势，而且这种优势是和住房、工资等一系列切身利益紧密挂钩，而长期从事技术开发、尤其是从事二次开发的科技人员相比待遇较差，转化中的利益激励机制力度不够，这势必影响一部分科技人员在科技成果转化方面的积极性，产生科技进程中的半截子行为，由此影响科技成果的转化率。

——转化中的资金短缺因素。高校科技成果转化中体会最深的是：两头成果有人支持，中间阶段无人过问。所谓两头，即基础研究阶段尚可申报国家、省、市、部委的基金项目，高校重点学科建设费用也可为前期研究工作创造必备的部分实验环境；另一头是已有明显市场效益的高水平科技成果，前来求贤者络绎不绝，资金投入双方都好商议。而中间阶段，即高水平科技成果刚刚从实验室出来，科技人员急需进行中试验证阶段，此时资金却断了来源。基础研究投入很有限，并有一定的阶段性，而企业一般不愿进行这种风险性投资。由于很难找寻共担风险的合作伙伴，致使科技人员只好在发表几篇论文后转而进行下一专题的研究。这种在科研工作中前功尽弃的现象在高校是屡见不鲜的。

——企业和高校、科研院所之间缺乏有效的交流和联系机制。在国外，为了加强校企之间的交流，设立了许多专门联络机构，负责校企合作事宜。这些联络机构包括“咨询公司”、“联络办事处”、“大学专利公司”、“综合服务机构”，等等。而福建省虽然在促进高校与企业之间的交流与合作上进行积极探索，如福州大学成立校企合作委员会，但高校与企业间的交流和联系机制仍没有完全建立起来。

——在利益和权益上存在分歧。根据以往的情况表明，高校与企业的合作存在的利益纠纷很多，既有企业与高校的纠纷，又有高校内部教师与学校的纠纷。经济利益分配已经成为高校与企业合作的严重障碍。

(7)应试教育倾向严重。在升学考试竞争日益激烈的今天，教育目标已经转向了高考，而高考在教育制度中处于核心的地位，并被赋予了“指挥棒”的尊称。高考制度越来越完善，与此相匹配的应试教育在学校中也就逐渐地占据了主导地位。考试内容越来越丰富，学生像麻袋一样被装满了“知识”，为了提高升学率，学校教育已经没有时间去开启学生的智慧,只有公式化的教学和标准答案。在以应试教育为主的学校制度里,学校分为“重点校”、“一般校”和“垃圾校”,班级被分为“重点班”和“普通班”,学生被分为“优等生”、“中等生”和“差生”。这种单以考试标准划分的类别,严重地扼杀了许多有特殊才能的学生,泯灭了大多数学生学习求知的热情,使受过教育的大多数人在比他们受过更好的教育的人面前感到自卑,教育成了少数人的事。因为,高考将淘汰大多数的学生,这些被淘汰的学生是应试教育的牺牲品,以应试教育为主的学校并没有教给他们谋生的本领和生存的智慧。

4. 台湾教育存在的问题

(1)台湾“国民”中学存在的问题。“国民”中学是台湾“国民”教育中的一个重要组成部分,其课程设计除了共同必修科目外,还设置了两种选修科目。一是继续升学科目;二是职业选修科目。后一种选修科目的目标有三:进行职业陶冶与职业辅导;实施技艺教育;开展就业辅导。当然,台湾“国民”初等职业教育仍存在着不少问题,比较突出的有:

——对学生习性与志趣的试探、辅导工作还不完善。“国民”中学设置的职业试探科目比较齐全,但由于受到社会上升学主义的影响,疲于应付升学考试,而轻视了这一阶段最重要的试探与辅导功能的重要性,致使许多学生在事先并未充分了解技艺的情况下,匆忙修习技艺课程,影响了初等职业教育的质量和效果。

——师资不足。“国民”中学虽设有职业陶冶课程,但缺少职业陶冶课教师的编制名额。各校除了美工科、家政科教师以外,具有职业选科专长的教师极为缺乏,因而职业选修科目往往以搭配方式授课,以凑足教师的授课时数。另外,教师平日与该专业实际接触较少,对该专业的新知识缺乏认识,从而影响了职教水平。

——资金不足。一般学校的工艺、家政教室都是按照学生班级数由上级主管部门资助兴建，至于职业陶冶学科的教学实习工场则不在补助之列，造成某些科目教学往往无法顺利进行。同时，由于资金不足，各校技艺教学所需仪器设备缺乏，维修与更新也很困难，影响了教学效果。

——受传统升学主义思想的影响，学生多不愿被编入实施初等职业教育的所谓“放牛班”。学生从进入“国民”中学的第一天起，就感受到来自各方面的压力，使他们唯一志向就是升学；而一旦在三年级被编入就业班，他们就因理想破灭而悲观失望。

(2)台湾技术职业教育存在的问题。台湾技术职业教育较明显地存在如下两个问题：

——升学比例过高。由于文凭主义盛行，中等职业学校有1/3以上的应届毕业生升入高校就读。保证一定比例升学虽然有利于职业技术教育的发展，但升学比例过高，势必增加教学组织工作的难度，影响中等职业学校应有功能和特色的发挥。

——教学体制不够灵活。台湾中等技术职业教育的学制及课程设置是统一的，而且执行严格，规范性较强。但伴随的问题是灵活性较差，不利于职业学校主动适应社会的实际需要。

(3)中华文化底蕴教育不足。由于台湾长期脱离祖国大陆，而且随着第三代台湾人赴欧、美、日的增加，在西方文化的熏陶下，台湾新生一代迅速被欧化、美化、日化，包括在语言、习俗和作风上。在岛内东西方文化的撞击中，大批青年追求现代文化思潮。值得忧虑的是，真正能连接传统与现代使二者水乳交融的文化精英阶层过少，真正能融通中西文化并能巧妙与现代文化连接的脐带层尚未形成，从而出现了两头大、腰部细小的楔形文化结构，这是一种不稳定的易碎的文化结构。物质生活水平的提高，人的精神生活却日益空虚，金钱游戏、房地产狂飙、青少年犯罪、道德败坏等不良行为不断腐蚀着社会,腐蚀着人们的心灵,学校教育也因此背负着一定责任。

(4)教育性失业或所学非所用的现象比较突出。台湾急速发展的高等教育的另一直接后果就是大学毕业生急剧增加,产生了“教育性失业”的现象。教育性失业表现在两个方面:一方面有许多受过较好教育的毕业生闲置找不到工作(此谓总体性教育失业);另一方面社会上有各种就业机会,但学校培养出来的人才缺少与之相应的技能,从而找不到工作(此谓结构性教育失业)。

导致大学毕业生失业的原因是多方面的,其中主要原因有以下几点:①专科以上毕业生人数增长过快。台湾的产业结构由劳动密集型向技术与资本密集型的过渡较预期缓慢,社会对高级人才的需求低于高等教育的供应量。因此,社会所能提供的就业机会相对减少,导致部分大学毕业生失业或所学非所用。②学校课程安排偏重理论而忽视技艺训练,这种教育虽有利于学生的深造,但不利于大学毕业生进入就业市场。③科系设置与人力需求的关系失调。大学尤其是大专科系的设置与社会的要求未尽一致,部分科系毕业生人数过分膨胀,超出各年度全社会所需人数。有关资料显示,科技类人才供不应求,而文史类毕业生则不能为社会所接纳,造成就业困难。

(5)私立高等教育质量参差不齐。台湾私立高等院校质量偏低的原因主要有以下几个方面:①经费短缺,制约了私立高等院校的发展。台湾当局对高等教育的投资,绝大多数流向公立学校。例如,2004 年台湾教育经费总额为 66210.8 亿新台币,其中私立院校为 17863.8 亿新台币,仅占总额的 26.98%。②公私有别,制度不公,高等教育政策存在偏差。如私立学校的教师不能享受公立教师的福利品购买权、国科会资助名额、出境进修的名额分配以及私立学校的教师转任公立学校的教师退休年资的计算等都不尽合理。同时,私立学校的教师负担过重，待遇相对较低。③当局对私立院校限制太多，影响了院校的运作，使得各高校难以在质量上提高，如设系增班、收费标准及课程开设等都得经教育当局的核准。

(6)功利化趋势扭曲了大学教育的宗旨。台湾在经济高速发展时期，对应用学科的需求十分迫切。因此，当局不得不把发展的重点放在实用、应用学科上，把基础学科的发展放在次要地位。同时，由于整个社会风尚和价值观的改变以及功利主义思想的弥漫，许多优秀学生不愿从事学术和基础学科，而向往所谓应用性、容易求出路的专业，以就业最好为优先考虑的选择，因此，大学的学术研究气氛淡薄了。过分强调学科的实用性，无形中就阻碍了基础学科的发展并将会不利于整体科学的长远发展。

(7)教师队伍过剩。目前，台湾学龄前儿童人口逐年下降，造成师资过剩，师范毕业生就业率日趋下降，特殊教育师资亦不例外。

第二节 闽台协同教育创新的内容及发展趋势

一、教育创新的要素分析

创新是人类社会发展与进步的永恒主题，它不仅是科技界的重要任务，也是21世纪教育领域所面临的首要任务和当务之急。教育创新关键在于培养学生的创新精神和实践能力，从而提高全民族的创新素质。教育改革与发展必须以这一主题为重心，在思想观念、教育体制、课程改革、教学方法以及教学管理等方面进行创新，从而实现新的历史性跨越。

1. 观念创新是先导

教育创新，首先是教育观念创新，要真正弄清楚教育的目标是什么。从教育观念创新的内容上看,必须从以下四个方面实现根本性的教育观念转变:实现从一次教育向终身教育观念的转变;实现从应试教育向素质教育观念的转变;实现从传统封闭式教育向现代开放式教育观念的转变;实现从以教师和课堂为中心向以学生和自主学习为中心的转变。

21世纪的人才培养模式,不应受陈旧教育思想和落后的教育观念以及封闭式教育模式的制约。没有教育思想和观念上的深刻变革,人才培养模式的改革就不会有质的突破和飞跃。摆脱几千年传统教育思想和落后的教育观念的束缚,实现适应21世纪全新教育思想和教育观念的根本性转变,是改革传统人才培养模式和实行开放式教育的重要保证。

2. 体制创新是关键

教育创新,关键是教育体制创新。在教育管理体制创新方面,要不断巩固管理体制改革的已有成果,完善中央和省(市)两级管理、以省(市)级人民政府管理为主的新体制。政府要进一步转变管理教育的职能和模式,由以往对学校的直接行政管理转变为运用立法、拨款、规划、信息服务、政策指导和必要的行政手段进行宏观管理。坚持教育公平原则,推进教育均衡化发展;研究和制定各级各类教育标准,加强教育质量监控,促进教育深入发展;整顿教育市场秩序,保证教育健康发展。促进学校面向社会依法自主办学,主动适应经济建设和社会发展的需要。建立和完善学校的自我发展、自我约束的运行机制,增强学校全面适应经济和社会发展需要的能力和积极性,推进学校全面、协调、可持续的发展。

办学体制创新要继续改革国家包揽办学的格局,鼓励和引导社会力量办学,逐步形成以政府办学为主、社会各界共同参与的办学体制。与以公有制为主体、多种经济形式并存的经济体制相适应,在发展公办教育基础上积极促进民办教育发展；与经济全球化、加入世界贸易组织相适应，积极引进国外优质教育资源，大力开展中外合作办学。建立学习型社会、学习型城市、学习型社区，推动学校教育、社会教育和家庭教育紧密结合、相互促进。

3. 方法创新是前提

教育方法创新是教育创新的一个重要组成部分。任何教育活动都要通过一定的教育组织形式，采用一定的教育方法才能达到教育目标。要进行教育创新，必须坚持采用科学的教学方法和先进的教学手段。教育手段本质上属于教育方法。现代信息传播技术的兴起和运用，对传统的以教师、教材、教室为中心的教育模式产生了巨大的冲击，从根本上改变了人们对“教”、“育”和“学”的看法和做法，这对于调动学生的积极性，提高优质教育资源的利用效益，逐步实现教育均衡发展具有重大而深远的意义。要进一步完善学校的计算机网络，加快音像电子图书、多媒体教室、数字图书馆和网络学校的建设，根本在于教师创新；而教师创新的前提是教学方法和手段的创新。百年大计，教育为本；教育大计，教师为本；教学创新，方法领先。

4. 内容创新是核心

教育内容创新是教育创新的核心。在教育创新的过程中，应该全面理解和把握知识的内涵，在教育内容上必须坚持采取以下措施：(1)对学生进行智能教育；(2)给学生传递终生教育的思想；(3)重点培养学生融合知识的能力；(4)增加“情商”的教育内容，“情商”与“智商”教育都要抓。加强这方面的训练对学校来说是一件紧迫而重要的任务。具体可采用多种形式、多种渠道进行，可通过组织一些集体活动培养学生的团队精神、合作精神和协调能力等。

5. 管理创新是基础

教学管理是根据一定的教育目标和原则，对整个教学工作进行的有序的调节和控制的过程，是保证和提高教学质量的基本要素和关键环节。教学管理可被视为保证和提高教学质量的整合器，应不断地改革和完善，创造和建立新型的适应人才培养和素质提高的教学管理制度。教师与教学管理人员的双向评价、实行教师挂牌、学生选教制度，教师课时津贴与选课学生数挂钩，激发潜能，充分调动教师长期蕴含的积极性。

二、闽台教育创新的发展趋势

1. 推进教育观念的创新

21 世纪是人类依靠知识创新和可持续发展的新世纪，世界将进入知识经济时代。根据知识经济的时代特征，面对知识经济的挑战，未来高等教育将更加基础化、综合化、社会化、网络化和国际化；将构建以终身教育为信念的教育价值观，以学会认知、做事、合作和生存四大支柱为核心的教育目标观，以自然科学和人文科学整合为特点的教育内容观，以注重学生创新能力和个性发展为基本特征的教育方法观。努力探索教育发展的增长点和深化教育改革的突破口，以教育思想观念的新突破带动教育改革发展的新突破。

在知识经济时代，具有创造能力的人力资源是知识经济的依托。自 20 世纪 90 年代以来，知识创新对经济增长的贡献率已远远超过其他要素的总和。这充分证明，经济增长只有不断注入创新的知识和科技才能高效率增长。因此，知识经济最主要的推动力是掌握现代科技知识的人，知识是经济发展的首要因素，知识的创新、生产、储存、分配、使用和作用方式的变更，将从根本上决定人类社会进步的速度和方式。而要培养具有创新知识的人才，关键在于教育。当今世界经济发达国家无一不是教育强国，它们在经济上的腾飞，无一不是从加快教育事业的发展开始的。因此，更新传统教育观念，着眼于未来社会对人才的需求,重点培养学生创新能力,为造就一批在知识经济时代能够独领风骚的杰出人才,就成为每一位教育工作者的“天职”。

闽台两地在教育创新方面各有长短。事实上,单纯拘泥于基础性教育或是实用性教育,或固守那些陈旧教育观念,都不能将两地的教育事业推向一个新的高度。无论是福建还是台湾,要想在教育事业上有长足发展,以最快的速度赶上并超过发达国家的教育水平,首先就是要在教育观念上有所创新,而这一点正是闽台两地教育创新的根本所在。由于闽台两地的特殊地理位置和血缘关系,使得两地在教育方面有着许多相似相通之处,诸多因素为闽台两地教育合作与交流提供了有利条件。事实证明,作为一个特殊区域,闽台两地要进行教育协同创新,就必须互相取长补短,并力争在知识经济的背景下,树立全新的教育观念。

(1)教育战略产业观念。教育战略产业这一概念是在市场经济条件下提出的,它反映了教育的固有属性和发展方向。为适应21世纪物质资源开发向人才资源开发转变的大趋势,发展教育战略产业势在必行。通过教育培养和造就出来的具有现代科技文化知识的人才是未来社会发展所需要的最为重要的生产要素。如果说20世纪是财富源于物质资源的时代,那么21世纪将完全进入“财富源于人力资源”的崭新时代。工业文明、信息文明、知识文明在世纪之交的叠加,使当前现代化无论在深度上还是广度上都远远超越了传统的工业化,这就构成了我国面向21世纪现代化的基本特征。创造知识和应用知识的能力与效率将成为影响一个国家综合实力和国际竞争力的重要因素。传递知识、培养人才、发现真理的教育事业已被视为国家发展的战略支柱。许多国家经济发展得益于“教育是战略产业,人才是主要资源”这一根本性的国家长期发展战略。而从事人才、知识的生产和再生产的教育,将成为决定未来经济增长的最重要的支撑。对教育的投入是对国家未来竞争力的投入,是对国家未来生存和前途的投入。我们要切实把教育作为基础性、先导性、全局性的战略产业,把人力资源开发作为整个中华民族的基础性工程来进行建设。

(2)素质教育优先发展观念。素质教育思想的内涵是:学会生存,学会学习,学会创造,学会关心,学会合作,学会共事,学会处理各种矛盾,能辨别是非,明确历史使命,坚定理想信念,以深厚的历史文化积淀构筑精神支柱。

当今世界,经济全球化日益加深,国际经济的竞争与合作,产业结构和技术结构调整将加速职业岗位和职业技能的变化更新。信息社会的兴起必然引发工作方式、思维方式、组织结构的深刻变化,必将对21世纪人才素质教育提出更高的要求。目前,世界发达国家都在讨论21世纪人才素质问题,尽管各国有各自的构想和目标,但都强调应有全球的战略眼光、争创一流的意识和站在国家发展前沿的精神。未来的人才素质差别,不仅在于专业知识和技能,更在于人才的基本素质,其中创新能力和文化素质居于重要地位。知识创新将成为未来社会文化的基础和核心,创新人才将成为国家竞争力的关键。把学生培养成有社会责任感和事业心的人,有科学文化知识和开拓能力的人,有志、有为、德才兼备的人,是海峡两岸教育创新的共同目标和责任。

(3)办学模式多元化观念。对于我国教育而言,办学模式多元化是与社会主义初级阶段所有制结构联系在一起的。在政府计划管理下的教学机构和计划分配的教育机会之外,还应当形成可供多种所有制经济主体和公民投资的选择性教育市场。既然公有制经济可以有多种实现形式,公立教育当然也应该有多种办学模式。经济成分的多元化、所有制的多元化、利益主体的多元化从根本上要求我们必须突破单一的国办教育模式，鼓励社会各方面的力量和公民个人投资办学、集资办学、合作办学，以形成办学主体多元化、投资多渠道，以国家办学为主体、社会各界共同办学的多元化办学模式。随着社会主义市场经济体制的建立和完善，民办学校将会在福建大量涌现。民办教育不等于私有制教育，同样是社会主义教育的有机组成部分。现在有不少人常把私立学校同私有制联系在一起，这是概念上的误区。在欧美国家，私立学校和公立学校的区别主要是经费来源渠道的不同，公立学校的经费由政府提供，私立学校经费由各基金会提供。私立学校不属于某个私人或某个私立组织。

强调适应开放社会多元化的特性，大力推进教育多元化改革，是台湾教育的一个显著特点，对福建教育创新具有重要的借鉴作用。在取得一定成绩的同时，多元化办学模式（在非义务教育阶段）仍存在着诸多如投资及教育质量等方面的问题。然而，无论是台湾还是福建，无论难度多大，办学多元化都将是两地在教育创新道路上一个不可逾越的重要阶段，多元化办学也必然推动共同参与教育投资、共同承担教育经费、共同分享教育投资利益的多主体、多层次教育投资格局的形成，而这将是未来教育发展的大势所趋。

（4）树立教育国际化观念。国际化是当今社会现代化的必要条件和基本特征，这是中华民族奋发图强的必由之路和现代教育发展的必然取向。当今世界正向全球化、知识化方向转移，经济全球化和金融国际化对教育提出了具有国际性的挑战。知识经济的本质是国际性的，知识信息在全球范围内的广泛传播与应用，人才在全球范围内的流动与竞争，知识化产品在全球范围内的合作生产与营销竞争，经济、科技与文化在全球范围内的交流与合作，必然要求教育从体制到内容上更加开放，更加国际化，更具有前瞻性，必须反映持续发展的人类文明成果和知识发展的最新特征。高等教育国际化具有悠久的历史渊源,而且已经成为当代教育发展的主流。教育的基本职能是传授知识,一部分学说虽有阶级性,但许多门类的知识以及知识传授的原则、方法和手段,一般是没有国界和阶级性的。特别是在经济、科技全球化背景下,一系列新的信息传递手段和认识工具的出现,对教育发展产生深刻影响。计算机网络和多媒体技术将成为高等教育不可替代的学习手段,成为跨校园、跨区域、跨国家,利用全球资源,提高全球化教育服务的渠道和方式。

在经济、科技全球化背景下,闽台两地应摆脱封闭性教育模式,增强全球意识,大胆吸收当代世界创造的一切文明成果,进一步扩大教育对外开放,加强国际教育交流与合作,与国外的学校或专家联合培养人才,联合进行科学研究。随着国际市场的开放,各国的专业教育,特别是与发展第三产业相关联的专业教育,除了社会、文化背景上的差异,其技术、经济、管理等知识以及毕业生服务领域都具有一定的趋同性和相似性。两地可借鉴、吸收世界各国教育的成功经验,共同加速中华民族教育的腾飞和人才的培养。

(5)坚持教育可持续发展观念。不论是福建,还是台湾,当前教育都面临着一个世纪性的重大选择,即积极推行可持续发展的办学方针,尤其在高等教育中显得尤为突出。可持续发展作为一种新的社会发展观,要求在高科技条件下转变资源掠夺性生产模式,建立资源互换、资源再生的生产机制,使社会、自然与人之间建立可持续和协调发展的良性循环体系。因此,这种可持续发展的现代社会必须以高等教育作为坚实基础:一是高等教育可推进可持续发展理念的产生和传播;二是培养具有可持续发展理论和能力的人才,并参与进可持续发展的具体实践中去;三是高校可利用学科齐全、专家众多的特点建立综合决策机制,综合不同学科的优势推进全社会可持续发展战略的实现。

对于闽台两地的高等教育，首先要转变办学模式，走出闭门办学、刻意于探求高深学问的旧路，努力把当前社会发展和文明建设作为一项重要的任务，研究和解决当代社会最紧迫的问题。高等教育只有参与社会发展，才可能支持可持续协调发展。有关资料研究表明，高等教育不仅要培养大批高质量的人才，更重要的是建立促进生产力发展的办学机制，在使生产获得可持续发展的同时，高等教育才能获得源源不断的经济支持，提供大量的研究课题、经费和良好的生源，并为毕业生提供无穷无尽的就业机会，这是高等教育可持续发展之本。其次，两地高等教育要有可持续发展的高度自觉性，积极建立相应机构，谋划可持续发展战略，并在资源的可再生利用、生态平衡、环境保护、控制人口及消灭贫困等方面进行创造性研究和探讨。高等教育只有把自己置身于社会发展之中，积极参与社会变革，建立起可持续发展的办学方略，才能真正迎接新世纪的挑战。

2. 推进教育体制的创新

在市场化浪潮中，教育也不能墨守成规，它应该顺应时代发展的潮流，在遵循自身固有的发展规律的同时，坚持面向社会、面向市场、面向未来，通过引入市场机制的力量来促进教育创新，加大教育对外开放的力度，使闽台两地各类院校成为面向社会自主办学的法人实体；同时，加大学校在管理、教学和分配体制等方面的自主权。这些都是推进教育创新的重要原则。

教育活动和经济活动是人类社会两种不同的社会活动，因而作为社会活动的教育事业，首先就不能规避社会，相反应扎根于和依赖于社会，最终服务于社会。教育与经济是有联系的，特别是高等教育和成人教育与市场经济活动的联系更加密切。同时，它们又相互制约，经济制度和经济发展水平制约着教育的发展；反过来，教育事业的发展和国民受教育程度的提高又会促进经济的发展。

教育是精神文明建设的一个重要组成部分,是提高生产力、增强综合经济实力的具有战略意义的伟大事业;同时又是以培养人才为目的,为国家及地方多出人才、出好人才的行业,是事关社会发展大计的重要领域。新世纪经济全球化的发展趋势,迫切要求海峡两岸教育界尽快携起手来,为实现中华民族的伟大复兴将教育事业进一步推向社会、推向市场,突破原有的教育体制,以全新的面貌迎接经济全球化的挑战。为实现此目标,需要从以下几个方面入手:

(1)优化教育结构,改革教育内容和教育方法。教育结构特别是专业结构的设置要与人才市场信息紧密挂钩,要按市场经济特有的开放性、竞争性、创新性特点,培养出具有宽广知识视野、果断决策能力、善于捕捉信息、有经济头脑、注重效益、敢想敢干、勇于实践、敢于创新、善于处理人际关系的综合型人才。同时,也要看到市场经济可能产生的消极作用和负面影响,要求学校始终把道德品质和思想教育放在第一位,重视对学生社会道德观的培养,防止拜金主义、享乐主义和极端个人主义的出现。一定要大力进行爱国主义、集体主义、社会主义思想教育,引导人们正确处理个人利益、集体利益与国家利益的关系,正确处理当前利益和长远利益的关系;正确处理个人发展与社会发展的关系,树立正确的理想、信念和价值观。在教育内容和教育方法上要加强科技教育,增加市场经济和社会发展所需的知识内容。高等教育和职业技术教育更要贴近市场的需求,按照闽台两地社会发展的实际情况有计划、有步骤地调整专业设置、课程内容和教学方法,不断优化教育结构,培养知识面宽、适应性强、心理素质好,有理想、有道德、有文化、有纪律的新一代知识群体。

(2)深化教育教学体制创新,以适应未来社会不断发展的需要。结合实际、不断深化教育教学体制创新的具体思路:一是抓住机遇,继续搞好多层次、多形式、多种类的综合办学（包括成人教育、高等职业技术教育）；二是结合实际，搞好课程体系改革，尤其是高等教育。改革目前理论教学偏多、课堂教学偏多、应用教学比例偏少、实践教学环节偏少的状况，增加和设置应用性强、适应性广的课程，以提高高级应用型人才适用社会发展的能力；三是加强教学质量的评估和检查。首先要逐门课程进行考察，根据教学大纲要求，检查教师讲授课程的内容和方法，教学环节有哪些创新和改革，学生学习和接受程度如何，理论与实际结合有哪些突破等。要全面建立试题库，在现有题库的基础上建立题型全面、内容丰富、深浅适宜、难易适度的试题库；四是重视教师队伍的稳定和素质的不断提高，通过开展各项活动，坚持试讲、考核制度，确保教师教学质量的不断提高；严格教师职称评聘，对教师进行制度式、目标式激励，以提高教师队伍的整体水平。

通过改革，为实现高校后勤管理模式与运行机制的根本转变，培养和造就各类高级专门人才，必须进一步推进并完成高校后勤社会化改革，改变传统的高校办后勤的观念，结合实际因地制宜，引进社会力量，坚持“政府主导，教育部门主管”的方针，“学校选择、社会参与、市场引导”的做法，使高校后勤社会化改革在较短时间内力争取得实质性和突破性进展。

3. 推进教育方法的创新

以素质教育为核心，以考试制度改革为突破口，推进教育方法的创新。然而，现行的考试制度，却在一定程度上阻碍了对人的全面发展的要求。应试教育，只重视知识的传授而忽视技能训练和创新意识的培养，培养的人才素质结构明显存在一定缺陷。这种应试教育有时仅仅局限于知识和能力的培养，忽视了对学生非智力因素的培养，因而对促进人的全面发展不利。教育的本质是传承，即使少数与过去知识“决裂”的激进的创新,也必然是以对原有知识的学习为基础,这是毋庸置疑的。然而,应试教育把教学过程单纯理解为对现有知识的传授和积累,在统一的考试内容、形式和评价标准驱动下,形成了以模仿、操练和背诵为特征的学习模式,以及割裂知识本质联系、忽视应用和社会实践的教学模式。在应试教育的束缚下,学生再次发现的探索能力、重组知识的综合能力和应用知识解决问题的实践能力基本上被抹杀,更谈不上什么“首创前所未有”的创造能力。江泽民同志指出:教育在培育民族创新精神和培养创造性人才方面,肩负着特殊的使命。目前,全国各地素质教育的实践表明,实施创新教育已成为素质教育新的生长点和制高点。教育只有在人才培养过程中,把知识传授、实践技能训练,与人文精神和创新意识培养有机地统一起来,才有可能实现素质教育的目标,促进人的全面发展。

探求先进的教育方法时,仍然要本着因材施教的原则,充分调动学生的学习积极性和主动性,采用灵活多变的双向教学,最大限度地与学生进行互动和交流,及时发现和改进教学环节中存在的问题。在知识传授过程中,重点培养学生的素质和能力,以面向社会、面向世界、面向未来的人才素质教育为核心,摒弃应试教育的种种弊端,从而实现教育方法的创新。

4. 拓展教育管理的创新

(1)教育多元化。所谓教育多元化,是指办学体制的多元化、办学模式的多元化、教育投入的多元化和教育供给的多元化等。在当代社会,教育作为一项于国于民都有切身利益、深受社会各界普遍关注的事业,也日益显现出多元化倾向,尤其是高等教育的多元化。因此,需要建立全新的教育质量观和多元化弹性教育体系,拓展教育管理的创新。

近年来,福建省教育事业随着经济的高速增长呈现出良好的发展势头，然而与沿海其他省份相比，形势仍不容乐观。造成这种局面的原因是多方面的，但根本原因是教育投入机制，特别是高等教育投入机制还不健全，社会投资渠道还不顺畅，从而导致教育投入不足等。其实，从本质上讲，目前福建省在教育观念上仍未能从根本上扭转过去那种单一依靠国家办学的思路，至今尚未建立起多元化的弹性教育体系。

无论台湾还是福建，高等教育的大众化阶段即将到来，但要真正实现高等教育大众化，仍然存在着许多制约因素，其中最主要的是办学经费严重不足，这也是世界各国面临的共同难题。

就高等教育而言，连续几年的扩招使得国家无法按高等教育大众化的发展趋势和速度增加财政投入，致使每位大学生的人均教育投入费用有所降低，从而制约了整个教育水平的提高。福建省高等教育也不可避免的存在着类似问题。弥补高等教育经费不足的最有效、最直接的办法是扩大投资主体，鼓励和支持不同形式的社会力量办学投资。多种形式办学，无疑在一定程度上满足了社会和群众对高等教育多元化选择的需要，增加了整个社会的教育资源总量。办学经费补给及社会需求两个方面，决定了高等教育大众化的出路必然在于高等教育多元化。

就福建省高等教育而言，必须进一步加大鼓励和支持社会力量办学的力度。要借鉴经济改革中多种所有制经济共同发展、调动多方面的积极性以解决资金短缺的成功经验，实行多元化投入，进一步开放高等教育市场。其中，有两种办学形式需要特别重视和关注：即在政府统一领导下，普通高等学校与社会力量合作兴办“三独立”的二级学院，以及中外合作办学。“三独立”的二级学院是由社会力量出资建设教学、生活设施和购置仪器设备，普通高校负责教育、教学的全面管理，确保教育、教学质量和正确办学方向的新型的办学模式。这种按运作企业化、办学专业化、后勤社会化办学模式既能保证学校培养高层次创新人才的质量,又能吸引社会资金投入到教育中来,加快高等教育的发展。这种模式适应了社会主义市场经济体制要求,在办学机制和办学理念上有重大突破,具有较强的生命力和良好的发展前景。另外,中外合作办学,尤其是我国加入世界贸易组织后,已经成为人们关注的一大热点。福建省要抓住我国加入世界贸易组织的机遇,促进中外合作办学的健康发展。这里需要特别指出的是:由于闽台两地特殊的地理位置、历史渊源以及亲缘关系,与台湾教育界、企业界合作办学是当前最具特色、最有发展前景路径之一。

瞄准21世纪,瞄准发达国家,以实现教育多元化、现代化、国际化为努力方向,大力推进教育改革,是台湾教育的一大特点。特别是适应开放社会多元化的特性,大力推进教育多元化的改革,是台湾教育的一个显著特征。通过建立多元化办学与投资体系、多元化的学习体系和多元化的师资培养与提高体系,广泛吸纳产业界、科研界优秀人才,建立多元、流动的师资队伍,以充分发挥整体性教学、科研功能,从而不断提高了台湾大学的教学科研质量。所有这一切,对于福建省教育事业的改革和发展无疑具有重大借鉴作用。

(2)教育质量观。随着我国进入全面推进现代化建设的新阶段,以高质量的高等教育迎接新世纪的挑战,培养数以千万计的专门人才,是增强我国综合实力的重要保证,并要把提高教育质量放在更加突出的重要位置,以实现我国高等教育的可持续发展。为切实加强高等学校本科教学工作和提高教学质量,教育部特提出了若干要求:加强高校师德建设;切实加强学风建设,充分调动和发挥学生学习的积极性;大力提倡编写、引进和使用先进教材;应用现代教育技术提升教学水平;进一步加强实践教学,注重学生创新精神和实践能力的培养,等等。

无论是福建还是台湾,全新的教育质量观势必是整个教育创新中不可忽视的一个重要组成部分。质量上不去,整个教育发展及创新活动都会事倍功半。

近年来,在各类高等院校连续扩招的背景下,社会各界对高等教育的质量更是十分关注和忧虑。权威人士认为,质量应该是分层次的,不同层次的高等学校、不同类型的高等学校应该有不同的质量标准和要求。在"精英教育"向大众化教育迈进的过程中,我们应当摒弃整齐划一的质量观,确立符合时代要求的多样化、分层次的质量标准。高等教育质量不只是一个标准,但都是统一在社会的需求上。不同类型、不同层次的学校只要培养出的人才能够受到社会的欢迎,就可以说是达到了质量标准。

保证高等教育的质量应该从高校自身、教育主管部门和社会三方面入手。作为高等教育办学主体——高等院校,应该牢固树立教育质量是高校的生命线的理念,从方方面面强化教学硬件、软件基本建设,确保办学条件不断改善;要适应加入世界贸易组织和时代发展的要求,大力推进以素质教育为主题的教学内容、课程设置、教学方法的改革。教育主管部门要创新教育管理,建立健全教育教学质量评估保证体系和监控机制,特别是强化过程管理和评估,推进教学督导和检查,建立科学的、分层次、分类型的高校教学基本状态数据公示制度,促使各类高校重视和加强教学基本建设。社会(市场)则主要是对教育结果的评估,高校的毕业生质量如何,归根结底取决于社会的需求和受欢迎的程度,市场是晴雨表,就业状况将有力刺激高校更加重视和提升教育教学质量,这是各高校的生存和发展之本。

我国高等教育正处在由精英型教育向大众化教育过渡的转型时期。而在高等教育大众化阶段,虽然高等教育仍会培育出一定量的精英人才,但是高等教育的功能在本质上已经转变成为社会提供服务,满足社会需求和个人需求。新的教育质量观应建立在以下三个结论上:①高等教育的质量是素质——提升人的整体素质;②高等教育的质量是能力——培育人的创新能力和实践能力;③高等教育的质量是特色——发挥学校特色,发扬学生特色,满足多样化的社会需求和个体要求。在素质方面,教育部门提出的素质教育与此是相辅相成的,主体意识、成功信念、创新精神、合作行为、实践观念等,这些都是人的整体素质,也是个体获得成功的必备素质。

高等教育未来发展追求的目标应该是:高效、优质、特色三个方面。以高效求生存,以优质求发展,以特色求进步。高效与优质(即效益与质量)将是未来教育质量的核心。质量与效益的统一是高校存在与发展的关键,离开效益谈质量,质量将成为无源之水;离开了质量谈效益,效益将成为无本之木。质量与效益完美结合、相辅相成,学校才不至于在激烈的市场竞争中被淘汰。高效是生存之本,优质是发展之基,特色是进步之源。海峡两岸的高等院校要从这三个方面着手,分步实施,整体推进,以实现闽台两地教学质量跨越式提升。

从管理学的角度看,质量是与管理密不可分的,教育质量也不例外。因而,要保证教育质量的不断提高,就要不断地加强对教学、生产、科研及社会实践等方面的教育管理,依据高等教育的特点,不断完善教学管理制度及政策体系,优化教学过程控制,建立健全教学质量监督和保证体系,建立健全有利于加强教学工作的人事、分配、奖惩、激励制度。

教育质量是高等院校生存与发展的生命线,高等院校只有积极探索,勇于实践,不断创新,才能在新的教育质量观的引导下,进一步提高教育教学质量,为先进生产力的发展和科学文化的传播做出更大的贡献。

第三节　闽台教育创新的典型案例调研

笔者曾对在教育创新发展比较超前的泉州、厦门两市进行了调研，走访了福建中医学院、泉州师范学院、华侨大学、泉州市教育局、泉州汉塘国际幼儿园、泉州南少林武术学校、集美大学、厦门大学、厦门康桥学院等在闽台两地协同教育创新方面有一定实践或理论基础的学校及有关机构。通过调研，两市教育创新的大量事实表明：闽台两地协同教育创新具有广阔的发展前景。

一、闽台两地协同教育创新沿革

闽台两地教育交流与合作具有悠久的历史渊源，从明代到清末，是闽台两地教育的完全交融期；日本占据台湾时，虽受政治格局的影响，但两地教育仍然有一定联系；而20世纪50年代到80年代初的两岸隔绝，使闽台两地教育交流完全中断；20世纪80年代之后，两岸教育交往日趋活跃。随着闽台经济合作、科教文化交流不断活跃，对两地经济、社会、教育、科技等方面的比较研究已逐步提到议事日程，而以闽台两地合作为主题的课题也频频列入福建省重点科研项目。在调研过程中，笔者发现福建与台湾协同教育创新具有广阔前景。

1. 福建中医学院是福建省最早招收台湾籍学生的高等学校，1989年就开始招收台湾籍学生。目前，在福建省有多所院校，如华侨大学、厦门大学、集美大学、福建中医学院、福建师范大学、福州大学等，每年都招收一定数量的台湾籍学生。这些院校基本上涵盖了福建省几所在国内外有一定影响和知名度的高等学校，这是福建省教育发展最具特色的亮点之一。

2. 两岸教育界交流频繁。20 世纪 90 年代以来,福建中医学院每年都组织一次闽台中医药学术研讨会,厦门大学于 1998 年组织了一次目前规模最大的两岸大学教育学术研讨会;与此同时,两岸学者通过讲学、合作研究、参观考察等许多形式互相往来的活动越来越频繁。2004 年 11 月间,"海峡两岸科教创新论坛"在榕举行,两岸专家学者共同研讨从科技创新到教育创新,以及协同科教创新等问题,标志着两岸科教交流上升到一个新的发展阶段。

3. 台湾人民对福建有着特殊的感情依托。由于两地语言相通,具有血缘关系,对于台湾人民来说,回福建犹如回家的感觉,并且随着台商到福建的投资增多以及相互往来的日益频繁,进一步增进了解,愈加强化了这种感情。

4. 闽台两地教育具有很多相同性,同时由于经济发展与体制原因,也存在很大程度的互补性。台湾籍学生在台所接受的祖国传统教育比较少,而且台湾的基础教育又不如福州、厦门等教育比较发达的地区,在厦门等地读过中小学的台湾籍学生,他们的知识能力明显要比在台湾本地受过教育的学生强。因此,台湾商人很乐意把自己的子女带到身边,送到福建当地的学校就读,如厦门目前已经吸收了近 300 名台湾籍学生就读。这些学生的学习成绩和效果得到了家长们的肯定和好评。

5. 除了《中华人民共和国中外合作办学条例》中规定的不允许外商在我国境内举办涉及义务教育的学校以外,台商在福建已经通过各种渠道投资于其他教育领域,如台北汉塘国际文教机构目前已经创办了 6 所幼儿园,其中有 4 所就设在泉州;还有厦门康桥学院,主要是台商通过在祖国大陆的企业投资教育、绕过政治壁垒创办的民办高等院校。

6. 福建省教育界与港、澳、东南亚等地的交流与合作空前高涨，与这些地区的教育合作与交流也进行得比较顺利，如泉州南少林武术学校接待了包括韩国、菲律宾、日本、澳大利亚、墨西哥等十几个国家和地区的教育界人士来学校考察交流。但是，从整体情况来看，目前与台湾的交流与合作就显得非常有限，其中政治原因成为制约闽台两地教育交流与合作的主要因素。台湾当局限制和阻碍两岸的正常交流与合作，这与当今世界经济、科技全球化的发展趋势是格格不入的。笔者深信：随着闽台两地交流与合作不断深入，教育交流与合作的规模将会越来越大，最终将会逐步冲破政治限制与障碍。这一趋势是符合海峡两岸人民的共同心愿和利益的。

二、典型案例分析

对于闽台两地协同教育创新不可抵挡的趋势，可以通过目前比较成熟的泉州汉塘国际幼儿园的发展模式作为典型案例，进行延伸、扩展以及对趋势的把握来研究闽台两地协同教育创新的前景。

1. 汉塘国际幼儿园办学情况

汉塘国际文教机构（中国·台北）于 1997 年创办了汉塘国际幼儿园，迄今为止，全国各地已有 6 所。汉塘国际幼儿园广泛吸收台湾、闽南文化，借鉴国内外比较完善的教学经验，以启发幼儿多元智慧，以培养具有“健康的体魄、高尚的情操、睿智的才能、领导的气质”的新世纪适应性人才为办学理念，提供一流的师资阵容和教学设施设备，并且制定一套比较成熟的规程和纲要，实施科学化、个性化小班制教学，引荐瑞吉欧方案教学、蒙台梭利操作型教学等欧美先进教学理念和多 Q 潜能开发教育课程，营造活泼、快乐、和谐的人文环境，实现教育方式多元化、本土化。并与国外享有盛誉的幼教机构建立了良好的协作关系，与澳大利亚 MENSY KINDERGARTEN 结成姊妹园,同时也是北京婴幼儿语言训练中心的实验基地。汉塘国际幼儿园的课程设置如图5—7所示。

图5—7 汉塘国际幼儿园课程设置图

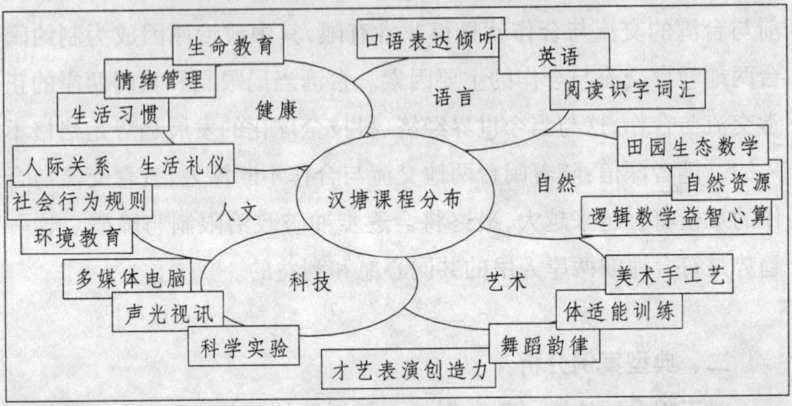

从图中可以看到,汉塘国际幼儿园的课程设置特点是:六大领域面面俱到,充分开发多元智慧,并设有港、澳、台和外籍幼儿就读的专业课程,把英语教育贯穿于每一天的生活和教学的各个环节。

汉塘幼儿园培养出的学生,在小学阶段具有比其他学生更为明显的思考问题及其他方面的能力,得到社会的广泛好评。在小班级,每位老师只带16名孩子,这样能够增加老师与孩子的交流,注重孩子的个性培养,这正是传统教育所不能达到的。

2. 案例分析与思考

这个在福建省的教育投资项目,虽然是孩子启蒙时期的幼儿教育项目,但其成功的教育模式以及教育理念不能不为大家所赞叹。可以认为,由于台商多系闽籍人士,又具有中华文化的根基,比较了解福建的乡情、习俗和文化,对于投资教育,更能适应当地的需要,有能够依托台湾优秀的教育理念以及作为亚洲"四小龙"所具有的优势，来发展福建教育，更能够扩展台湾教育，为台湾更进一步抢夺国际教育市场做出铺垫。

目前台商在福建投资幼儿教育正是台湾教育界进入福建教育的先导，随着成功模式的推广，以及进一步优惠政策的推出，投资规模的进一步扩大，台商投资高等教育、职业教育的可能性越发明显。

鉴于目前的情况，笔者就闽台两地协同教育创新提出以下几点值得思考的问题：

(1)闽台两地协同教育创新起点较低，因此，应逐步以人才交流往来作为协同发展的突破口，并辅以人才培养、科技项目合作与交流等作为铺垫，加大协同规模，为今后更大范围的教育协同创新提供良好条件。

(2)台湾教育机构在福建投资教育是闽台两地协同教育创新的一种有效方式。由于台湾方面目前还不承认大陆学历，因此其他可能的教育创新协作将更加坎坷。与此相反，随着我国改革开放不断深入和加入世界贸易组织，国外将会有各类不同教育机构进入福建，抢夺福建教育市场。因此，台湾有关方面只有充分利用其在投资福建教育的独特优势，并与福建教育协同发展，才能与国外强大教育机构竞争，并为协同抢占国际教育市场打好基础。

(3)大力发展福建省职业技术教育、高等教育，充分利用当前大好时机，如为配合吸引台商到闽投资建厂，鼓励与支持台湾教育机构到福建投资办教育，逐步增加高学历人才在全省人口中的比重，提高职业技术教育的质量与层次，为福建省经济发展培养更多的应用型高级人才。

(4)闽台两地协同教育创新由最初台商到福建省投资办学，到随着时代的发展最终实现两岸教育互为投资、相互促进的格局，这就实现了海峡两岸教育优势互补，弱势共同解决，形成闽台两地教育创新发展的区域体系，最终形成闽台两地教育产业一体化。

(5)重启海峡两岸学历互认大门，共创两岸教育产业双赢局面；吸引台湾教育机构落户福建，合资办学、台资独立办学；通过网络技术进行远程教育；闽台两地协同促进产、学、研结合与融合，形成闽台区域教育产业链。

第四节 闽台教育创新人才的交流与合作

21世纪的竞争是人才的竞争，人才的培养靠教育。教育在培养民族创新精神和培养创新型人才方面肩负着特殊使命，而教师则是完成这一个神圣使命的重要载体。高校作为培养21世纪合格人才的前沿阵地，所肩负的责任尤为重大。作为培养人才的人——教师，其整体素质如何则是完成这一伟大使命的关键。培养教师的创造性思维能力和创新精神，努力使教师成为新时期教育创新人才，是使学生不惧怕权威、敢于开拓、富于创造的重要保证。

一、教育创新人才的标准及内涵

创新是一个民族进步的灵魂。一个民族要发展，要前进，就必须敢于走新路，走有自己特色的道路，而不能只是按部就班、跟在别人后面小心翼翼，亦步亦趋。这就需要培养出一大批不惧怕权威、敢于开拓、具有创新精神的创造型人才。那么，培养创造型人才的人——教师就必须首先具备创造精神和创新意识。只有具有创造精神和创新意识的教师，才能用自己的思想、行动潜移默化地影响学生，更好地培养学生的创造能力。因此，教师必须成为在新世纪引领创新队伍中的带头人和重要骨干，成为顺应时代及教育发展趋势的教育创新人才。

所谓教育创新人才，是指那些具备创新意识、创新精神和创新能力的教育人才。

（1）创新意识：即人脑在不断运动变化中的客观事物刺激下，自觉产生积极改变客观事物现状的创造性思想和欲望，是一种想用新的思路、新的方法去解决问题的态度和意愿。这是教师实施教育创新的原动力。

（2）创新精神：即创造新事物、新思想、新理念的自信心、坚持力、探索精神和对自己所从事的教育事业无限热爱的品质，是创造力的原动力，它决定了教师对创造寄予无限的希望。这是教师实施教育创新的精神支柱。

（3）创新能力：即教师解决教育教学课题的求新性和高效性，它是各种能力的复合体。一般来说，创新能力是由创造性确定教育目标的能力，创造性地解决问题、分析问题和总结问题的能力等因素构成的。作为创造性人才的培养者，教师必须首先具备更新教学内容、创造优质高效教学方法、建立符合教学规律的新理论的能力。这是教师专业化的基本要求。

二、闽台两地教育人才交流与合作的可能性与必要性

1. 教育人才交流与合作的可能性

福建与台湾关系之密切，似乎超过了祖国大陆任何一个省份。在漫长的历史岁月中，福建与台湾除在政治、经济、文化等方面有着密切的联系与交流之外，在教育方面更有着密切的联系。这是当前闽台两地教育交流的前提，并为之提供了可能性。

从历史角度看，从明初时期到清末，可称为福建与台湾教育的完全交融期。日本占据台湾时期，交融虽然暂时中断，但联系并未停

止。抗日战争胜利后,两地教育交流有了新的发展,可称为是新的基础上的交融期。从20世纪50年代到80年代,两岸关系完全隔绝,在教育上没有任何联系。从20世纪80年代至今,两地教育交流日趋活跃,人员往来不断增多。尽管由于受某些因素的影响,这种交往有时不能正常进行,但总的趋势是在曲折中推进。两地的教育交流范围广,层次分明,既有教育制度的交流、教育理念的交融、考试制度的交融,也有各级各类学校的交流,以及师资之间的互派,等等。纵观两地教育结缘,对两地社会发展都产生了积极的影响。从某种意义上说,对台湾社会的影响程度更为深刻。仅就清代而言,两地教育的交流,有力地促成了台湾有影响力的士绅阶层的形成,维护国家统一的意识在爱国知识分子中深入人心。

从地理角度看,两地教育交流与地缘有着密切的关系。福建与台湾仅一水之隔,据地质学家考证,在远古时代台湾与福建是连在一起的。那时,从台湾西部的平原到澎湖浅滩,经台湾海峡中部的浅滩直到福建的东山岛之间,只有一条浅滩带。当海平面下降时,这条浅滩带便露出水面,成为一座长长的栈桥,人们称之为“东山陆桥”。考古学家断言:祖国大陆远古人类便是通过这座栈桥向台湾迁移的。随着地质变化,这座栈桥早已不复存在,取而代之的是一个台湾海峡。但是,这个海峡并没有也不可能把两地完全分隔开来。海峡两岸间地理环境关系之密切,可用曾担任过台湾“文献委员会”主任一职的林衡道先生的一副对联来加以形容:“淡江水连闽江水,龟山云接鼓山云。”福建与台湾有如此密切的地缘关系,不能不对两地教育交流产生一定的影响。这种影响主要表现在教育人员往来的便利、教育信息传播的快捷等方面。事实上,对于任何领域的拓展、延伸与进步,人才交流是不容忽视的,教育也不例外。

此外,闽台两地教育交流还深受两地语言、传统思想文化的影响和熏陶，受两岸浓浓亲缘关系的影响，以及得益于移民中的知识分子和游学、仕宦之士的努力，等等。

这些客观存在的事实无不为两岸教育交流提供了便利条件，为闽台两地教育合作与交流奠定了基础，为两地协同发展教育提供了保障。

2. 教育人才交流与合作的必要性

从闽台两地教育交流的历史上可以看出，当前相对于闽台经贸交流的日益频繁，两岸人才交流却显得滞后，尤其是在教育领域。在迈进新世纪之际，两岸教育界都期盼着拓展教育人才的交流与合作。

两岸教育人才的交流与合作是双方社会发展的共同需求。福建省现有各种人才约二百一十多万人（其中高层次人才7.5万人），总量尚且不足。由于科教兴省战略的实施和社会经济发展的需要，福建正加紧实施人才战略，在加大培养力度的同时，还赴省外、海外引进"千里马"来闽创业。另外，福建省在一些产业领域已具有世界级水平，聚积了不少优秀人才和先进技术，这奠定了闽台人才交流的基础。

闽台两地经贸交流与合作的进一步密切，也要求两岸推动人才的交流。目前，福建省已成为台商投资较为集中、两岸经贸合作与交流最活跃的地区，而且台商投资从量的扩张逐渐趋向质的提升，尤其在电子业、汽车业、农业等各产业中已显示产业对接与整合的态势。随之，台湾企业界对各层次管理和技术人才的需求也将日益增多。教育是人才培养的关键，只有把教育搞上去了，闽台两地的经贸交流与合作才可能有长足而深远的发展。闽台两地凭借上述诸多有利条件，在协同发展教育方面，应该走在国内的前列，而且会产生许多特殊区域的特色。

通过对泉州、厦门两市的实地调研与典型案例的分析研究表明，对于闽台两地教育人才交流与合作的途径与方式已有很多，诸如学者互访、课题研究、学术研讨、互派教师，等等。随着两岸政治关系进一步改善，闽台两地一定会有更多的机会和途径进行教育人才的交流与合作，两地教育水平也一定会随之迈上新的台阶。

三、推进闽台教育人才交流与合作

新世纪是伴随着科技、经济的激烈竞争而到来的，世界高科技发展正是由于技术创新的加速更具挑战性、垄断性；世界经济竞争也更明显地呈现出高科技产业、高素质人才的较量。闽台两地应从这个大趋势去展望海峡两岸科教人才交流与合作的前景，把握住合作发展两岸科教事业的机遇与挑战。

改革开放以来，福建省在“和平统一、一国两制”方针指引下，制定了许多具体政策，有力地推动了两岸教育人才的交流与合作。两岸教育人才的交流与合作虽然近年来有了很大发展，但规模和层次还远远不够，两岸在人才开发优势互补的有利条件尚未充分发挥出来。同时，台湾当局对海峡两岸的交流与合作虽然有所松动，但对高科技企业及各类人才来祖国大陆都采取较为严格的限制措施。对此，要从多方面推进闽台两地教育人才交流与合作。

第一，扩大往来，增进理解，提高共识，排除干扰。从易到难，从间接到直接稳步前进，注意克服急于求成的急躁情绪，密切关注时机的成熟程度，逐渐发展，否则可能会前功尽弃，适得其反。进一步完善法规制度，从法规上为扩大海峡两岸教育人才往来创造良好的社会条件。

第二，发挥创造性，开展多渠道、多层次、多样化的教育人员的交流与合作。教育人员的交流与合作涉及许多学科、门类、水平、群体等，必须视不同情况采取不同措施和方式进行，如专家学者个人或单位团体的互访、学术报告、研讨会、聘客座教授、短期培训、交换资料、成果转让、共同研究等，有些活动可以在祖国大陆、台湾、香港、澳门或第三地进行。在进一步加强现有交流形式下，还可以共同培养研究生、开展课题联合研究与攻关，经常、定期性举行各种主题的培训，制定优惠条件吸引台湾研究生、博士生及优秀科技人才到福建企业、高校、科研机构实习。福建省要积极学习与借鉴台湾教育的先进经验，同时应加强与台湾教育界的合作，吸收教育人才与机构来闽办学。

第三，充分发挥香港和澳门两个特别行政区的作用，必将对两岸教育人才的交流与合作起到积极作用。

第四，充分发挥金门、马祖两地的中介作用。目前，台湾开放了所谓"小三通"，虽不尽如人意，但福建可在"一个中国"原则前提下，利用"小三通"，进一步加强与台湾教育人才的交流与合作。

第五，建立两岸高校博士后流动站。福建省一些高校和研究机构由于受实验设备和条件限制，人才培养存在一定局限性，而有的高校和研究机构更多地倾向于同西方国家的交流与合作，忽视了同文同种、一衣带水的台湾高校和研究机构的交流与合作。为此，有必要加强闽台两地高等教育科技人才的交流与合作，利用各自优势，形成两岸合力。为增强闽台教育、科技人才的合作交流，在基础科学领域，可相互建立博士后流动站，增进往来，合作互动，推动闽台两地基础科学与实用技术的学科对接，借助这种方式，孕育新的高技术项目，开拓新的实验研究资金来源。

总之，闽台两地教育人才之间存在着许多互补性，同时具备了交流与合作的必要性和可能性。教育创新为理论、制度、科技三个创新提供支持和准备，对积极有效地进行闽台两地教育人才的交流与合作，努力实现两地教育、科技协同发展和创新，对闽台两地经济高速增长和社会全面进步起到关键作用。

第五节 闽台教育产业发展的态势

所谓产业,就是从事生产经营活动的事业。具有生产性的教育理所当然应属于一种产业。在国际上,通常把教育划入第三产业。1992 年 6 月 16 日,中共中央、国务院作出《中共中央、国务院关于加快发展第三产业的决定》,把教育作为加快第三产业的重点,并明确指出,教育是对国民经济的发展具有全局性、先导性影响的基础产业。从而把教育的产业属性实事求是地确定下来。

福建与台湾两地的经贸合作已得到普遍关注,并取得很大成就,区域经济正在逐步形成。福建要发展经济,必须发展教育事业,培养创新型人才;台湾要走出教育困境,突破教育的地域局限,扩展教育市场亦是大势所趋。面对福建与台湾发展教育产业的机遇与前景,协同促进闽台两地教育创新,形成闽台教育区域产业链,就成为当前闽台两地教育界共同关心的重大研究课题。

一、闽台教育产业的发展状况与特征

1. 闽台教育产业的形成与发展

(1)福建教育产业的发展状况。新中国成立以后,福建省人民政府接管和改造了教育,由政府主管和主办教育,教育资源由政府统一分配。改革开放以来,特别是党的十一届三中全会以后,福建教育战线进一步拨乱反正,逐步端正办学指导思想,平反大量冤假错案,极大地调动了广大师生的积极性,教育改革不断深入。1979 年 7 月,中共中央、国务院批准广东、福建两省实行特殊政策和灵活措施。

在新的历史时期,福建省以教育结构改革为突破口,进行了一系列改革。随着全国经济建设蓬勃发展和第三产业的振兴,单一教育结构已不能适应经济发展的需要,必须改变旧的办学模式,探索新的办学路子。1981 年 6 月,中共福建省委成立"福建中等教育改革领导小组",省委书记项南要求下大决心,把大部分普通中学有计划、有步骤、有准备地分期分批改为职业中学。

1982 年 7 月,中共福建省委召开省委三届五次会议,专题讨论教育工作,全面研究福建教育改革和发展的目标和措施。省委书记项南在会上作了题为《教育、人才、智力投资》的报告。要求全省用极大的热情办好教育,提出"发展经济,教育要超前"和"以智取胜"的战略指导思想。会议作出《关于加强教育工作的决定》。对各类教育的发展,提出具体要求,制定增加教育投资,加强学校基本建设和进行学制改革等一系列措施。中共福建省委要求在 1985 年以前,全省教育经费以 1981 年为基数,每年递增 6% 以上;教育基建投资逐年有所增加,争取占全省基建总投资额的 8% ~10%,以保证教育事业的快速发展。

为加强对高等学校的领导和管理,1983 年 5 月,成立了福建省高等教育厅(下简称省高教厅)。在省委、省政府领导下,对高等教育进行了一系列改革:突破单一国家办学体制,朝着多形式、多规格、多渠道、多层次方向发展,出现了联合办学、委托培养、侨办公助等多种办学模式;修订教学计划,调整和改革专业结构,建立重点学科;扩大高校办学自主权;改革大学招生和毕业生分配制度;实行教师职务聘任制;试行学分制、双学位制等。全省高校科研工作取得显著成就,"六五"期间,全省高校取得科技成果 700 项,其中获国家自然科学奖 4 项、国家发明奖 3 项。

1985 年 5 月,中共中央颁布《关于教育体制改革的决定》,全省各地认真贯彻执行，促进教育全面发展。全省中等教育结构、职业教育、成人教育进行了较大规模的改革，取得明显成绩。为适应改革开放和乡镇企业的发展，各地大力创办各种类型的职业技术学校。1985年底，全省职业中学发展到240所，168所普通中学开办了职业高中班；职业中学、中专和技工学校招生总数达59 946人。中等教育结构单一化的状况有了较大改变。

农村教育改革，实行“三教”（普教、职教、成人教育）统筹，“农、科、教”结合的办学模式。永安、沙县、建阳、闽清、晋江5个县（市）被国家教委确定为全国农村教育综合改革试验县（市）。全省确定一批试点乡、镇或学校，结合实施“燎原计划”、“星火计划”和“丰收计划”，“农科教”和“普教、职教、成人教育”统一部署，互相促进。

1986年，福建省人民政府决定，在“七五”期间，坚持把发展教育事业放在重要战略地位，进一步加强智力开发，贯彻中共中央《关于教育体制改革的决定》，切实加强基础教育，贯彻《中华人民共和国义务教育法》，积极推进九年制义务教育，大力发展职业技术教育，整顿和提高高等教育和成人教育，进一步提高全省人民的文化科学素质，培养符合本省经济建设需要的人才。

1994年，福建省提出建设教育强省的奋斗目标，1995年又作出科教兴省战略决策，正式启动科教强省建设，提高了民众支持教育的意识，激发了社会办学的热情。

1997年，福建省颁布《社会力量办学条例》，进一步加快了全省教育产业的发展，社会办学力量再度崛起。据不完全统计，1995年，福建省社会捐集资办学经费（含华侨及港澳台同胞捐资办学）、社会团体和公民个人办学经费投入、校办产业与社会服务收入用于教育投入的经费和学杂费共计20.35亿元，约占福建省教育经费总支出的33.4%。

近年来,福建省教育产业发展很快,已出现很多企业与学校联合办学、高校民办二级学院等。福建省教育产业发展已达到了一定规模。

(2)台湾教育产业的发展状况。在"日据时期",台湾教育为日本所垄断,台湾光复后,教育面临"除旧布新"的任务,台湾私立教育才有了产生的土壤。第一,1956 年以后,由于"美援"流入台湾,台湾财政收入好转、经济发展"起飞",急需各种高级专门人才。第二,经济发展必须依靠科技,而科技发展则要依靠教育,随着台湾"出口导向"经济战略的提出,科技快速发展。因此,台湾除了扩大高等教育外,又兴建了许多专科学校和职业技术学校,形成了教育、研究、生产、推广一条龙的科技服务体系。第三,由于经济发展,包括工商界在内的台湾各界都需要更多的受过良好教育的人才;年轻人及其父母所得的收入增加也使他们愿意接受更多的教育机会并有能力负担经费。基于上述原因,台湾教育快速扩充,在以后的二十多年里快速发展。20 世纪 50 年代,在台湾教育体系中,以公立构成为主体,如东吴大学、清华大学、交通大学、中山大学等分别在台南、台中、台北地区设立。此外,原来的一些学院也升格为大学,另设一批医学院、技术学院、海洋学院、师范学院等。到 20 世纪六七十年代,市场多元化需求结构推动了台湾公私立职业技术学校及实施非全日制高等院校的涌现,其中包括专科学校、技术学院、空中大学、专科学校夜间部、军警院校及各类职业训练学校等,如中原大学、淡江大学、大同工学院及一批医学院皆为私人所办。

1956 年到 2004 年,台湾教育得到全面发展,尤其属于大专性质的几种不同学制的专科学校(如"三专"、"五专")大量涌现,使得台湾大专教育空前普及。

台湾"宪法"第一百六十二条规定:全国公私立之教育文化机

构,依法律受国家之监督。鉴于20世纪60年代台湾私立教育因发展过热而造成质量下降的问题,1972年台湾当局对私立教育进行了一次大整顿。1974年颁布了《私立学校法》,鼓励私人捐资兴学,私立教育快速发展起来。台湾办教育的倾向是:居民中小学义务教育由官办为主,其他层次的教育则采用官民结合办学的办法,民间主要把教育投资投到职业技术教育和高等教育方面。为此,台湾当局采取了积极的配合政策,给予民间办学一定的财力扶持和政策优惠。

从20世纪90年代开始,台湾出国留学蔚然成风,其中公费留学考试出国或录取人数如表5—5所示。从中可以看出,台湾留学总人数先增后减,而科技人员留学人数则呈上升趋势,2003年达到44%,留学去处以美国为最,日本次之。

表5—5 1999年至2003年台湾留学人数状况

年 份	1999年	2000年	2001年	2002年	2003年
公费留学人数(人)	5900	10300	9400	8600	10800
科技人员留学人数(人)	1400	3500	2400	3000	4800
科技人员留学人数占公费留学人数的比例(%)	0.24	0.34	0.26	0.35	0.44

从20世纪70年代末到80年代初,台湾当局进一步提出工业化升级发展方针,岛内经济结构进一步转型,朝着高科技、高知识密集和高精尖产品附加价值为主体的新型经济结构方向转变。为了适应这种转型,教育在层次结构、科类结构以及培养目标和方向上都做了调整和改革。首先,为满足岛内对高级专门人才和高级综合性人才的需求,教育结构改革的重点放在发展高等院校以及研究所的数量及规模上,并以提高教学质量、学术和科研水平为目标,促进教育与

经济部门进行合作。其次，调整大专院校专业（学科）门类结构，主动适应社会对不同门类高级人才的需要。20世纪80年代台湾建立了新竹科技园区，致力于发展高科技工业，并将高科技研究与高科技工业品的生产结合起来，将尖端技术尽快地转化为生产力。在这当中，高等教育、科研机构所起的作用是很大的。

近几年来，台湾教育发展迅速，学校数量、教师人数呈增长趋势。特别是1996年至2000年期间发展最快，民众希望接受高等教育热情高，公立高中、私立学校明显增加。据统计，2002年，台湾共有各类高等院校154所，其中私立大学有34所，私立独立学院55所，私立专科学校12所，占岛内全部高校的65.6%。2004年，台湾有159所高等院校，在校学生1285867人。

应当看到，尽管台湾经济和教育已经达到较高程度的发展，并具有一定规模，但是，台湾毕竟是一个岛且游离于祖国大陆之外，不仅其经济与教育产业的发展有一定的局限性，更重要的是政治层面上美国对台政策及“台独”分子的活动，不承认祖国大陆学历等问题，没有祖国的统一，要实现真正意义上的稳定和繁荣富强是不可能的。两岸统一才是符合包括台湾同胞在内的全体中国人民的共同心愿，这也是历史发展的必然趋势。

2. 闽台教育产业发展的主要特征

(1)福建教育产业发展的主要特征。我国加入世界贸易组织后，新的人才需求呼唤教育产业的快速发展，教育的对外开放又将加剧教育产业的竞争。福建正为此加紧创办、筹办一批高等院校和职业技术学校，以抢占教育产业发展的制高点。

基于历史因素，福建省高等教育基础差、底子薄，尤其是高等院校数量少、规模小。目前，福建省每万人高校在校生人数仍徘徊在全国中游以下的位次，高等教育毛入学率仅为9.33%，低于全国11%

的平均水平；高等教育学科结构和人才培养结构不合理，高层次人才培养比例较低。而且福建省学校数量、在校学生人数还是比较少。为适应加入世界贸易组织后人才需求的变化，确保“十五”期间全省高等教育进入大众化水平，实施科教兴省战略，福建省开始大力发展高等教育。福建省2002年组建了福建工程学院、闽江学院、莆田学院三所本科院校，随后还要继续组建九所高等院校。

2002年2月，厦门大学软件学院获准成立，另一所民办大学——华天职业技术学院也将成立，它位于厦门同安，主要开设工科专业。高级技工学校也将和华侨大学联合办学，成为华侨大学职业技术学院的厦门分院；而且还将以厦门鹭江大学为基础，筹办一所现代化工科大学。

一个被誉为福建未来“牛津城”的大学城，已经在福州闽侯上街镇动工兴建，规划占地20平方公里。建设该大学城旨在培养主要经济领域急需人才，重点发展服务于福建电子信息、机械装备和石油化工三大工业主导产业的应用学科，“十五”期间增设八十多个新专业。

(2)台湾教育产业发展的主要特征。——私立大学继续快速发展。目前，台湾已建立了比较完备的私立教育体系。由于台湾民众思想观念的改变，以及对私立学校偏见的消除，特别是用人单位平等对待公立大学和私立大学的毕业生；只要通过招聘考试，各级“政府”部门也一样录用私立学校毕业生。由于私立大学灵活、自主的办学特性，如自设新专业、设立奖学金、提供出国进修奖学金和送学生出国深造等各种措施，使私立教育不断取得长足发展。台湾《私立学校法〈修正草案〉》正式出台，强调从强化私立学校的公共性(即社会公益性)与自主性着手，以协助私立学校健全发展，强调在兼顾私立学校公共性、自主性情况下，逐步规范私立学校管理，促进其教育制度的不断完善,并凸显私立学校特色,增强其在未来社会发展中的竞争力。

——职业教育体系向高层次发展。由于台湾产业结构的提升,大批传统产业逐渐被新的科技产业所取代,要求职业及人才结构能够与之相适应。高级技术人才及基层技术人才要求的比例在增加,而对中级技术人员的需求逐年下降。因此,对学历层次要求也在提高。而台湾过去把职业技术教育定位在"养成教育"上,目的是让学生学得一技之长,毕业后直接就业。因此,他们继续升学的机会非常少,职业技术教育带有明显的终结性色彩。这一教育体系已无法满足一般民众接受高等教育的需求,而经济发展、科技进步也越来越需要高素质的实用型人才。在21世纪,台湾职业技术教育面临一个新的转折期。

职业技术教育的高移是必然趋势,今后的重点将放到发展大学层次的技术院校。由于科技发展日新月异,台湾人力需求结构将渐呈灯笼型或钻石型,居中间大部分是拥有高级技术知识的专业技术人员。据台湾"经建会"人力规划处预测,台湾对专业技术人才和行政管理人才的需求呈递增趋势,年增加率分别为4.5%和3.7%,未来高等职业技术院校仍有很大发展潜力。台湾教育部门早在1995年发布《教育报告书》就决定:重新调整高、中职学生的比例,通过增加高中、适量增班、规划综合高中及完全中学的方式,调整中、高职学生比例为5:5。进一步畅通职校升学渠道,研究拟定弹性学制,大学增设技术课程,专科增设技术学院课程,专科与大学合办二年制在职进修班,大幅增设技术学院,并实施技术学院设专科部的新学制。

落实职业证书制度,建立多元文凭价值体系。就职业技术教育本身的价值来讲,它提供给学生的实务能力的养成是必须加以重视的。在台湾,加强实务能力培养的一项重要措施是落实职业证书制度。职业证照分为三级:丙级、乙级、甲级,是通过职业证书鉴定考试取得的。职业证书有利于学生的升学、就业或就业后的续薪、升迁。因此,职业技术教育体系的学生在毕业的时候,不仅能取得毕业资格证书,也希望通过自己的努力取得职业证书。1992 年至 2000 年,已有超过 40 万的职校学生取得丙级技术证书。在落实职业证书的基础上,为建立多元文凭价值体系,台湾当局修订了《各级各类学校同等学历的办法》,规定持有职业证书的人士,有若干年工作经验之后,也能取得相应的同等学历资格。如取得丙级证书加 5 年工作经验即相当于高级职业学校毕业,普通高中毕业生可以参加普通大学入学考试或技术学院、科技大学及专科学校的入学考试;取得乙级证书加 4 年工作经验即相当于专科学校毕业,可以参加大学附设第二技术教育或技术学院、科技大学的入学考试;取得甲级证书加 3 年工作经验即相当于技术学院、科技大学毕业,可以参加研究所(硕士、博士)入学考试。从而建立了职业证书和毕业文凭之间的等值互换关系。

二、闽台教育产业的发展模式

1. 福建省教育产业发展模式

福建省教育产业的发展与全国其他省份差别不大,发展模式主要有以下几种:

(1)民办教育模式。多年来,随着全国民办教育的迅猛发展,福建省教育体制改革取得了实质性进展,实现了多种办学机制协调发展。特别是近几年,福建省又出现了高校兴办民办独立学院风潮,它是民办高等教育的一种创新形式。据统计,截至 2003 年年底,全省经教育行政部门批准并发给办学许可证的学校共有 2371 所,占学校总数的 7.4%,在校生 35.6 万人,占全省学生总数的 5.2%;其中,民办高校已正式成立的有18所,经批准并正在筹办的有11所;民办教育固定资产和教学设备总值25.4亿元,校舍建筑面积270万平方米,藏书量232万册。与民办教育发展较快的其他省份相比,福建省民办教育发展步伐还是较慢,规模较小,但总体上发展稳健,大起大落较少,且办学观念有较大改变,已从单纯重视量的发展转为关注质的提高,从单纯追求经济效益转为从注重社会效益中提升经济效益,从热心广告宣传战转为关注办学信誉和实力培养。如南少林武术学校、西山文武学校等已经形成了包含小学至高中的一体化教学,根据市场模式进行运作,打出了教育品牌。

(2)科技园区模式。科技园区模式发端于美国斯坦福大学,特别是20世纪70年代以后,许多国家纷纷建立各种类型的科学园区。福建省已有两个国家高新技术产业园区、五个省级高新技术产业园区、省高新技术创业服务中心、福建、厦门软件园、福建留学生创业园等园区,科技园区建设依托的是福建省两所"211"工程重点院校,还有福建师范大学、福建农林大学等多所高等院校。最近,厦门大学成立了大学科技园。2002年7月,科技部、教育部批准了福州地区国家大学科技园的建设申请。该科技园由福州地区大学城科技园、台西科技园、省高新技术创业服务中心孵化基地及左海孵化基地等组成,主要依托福州大学、福建师范大学等七所在榕本科高校启动建设。科技园的建设和发展将为福建省高等院校科技成果产业化,加强高校与产业界合作铺设了一条宽广大道。

(3)产学研合作模式。近年来,福建省在推进产学研合作方面做了大量工作,逐步形成了优势互补、风险共担、利益共享的产学研合作机制。通过企业与高等院校开展技术转让、合作开发、共建技术中心、人员培训等多种形式的产学研联合,大大增强了企业的技术创新能力,有效地促进了科技力量向经济主战场的转移,促进了科技与经济的紧密结合，取得了良好的效果。福建省产学研合作得到普遍重视，省直有关部门，各市、县经贸委都有专人负责推动产学研合作，各高校也有专门机构负责组织、协调产学研合作事宜。如福州大学于2003年10月成立了校企合作委员会，这是福建省第一所成立校企合作委员会的高校。目前，福建省产学研合作已从最初的短期、单一的技术转让逐步向合作开发、人才培训、共建研发实体等多种形式发展。如永安智胜公司与福州大学化工学院共建企业技术中心；福建农林大学食品科技学院牵头组建省农副产品保鲜技术开发基地，为全省120家农副产品加工企业提供保鲜技术服务等。

(4)高校公司模式，即校办产业。改革开放初期，高等院校刚刚从10年浩劫中走出来，百废待兴，陈旧的教学设施、仪器需要更换，破旧的教学用房需要翻修扩建。正是在这样一种情况下，校办企业应运而生。当时，教育部和财政部也鼓励学校创收，这时的校办产业包括工业类校办工厂、印刷厂、出版社以及对外服务的招待所等，服务行业的校办产业自此逐步发展起来。由于科技是高校的长处，故其中也有一些是科技企业。进入20世纪90年代后，高校科技企业逐渐从校办企业中脱颖而出，并很快成为校办企业的主流。高校科技产业对增加国家税收、创汇，补充学校经费等方面也起到了应有的作用。如厦门大学化工厂是厦门(大学)建南集团公司所属科技型企业，主要从事精、细、特、专等化工产品的开发与生产。该企业依托于厦门大学化学化工学院雄厚的科研力量和人才优势，已建设成为该校科研成果转换基地。据统计，2000年，福建省共有高校校办企业134家，企业收入总额为45261万元，利润总额为2986万元，纳税总额为1983万元。按企业收入总额排名列全国第17位。

(5)谋利性教育模式，即以营利为目的的教育机构。这些机构多是面向成人举办的职业性短期培训或专业培训，管理采用企业方式,允许营利和分红,但照章纳税。在福建省各种营利性教育机构主要满足人们对外语水平、职业技能培训不断需求。如2002年,福建省积极与国内外高校合作举办MBA课程研修班、专项高级研讨班、远程教育、资格认证考试培训等。大力发展中外合作办学业务,依托国内外高校力量,开设了工商管理BBA研修班、工商管理MBA研修班等11个类型培训班,受训学员达514人。

(6)后勤产业化。高校后勤产业化,解放和发展了高校后勤生产力,为促进高校后勤产业融入社会第三产业奠定了基础,也增强了对学校教育的有力保障。根据教育部和福建省教育厅关于高校后勤社会化改革的有关精神,自1999年起,福建省高校在后勤社会化改革方面进行了探索与实践。其中,华侨大学在后勤社会化改革方面走在省内高校前列,取得比较好的成效,形成了良性运行机制,为学校教学、科研及其他工作提供了强有力的保障;在人事分配制度改革方面起步早、力度大、成效好,促进了广大师生员工的创造性和积极性;在学校宿舍管理方面,成立了社区服务中心,实现了学生宿舍管理功能和教育功能的统一,为全省乃至全国高校创造了校园社区管理的新经验。在利用社会资源,加快高校后勤设施建设,提高后勤服务能力方面,福建师范大学取得了较大成效。该校成立了后勤集团,实行科学管理,整体规划,优化资源,并对食堂实行承包经营,提高了服务质量,取得了很大经济效益和社会效益。厦门大学、福州大学等贯彻落实国家有关深化高校后勤社会化改革的精神而组建了高校后勤服务企业,建立了学校后勤集团。

(7)人才市场模式。为了顺应毕业生自主择业的需要,人才市场由此孕育而生。福建省人大常委会2002年8月1日审议通过了《福建省人才市场管理条例》。福建东南人才交流有限公司等三家民营人才中介机构获准设立,以中国海峡人才市场为龙头具有福建区域特色的多层次、多元化人才市场体系初步形成。现在,全省共有各类人才中介机构165家,从业人员九百多人。

2002年,中国海峡人才市场共举办交流会和定期人才集市61场,中高级人才招聘会4场。值得一提的是,中国海峡人才市场设立了台资、外资企业工作部(福建省台资、外资企业人才服务中心),主要面向台资、外资企业,通过企业文化交流,广泛、深入开展联络、联谊活动。该中心建立了台商、外商投资项目库,收集整理、统计台资、外资企业的分布、数量、投资方向、人才需求等信息,为人才市场提供可靠的供需信息,同时开展信息咨询,协助有关部门推荐人才。

2. 台湾教育产业发展模式

台湾教育产业呈现多元化发展趋势,发展模式主要有以下几种:

(1)发展私立教育模式。台湾中、小学大部分是公立学校。在高中以上教育阶段,台湾很重视发展私立教育,私立教育在初中后各级教育中占有较高比例(如表5—2所示)。早在20世纪50年代,台湾就开始发展私立教育,特别是进入60年代后其发展速度更是惊人。据统计,1961年至1971年,私立高校由15所猛增至65所,平均每3个月增加一所。但由于私立高校在20世纪60年代发展过快,经费不足,师资短缺,相当一部分私立高校质量不高,与公立高校教育水平差距很大,毕业生失业率远远高于公立高校。于是,台湾教育部门不得不在1972年采取措施,冻结私立专科学校的筹备与申请,并从1974年起组织专家对公立、私立高校的系所设置、经费、行政组织及毕业生出路与社会需要等进行评估,借以改进私立高校标准。在对私立高校进行整顿的同时,采取一系列措施,促进私立教育的健全发展。如颁布了《公私立学校奖助办法》、《补助私立专科以上学校充实重要仪器设备配给款要点》、《私立学校施行法细则》、《各级各类私立学校设立标准草案》等,逐年提高对私立高校的奖助,指导私立高校健全发展计划，帮助私立高校改善师资、充实设备、兴建校舍。还在《私立学校法》中规定私立中等学校教师与公立中等学校教师待遇相同，私立学校教师退休制度与公立学校相同。在台湾“教育部”1995年2月制定的《中华民国教育报告书——迈向21世纪的教育远景》中提出：奖助并辅助私立高中健全发展，提升其教学品质；缩短公立、私立学校资源差距，提供私立学校合理发展空间等。具体措施包括：协助私立高中建立教师晋升、退休、抚恤、福利互助制度；奖励私立高中提高合格专任教师比例；对私立大学奖助经费将逐年提高。2000年，该项经费占学校经常性支出比例已提高至20%；奖助重点以学生为直接对象，包括提高学生奖学金、就学贷款；计划逐年缩小公立、私立高校学费差距，预定从目前的1:2.9缩小到1:2。

表5—6　台湾公立、私立学校办学规模比较分析表（2002年）

单位：所

	大专院校	高级职业学校	高级中学	国民中学	国民小学	幼稚园
公立学校	53	95	166	704	2597	1230
私立学校	101	75	136	12	30	1920

（2）引进产业理念模式。具体表现在以下两种途径：

——个人分担教育成本。根据教育成本分担理论，学生受教育成本理应由政府、社会（捐赠）、个人（包括学生和家长）共同担负。台湾是属于非义务教育阶段（包括高中和高等教育）私立教育占相当大比例的市场机制型地区，成本分担的形式及份额在该地区有鲜明的体现。在高中阶段，公私立学校学生平均个人交纳费用约占全部支出比例的40%～45%；在高等教育阶段，公立、私立高校学生平均个人交纳费约占全部支出比例的47%～64%。而人私立高校学生所交纳的费用往往是公立高校学生所交纳费用的2~3倍。

教育成本分担有助于人力资源生产与经济领域需求紧密联系，同样也有助于提高学校的办学效率。私立高校通常有较高的师生比，教师将部分时间用于教学而很少从事科研，在教学设备、图书等学术基础设施方面投资较小，私立高校管理灵活，而且成本低于公立高校的成本，能够提供较高的教育收益。

——面向社会和市场，建立适应社会经济发展需要的人才培养机制。台湾的教育，特别是职业技术教育为台湾经济迅速发展起到了很大的推动作用，根本原因是教育面向经济发展需求，教育配合经济的发展，具体表现在两个方面。

①坚持教育为经济发展服务，按经济需求办学。台湾的教育在20世纪50年代发展较快。但由于搞文凭主义、读书做官、脱离生产实际以致影响了岛内经济发展。台湾教育界由此反思，决心把教育转向为经济发展服务的轨道，按经济需求发展教育。针对当时进口替代型经济转为出口主导型经济的需求，台湾教育部门采取转型性措施：在规划和政策上，制定与经济同步发展的教育发展计划；关、停、并转学术性高校（减少近一半）；扩大初级实用性院校，培养急需的实用型人才；在中小学开展“一人一技”运动，改革单纯书本教育结构。自1962年起，台湾教育与经济密切配合，使两者获得跳跃式发展。

②不断调整教育结构，适应经济建设的需要。20世纪50年代，由于第一、第三产业容纳大量低层次教育水平的劳动力，教育结构对经济发展的影响不明显。20世纪60年代至70年代，台湾经济发生转折，由内向型经济转向外向型经济，为配合生产部门的需要，台湾教育转向以职业教育为中心，使职业教育和职业训练获得了迅速发展。20世纪70年代后，台湾经济两度遭受石油危机的冲击，面对严峻的形势及科技文化的高速发展，台湾对其经济发展政策不得不进

行新的调整。传统的职业教育已不能适应经济迅速发展的需要，必须大力发展专科教育和大学教育。20 世纪 80 年代，为配合产业升级，从 1985 年起台湾重新开放私立专科以上学校，大力发展专科教育和大学教育。

(3)产学研结合模式。台湾为了加快发展科技产业，通过发挥大学、实验室及中央研究院资源，鼓励大学成立产业与大学合作研究中心，吸引企业主以会员赞助方式加入，提供产业与大学直接合作的机制。大学通过接受企业委托的课题、合作研究、联合申请课题等加强与企业的结合。企业也要求大学教师进行技术指导、担当企业顾问，大学也聘请一批专业研究水平高、有丰富实务经验且知名度高的权威人士担任兼职教授或客座教授。这样不仅有利于大学科研成果的产业化，而且有利于教学模式的创新。

在台湾高科技产业的摇篮——新竹高科技园区的旁边就是台湾清华大学，从园区创建开始，清华大学就成为紧密的参与者。台湾交通大学、清华大学与园区管理局及厂商形成产、官、学、研密切合作的架构。据园区管理局统计证实，园区内公司的研究与开发人员至少有一半以上与清华、交大及工研院有分工合作的关系。以台湾交通大学为例，学校研究课题的 80% ~ 90% 均来自园区企业，学校与企业紧密结合，产—学—研紧紧联系在一起。学校有什么优势专业，园区就有相应的优势产业。如交通大学以电子专业最为突出，其微电子技术已达到国际先进水平，园区微电子也成为最大产业，形成一种“前店后厂”良性循环的互动局面，大大缩短了科技成果转化为产品的周期。交大设有毫微米实验室，并在进行中央处理器(CPU)、次微米及深次微米、IC 静电保护等技术的开发，这对于提高园区的国际竞争能力也大有裨益，园区对交大的回报则是每年提供两千多万元新台币的研究经费。目前，交通大学每年约有两千多万元新台币的研究预算,是来自园区厂商的委托。

台湾清华大学教授林谕南是这样谈到台湾清华大学与科学园区的关系:台湾清华大学与新竹科学园区,因为地域上的关系,成为产学合作的最佳范例。台湾清华大学在产学研合作上,拥有丰富的经验,目前学校由研究发展处统筹所有研发与产业合作的计划。台湾清华大学教授张石麟认为,学术界已经很清楚地了解到产学研合作的重要性,所以一些后起的大学一开始就把产学研当成学校重要的发展项目。私立元智大学就是一个典型的例子。

元智大学是由远东集团创办,1989 年以工学院名义开始招生,或许因为本身就是企业办学,所以对于产业界的接触一直非常积极,以电机工程学系为例,每位教授都有好几个研究项目同时在进行。现在许多企业本身也有研发部门,不过由学术部门进行研发,通常可以提供不一样的思考方向。这样,在成本上,产学研也可以替企业节省研究费用。因为,高科技产业特性的改变,产学研合作的项目不再是外行人难懂的深奥的技术,有很多具有市场先机,元智大学与远达电信合作成功就是一个很好的例子。

(4)鼓励教师兼职模式。台湾各大学教师一般是专职与兼职并举,鼓励教师到社会上去兼职,这样可以促进教师与社会实践密切结合,积累教学案例,使教学内容丰富多彩,不至于枯燥乏味地教书;聘请一批专业研究水平高、有丰富实务经验且知名度高的权威人士担任大学兼职教授或客座教授,一方面可以将社会新动向引入学校;另一方面可以让学生在大学学习期间有幸目睹本专业顶尖人物的学识和风采,成为终生效仿的榜样。例如,台湾政治大学会计系有专职教师 19 人,兼职教师 15 人,专职教师侧重教学,实务教学主要由兼职教师承担。兼职教师中有的是台湾其他大学或者香港各大学的知名教授,有的来自实际工作部门。如台北市"国税局"局长担当税收实务课程教学，某会计师事务所主任会计师担任审计课程教学。政治大学会计系专职教师中，有的在“财务会计准则委员会”、“会计制度委员会”担任委员，有的在“会计教育学会”担任理事等。

(5)科技园区模式。在台湾，有号称东方“硅谷”的于1980年建立的台湾新竹科学工业园，现已跻身于世界著名高新科技园区行列。在新竹有台湾著名的清华大学、交通大学、中华工学院等高校。1995年，台湾规划在未来10年内在全岛各地兴建20～30个智能工业园区，每年开发2～3个。同年，台湾当局又在台湾南部设立了台南科学工业园区。科技园是高科技产业与高等院校合作的集聚地，有力地推动台湾高校科研成果转化为现实生产力，促进了台湾科技和教育事业的发展。

(6)牟利性教育模式。台湾教育比较务实，强调实用性，因此依据这种理念而成立了很多牟利性技能培训机构，以及各种技能考试辅导，获得证书者一般都能够很快适应工作的需要。台湾技能检定的实施始于20世纪70年代初，1971年台湾“内政部”正式颁布了《技术士技能检定及发证办法》，发展到今天，技能检定已形成一项较为完善的制度。技能检定的对象包括职校毕业生和社会青年，检定方法主要通过学科理论知识考试和实际技能水平操作测试两门考试，检定合格者根据技术精通及熟练程度获得甲、乙、丙不同等级证书。为了激励青年人积极参加技能检定，还制定了相应的激励措施，凡通过学术科考核取得甲、乙级技术士证书者，可比照专科、高职毕业生被选用和支薪。并规定技术上与公共安全有关行业的其他机构，必须雇用一定比例的技术士。从1992年起，台湾“行政院劳委会”和“教育部”合作办理高职和专科学校在校生专案技能检定，今后毕业生除获得毕业证书外，还持有技术士证书。在各公共职业培训中心受训者，如技能检定合格者也可根据不同程度获得丙级或乙级技术士资格。

(7)校企合作模式。校企合作即教育机构、学校与企业相互合作,实施教育与训练的结合,这是培养应用型人才的一种有效教学形式。“建教合作”始于1961年,当时台湾正处于经济“起飞”阶段,急需生产第一线人才。如今,“建教合作”已在台湾职业学校、专科学校及大学得到推广,合作形式也呈多样化,分为轮调式、阶梯式、委托式、进修式、研究式等。最为推广的方式仍是职业学校与企业合作,类似祖国大陆的半工半读制,部分时间在校学习,部分时间到工厂训练,由学校负责学生相关学科的教学,工厂负责技能训练。学习期满,测验合格,除由学校发给毕业证书外,同时还获得工业职业训练学会颁发的技能训练结业证书。随着台湾产业结构的调整,今后以进修式和研究式为主的“建教合作”形式将受到更大程度的重视和推广。

图5—8 海外学生在台就读人数

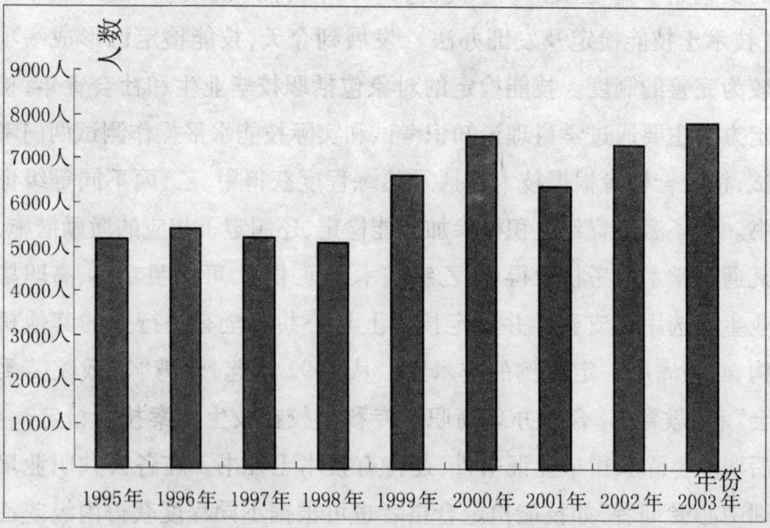

(8)输出教育模式。通过有组织、有计划地推销本地或本校教育,吸引外国学生赴台学习,以抢占国际教育市场。台湾是一个岛屿,虽然教育资源比较丰富,但学生数量相对有限,因此抢占国际市场就成为台湾教育发展的一个重要途径,特别是吸引东南亚华侨学生赴台就读具有一定的规模(如图5—8所示)。

三、闽台协同发展教育产业的可行性

通过对海峡两岸教育产业的态势分析,笔者认为,闽台两地教育产业必须协同发展。特别是我国加入世界贸易组织后,国外教育介入福建,对台胞投资福建教育带来了巨大挑战,对台湾教育发展构成了一定的威胁,国际间教育竞争更加明显。闽台两地教育具有潜在的发展空间和后发优势,但各自单独发展显得势单力薄,有必要借助于得天独厚的地理、人文环境和优势协同发展,以增强竞争实力,积极抢占国际教育市场的份额。

1. 历史渊源

台湾自古以来就是我国的神圣领土,台湾和祖国大陆息息相关,荣辱与共。在我国古代文献里,台湾被称为"蓬莱"、"岱舆"、"瀛洲"、"岛夷"、"夷洲"、"琉球"等。从三国时代开始,便逐渐开拓、经营台湾。元代元世祖在澎湖首次设立了官府"澎湖巡检司",负责台湾澎湖事务,隶属于泉州同安县。1624年,荷兰殖民者入侵台湾,开始了38年的殖民统治。1661年伟大的民族英雄郑成功率领25万名士兵登陆台湾,于1662年2月1日迫使荷兰人投降,收复台湾。1684年,台湾设府,隶属于福建省台湾厦门道。康熙二十三年(1684年)福建省增设台湾府,光绪十二年(1886年)台湾从福建分出设立台湾省,刘铭传任台湾省首任巡府。1894年,中日甲午海战爆发,清廷战败,被迫签订丧权辱国的《马关条约》,把台湾、澎湖割让给日本。在长达51年的日据时代,台湾人民从未停止过反抗。1945年8月15日,日本宣布无条件投降,台湾重新回到了祖国的怀抱。可见福建与台湾息息相关。

早在魏晋南朝时期,福建与台湾就有经济上的联系。到宋元时期,闽台两地贸易已较为频繁。改革开放以后,闽台两地经济交流与合作稳步发展,文化交流与人员往来日渐频繁。1990年开创两地文化双向交流以来,两地交流交往从单向、个别交流逐渐发展到双向、有组织、有计划并朝着大规模、宽领域、高层次方向发展。交流的形式从一般的探亲旅游逐渐发展到有组织、有计划的民间交流交往,交流的领域扩展至几十个领域。

2. 人缘与区位优势

福建是台胞主要祖籍地,约1800万台胞根在福建。福建与台湾语言相通、习俗相同、血缘相亲、骨肉相联,具有紧密的史缘、地缘、血缘、神缘、文缘、语缘、俗缘、商缘关系。特别是在泉州,台湾汉族同胞中44.8%约900万人祖籍是泉州。

福建与台湾一水相隔,两岸最近距离仅为68海里。福州至基隆仅149海里,乘船往来,晚饭后上船,第二天早上就能上岸;福州至台北、厦门至高雄,乘飞机直航只需半个小时。特别是厦门至金门岛,最近处只一千多米,海上航程不到10分钟。两岸交流中这种区位优势是其他地方难以替代的。

3. 开放与政策优势

福建省是全国最早对外开放的两个省份之一,也是全国吸引台资最多的省份之一。全省每个县(市)都有台资企业,台湾排名前100位大企业中,已有二十多家在福建投资。

福建省是中央早在改革开放初期就赋予“特殊政策、灵活措施”的省份;1996年,国家赋予福州、厦门两地试行海上定点直航的特殊政策;1997 年,国家又特批福州、厦门两个空港对来闽台胞实行落地办证政策;全省沿海又有许多允许台轮停靠的渔港停泊点。福建有如此强大的吸引台资、外资优势,随着海峡西岸经济区建设进程不断加快,对推动闽台教育产业协同发展将产生巨大推动作用。

4. 发展空间与潜力

台湾面积为 3.6 万平方公里,2001 年底总人口数为 2240.6 万人。福建省土地面积为 12.14 万平方公里,2001 年底总人口数为 3440 万人。闽台两地受教育程度占人口的百分比参见表 5—4。

另外,从表 5—7 中列出的数据中可以看到,台湾教育产业已经发展到了一定的饱和程度,教育市场发展的空间非常有限;而福建教育产业还有待发展,文盲、半文盲人数以及文化程度较低的人数还比较多,与经济发展的程度极不相称,教育产业存在着很大的市场空间,并且有祖国大陆作为辐射市场。因此,台湾投资福建教育产业、闽台两地协同发展教育的空间是无限的。

表 5—7 闽台两地受教育程度占人口的百分比 单位:%

	2000 年		2001 年		2002 年		2003 年		2004 年	
	闽	台	闽	台	闽	台	闽	台	闽	台
大专以上	3.0	25.2	3.0	26.1	4.0	29.5	4.4	24.8	4.3	30.5
高中(含中专)	10.6	36.2	10.7	35.2	12.4	33.6	12.7	35.5	13.7	33.5
初中	33.7	15.4	33.5	15.9	30.2	15.7	31.8	15.7	30.3	15.4
小学	38.3	18.4	37.8	18.2	36.5	17.7	34.4	18.8	33.3	17.2
文盲、半文盲	7.2	4.2	7.5	4.0	10.8	3.03	10.7	4.5	12.3	2.8

资料来源:《福建经济与社会统计年鉴》(2005)、《福建统计年鉴》(2005)。

台湾与福建两岸有如此接近的地理位置,在历史上台湾曾是福建的一部分,台湾的始祖是从福建迁移过去,有着相同的文化与乡音。特别是改革开放以来,随着海峡两岸交流与合作不断加强,使得两岸教育有着极强的互补性、交叉性和相容性等特点。因此,海峡两岸有必要也完全有可能携起手来,协同发展教育产业,共同面对教育发展的国际化、现代化趋势,使海峡两岸教育事业蓬勃发展。

四、闽台协同发展教育产业的展望

根据闽台两地教育产业的态势分析,可以认为,闽台两地协同发展教育产业有利于海峡两岸教育事业蓬勃发展,将会成为中华民族教育产业发展的一个全新的飞跃点。展望闽台协同发展教育产业的发展。

1. 重启海峡两岸学历互认大门

自1997年台湾方面提出学历"采认"问题以来,两岸围绕这一问题展开了多轮、多方面的探讨,人们讨论最多的还是台湾是否以及如何"采认"大陆学历。随着两岸加入世界贸易组织,这一问题终将变得越来越迫切。促进海峡两岸教育产业协同发展,必须首先突破学历互认这一最大障碍,重启两岸学历互认大门,共创两岸教育产业双赢局面。

虽然台湾方面至今仍未承认大陆高校学历,但在加入世界贸易组织前后,两岸间的民间教育交流已相当频繁。2000年寒假和2001年暑假,台湾至少有上百名大学生自费或通过民间组团方式,赴大陆参访知名大学。他们参访大陆高校的目的主要有三:其一,参访大陆高校并与大陆学生交流座谈;其二,希望到大陆求学,尤其是攻读法律、会计专业,以应对两岸加入世界贸易组织后的经贸往来需求,以抢占就业市场。在台湾,要选读某些热门专业并不容易,而大陆不仅大学数量多,相同专业多,而且就读的机会也多,因此选择"曲线求学”也算是一种不错的选择；其三，通过求学到大陆经商或就业。台湾近几年来经济不景气，就业困难，而与此形成鲜明反差的是，大陆经济持续稳定增长，来大陆的台商事业红红火火，这对许多想来大陆求学并在大陆发展的台湾学子来说是一个不小的诱惑。

除了求学与抢滩大陆就业市场等好处之外，学历互认还可以加速两岸间的合作办学。据悉，台湾元智大学等私立大学曾表示想借两岸加入世界贸易组织之机，赴大陆专为台商设 EMBA 班。因为，台商赴大陆做生意或投资办厂的人越来越多，在台湾进修不便，于是计划与上海交大、清华大学合作，借用这些大学教学设施为台商设 EMBA 班。铭传大学、淡江大学等也在进行类似的规划。台大等“国立”大学也有意规划，比照办理，有些大学甚至表示愿到大陆设分校。从发展趋势来看，加入世界贸易组织后，两岸间的直接互动，尤其是教育和文化交流越来越多，学历互认对双方均有利：大陆方面可以吸引更多的台湾生源；台湾学生学成之后，则可以名正言顺地在大陆经商、就业，也可以返台就业。可见学历互认虽对双方均有利，但受益者是台湾学生。

2. 吸引台湾教育资源落户福建

在解决了学历互认问题的基础上，吸引台湾教育机构携带优质教育资源来福建办学，共同发展两岸教育产业。海峡两岸都已成为世界贸易组织成员，根据世界贸易组织规则，承诺条件对于所有成员具有普适性，我们在教育上的承诺同样适用于台湾。两岸同根、同祖、同种、同源，语言文化习俗习惯一样，教育优势互补更为有利。

闽台两地联合办学方式可以有下几种方式：

(1)闽台合资办学、台资独立办学。福建省非义务教育阶段应向台湾开放，允许台资独立办学，台湾各高校可在允许的范围内在福建设立分校，并招收福建或其他省份的学生；台湾大学可在福建设立工商管理硕士班或建立管理培训项目等，可以与大陆高校合作办独立学院；积极引进台湾职业教育，鼓励台湾职业教育机构、集团到福建办学，充分发挥台湾职业教育特色，培训福建急需的实用型人才。台湾高等院校看好大陆市场和在大陆投资台商的需求，纷纷希望到大陆办学。可以预计，台湾进军福建教育产业将成为未来闽台两地协同发展的新热点。

(2)通过网络技术进行远程教育。台湾实力较强的学校，由于具备先进的网络技术以及发达的教育设施，如果他们通过国际互联网举办远程教育，很可能吸引大批福建学子。

引进台湾教育，对福建教育来说，是一种机遇，也是一种挑战。引进台湾优质教育资源，可以使福建教育投资不足的状况有较大改善，满足更多的教育需求。这也必然会给福建省教育以新的刺激和影响，注入新的活力和动力，促进教育资源的优化配置，全面提高教育效益。

3. 闽台两地协同促进产学研的结合与融合

几年来，福建在推进产学研结合方面做了大量工作，逐步形成了优势互补、风险共担、利益共享的产学研合作机制。通过企业与高校开展技术转让、合作开发、共建技术中心、人员培训等多种形式的产学研结合，大大增强了企业的技术创新能力，有效地促进了科技力量向经济主战场转移，促进了科技与经济的紧密结合，取得了良好的效果。然而，虽然硕果累累，但科技与经济结合不紧密仍是当前的主要问题。其原因有：一是科技成果在中试阶段往往蕴含着风险，而企业大都不愿进行这种风险投资，使得许多科研成果由于缺少生产基地和必要资金而无法进行中试，科研成果长期被束之高阁；二是目前省内企业尚处在转制时期，大多数企业效益不佳，资金紧张等。风险投资滞后、资金紧张，严重阻碍了产学研的结合与融合。

台湾经济发展较快，产学研结合紧密，风险投资机构运作较成熟。

闽台两地产学研结合应该以两地高校科研合作作为基础，通过联合攻关、互派科研人员、联合申请课题等形式加强两地科学研究。目前，闽台两地高校科研合作已经逐步在开展，但主要是台湾提供科研资金、福建组织科研人员的合作形式，而且大都在基础研究阶段。

两地科技合作研究不能停留在基础研究阶段，更重要的是在中试阶段、试生产阶段的联合，积极引进台湾风险投资，这样就可以解决福建省高校科研成果转化率低、产学研结合不紧密的问题，同时也能为台湾学者提供发挥能力、施展才干的平台，台湾风险投资机构也可以通过科研成果的转化获得高额利润。

4. 形成闽台区域教育产业链

闽台两地教育协同发展已是大势所趋，现在协同发展教育产业还只是民间行为，仍存在许多约束和障碍。应打破两地教育产业地域分割界限，主要以吸引台湾进驻福建投资教育的形式，形成闽台区域教育产业链，这样有利于两岸教育发挥最大的潜力，能够面对教育国际化趋势的激烈竞争，使闽台区域教育产业走在世界前列，进而打造海峡两岸教育产业链，促进其良性运行。

(1)由于台湾方面资金较为雄厚，私立教育发达，两岸协同发展教育产业空间较大，福建省要参与两岸发展教育产业的分工，就必须和台湾教育产业集团、投资机构进行交流与合作，而福建教育投资环境及教育市场准入的情况，将无疑成为这些教育产业集团、投资机构选择合作伙伴的重要参考标准。通过吸引台湾教育产业集团、投资机构进驻福建，发展福建教育产业以及高校科技产业，以弥补福建教育产业发展缓慢、教育投资不足的缺陷；同时，也能拓展台湾教育产业,提升发展空间,实现双赢局面。

(2)以大学城为依托,促进教育产业链的形成。福建省福州、厦门两个大学城正在同时建设之中,大学城围绕着人才培养、科学研究以及服务社会三项职能,即以教育产业活动为主,并辅之以与教育相关的科学研究和技术开发。可以以此为依托,吸引台湾教育集团、投资机构进驻这两个大学城,形成闽台两地大学之间及大学教育活动相关主体之间的协作。

(3)以学历互认为基础,促进两岸联合招生。鉴于两岸教育招生制度的差异,特别是要鼓励台湾高等教育、职业技术教育在福建设立招生办事处,通过自主组织考试进行招生(非义务阶段),提升福建籍学生升学机会。同时,福建省各大学可加大目前对台的招生数量,开放福建高等教育,以吸引台湾学子进入福建就学,特别是中医药学、文学艺术创作、中国历史、地理、文化研究等领域的招生数量应该逐渐提高。

5. 闽台教育产业科技园区的发展模式

(1)闽台教育产业科技园区发展模式的基本构想。笔者设想的发展闽台教育产业科技园区模式是在福建建立闽台科技园、吸引两地高科技企业入驻的基础上,以协同发展高科技产业带动教育产业的协同发展。

科技园区模式已是福建发展教育产业的主要模式之一,特别是大学科技园的建设与规划,更是带动了福建省高校科技成果的产业化,成为福建省高校教学实践基地,促使了教育产业的形成和发展。另外,福建高校与台湾高校已有联合研究与开发的先例,主要是福建省的基础研究力量较为厚实,而台湾则在应用研究、开发研究上较有优势,二者的结合更能加强区域间的研究与开发能力。厦门大学与台湾淡江大学结成友好姊妹学校关系,已为两岸高校协同教育创新、合作进行研究与开发提供了可能。

(2)闽台科技园区模式的运作。闽台科技园由福建省牵头投资兴建,可吸引台湾和港、澳或内地其他省份科研单位、大学、企业的投入,具体由园区管委会负责管理。在闽台科技园区内,两岸高科技企业通过研究资源共享,科技人员流动,技术扩散等,首先在闽台企业之间搭建起交流与合作的平台,以此为切入点,联合技术攻关、合作进行研究与开发等。也可在科技园区内成立研究中心,由两岸高校与企业界科技人员组成,科技园区内企业提出科研课题,由两岸高校学者组成课题组,联合攻关。研究中心不仅是两岸企业进行技术创新、产品研发的机构,也可以联合培养硕士、博士生,成为实践教学基地。

(3)高科技产业协同发展带动教育产业协同发展。理论和实践都已经证明,闽台两地协同发展高科技产业对发展两岸高科技产业具有重要现实和长远意义,而科技的发展离不开高校对高科技企业的智力支持。两岸高科技产业协同发展,将台湾高校——台湾高科技企业——福建高科技企业——福建高校的这种两岸高校分隔模式转变为闽台高校——闽台高科技企业协同发展模式。这必将促使两岸高校科研合作成为可能,促进两岸高校科研成果产业化,进而带动闽台两地校企协同合作、产学研合作等模式的形成,促进海峡两岸教育产业协同发展。

参　考　文　献

[1]《当代福建简史》编辑委员会:《当代福建简史》,当代中国出版社 2001 年版。

[2]叶志坚:《福建历史文化优势与福建经济社会发展》,《福建

学刊》1996 年第 5 期。

[3]吴德进:《福建教育事业呼唤投入新机制》,《福建省社会主义学报》2001 年第 4 期。

[4]王学凤:《台湾发展教育的基本经验》,《江西教育科研》1996 年第 6 期。

[5]厦门大学高等教育科学研究所:《两岸大学教育学术研讨会论文集》,厦门大学出版社 1995 年版。

[6]陈笃彬主编:《台港澳高师教育比较研究》,厦门大学出版社 2002 年版。

[7]宁顺兰:《福建产业结构调整与高教结构的政策选择》,《莆田学院学报》2002 年第 12 期。

[8]李宗尧、黄春麟:《对当前高等职业教育发展中几个问题的认识》,《天津职业大学学报》2003 年第 10 期。

[9]穆岚:《台湾高等教育发展论析》,《河南师范大学学报》(哲学社科版)1998 年第 1 期。

[10]姚同发:《试析中华文化在两岸关系中的地位》,《台湾研究》1999 年第 3 期。

[11]史克学、王川龙、王林义:《教育创新为着力点,全面提高教育质量》,《太原师范学院学报》(社会科学版)2003 年第 2 期。

[12]贾卫忠、高丽:《高等教育创新的实施要点》,《宝鸡文理学院学报》(社会科学版)2002 年第 2 期。

[13]李振华:《在新的教育质量观引导下提高教育教学质量》,《煤炭高等教育》2003 年第 1 期。

[14]江泽民:《在庆祝北京师范大学建校一百周年大会上的讲话》,《人民日报》2002 年 9 月 9 日。

[15]江泽民:《教育必须以提高国民素质为根本宗旨》,载《十五大以来重要文献选编》(中),人民出版社2001年版。

[16]李喜平:《台湾教育的考察与思索》,《辽宁高等教育研究》1998年第2期。

[17]朱康全:《论中国高等教育现代化的新世纪走向》,《江苏高等教育》1998年第4期。

[18]田建国:《知识经济与现代教育观念》,《中国教育报》1999年1月6日。

[19]史宝中、柳治仁:《继续教育应注重教师创新素质的培养》,《沈阳师范大学学报》(社会科学版)2003年第3期。

[20]张亚群:《八十年代以来福建高等教育对外开放评析》,《集美大学学报》(教育科学版)2002年第2期。

[21]徐广宇:《国外发展教育产业的典型模式与启示》,《上海教育科研》2000年第10期。

[22]林长榕:《抓住直航机遇,拓展对台旅游》,《开放与传播》1998年第4期。

[23]周满生:《日本、韩国、台湾私立教育发展比较及其启示》,《方法》1996年第3期。

[24]中国台湾网. http://203.192.15.114:9001/web/webportal/W5268036/index.html.

[25]国家统计局:《中国统计年鉴·2005》,中国统计出版社2005年版。

[26]福建省统计局:《福建统计年鉴·2005》,中国统计出版社2005年版。

[27]福建省统计局:《福建经济与社会统计年鉴·2005》,福建

人民出版社2005年版。

[28]台湾"教育部",全球资讯网. http://www. edu. tw/.

第六章　协同推进科教创新的策略研究

海峡两岸，特别是闽台两地协同发展是本课题研究的重点。在对闽台两地科技教育创新背景、科教创新推动区域经济发展分析的基础上，通过两地协同推进科技创新的可能性和制约因素，以及两地协同教育创新的探索，阐发了海峡两岸协同发展的基础和趋势。而研究的落点是如何协同推进科教创新，在理论与实践的结合上，从举措与策略方面提出构造海峡两岸创新系统的基本框架、两地协同科技创新和教育创新的策略、协同培育和延揽人才的策略、加大民间科教交流与合作，以及海峡两岸携手共创产业标准等，切实推进两岸科教创新的发展。

第一节　构建海峡两岸共进的创新体系

江泽民同志指出：创新是民族进步的灵魂，是国家兴旺发达的不竭动力。海峡两岸协同发展应把构建创新体系作为提高两地科技整体实力和经济竞争力的关键举措。围绕解决制约两岸经济、社会发展的突出问题，实现进一步合作及跨越式发展。立足海峡两岸，建立具有区域特色的创新体系，应形成符合市场经济和科技发展自身规律的创新体系和运行机制；建立以两地科研院所，高校为主的精干高效的科学研究联合体系，形成开放、流动、竞争、合作的科研机制；建立以企业为主体,产学研相结合的技术创新体系,形成以市场需求为导向的新产品开发机制;建立社会化、专业化、网络化的创新服务体系及与之配套的管理体系、投入保障体系、政策法规体系等,使知识经济在两岸生产总值中所占比例有较大提高;创新教育,建立和完善支撑科技、经济和社会发展的现代教育体系。海峡两岸实情不同,目标和任务也有差别,但协同加强创新体系建设是推进双方发展的必由之路。

一、创新体系的组织结构

海峡两岸区域创新体系是以双方的信息基础设施为支撑,企业、科研院所、高校、政府和中介组织为结点构成的动态网络,从其构成要素和功能看,包含着知识创新体系、技术创新体系、中介服务体系和宏观管理体系四个子系统。

一是知识创新体系。知识创新是技术创新的基础和源泉。它是通过科学研究获得基础科学和技术科学知识的过程。知识创新体系的核心是科研机构和高等院校,它是区域经济发展的发动机,是推进技术创新的重要源泉。高校与科研院所是知识生产系统与传播系统的双重主体,主要从事具有较强公共属性的科学知识与技术知识的生产与传播,其目的是为企业技术创新和整个社会协调发展提供知识准备和创新性成果。海峡两岸应联合建校,互设急需人才专业、合作研究、定期交流、互派专家学者访问,设备、资金、人才协调使用,使高校、科研院所尽量满足双方企业发展的需要。

二是技术创新体系。技术创新体系是由与技术创新和应用相关的机构和组织构成的网络系统。技术创新是指学习、革新和创造新技术的过程。企业是技术创新体系的主体,决定着整个体系的创新效率。因为,作为生产系统、传播系统与应用系统的交叉结点,企业是创新系统的运动中枢。企业面向市场,选择技术知识应用与生产的方向，并通过创新系统的传递机制，间接影响应用科学乃至基础科学的生产方向。对于一个完整的创新系统，企业的创新能力与动力强弱是制约高校、科研院所及中介机构运行效率的核心指标。对此，抓好在大陆的台资企业是关键。这里既有台湾的先进管理经验和先进的设备，又有来自祖国各地的多种人才和广阔市场，通过优化配置和创新资源，促使企业技术创新体系的完善和功能发挥。

三是中介服务体系。中介服务体系是各创新主体之间互相联系的纽带，主要功能是面向社会，从事资源配置、信息传递、技术扩散、成果转化、科技评估、科技决策与管理咨询等社会化服务。中介机构是知识传播系统的主体之一，也是知识生产系统的间接参与者，其中应包括双方的技术贸易市场、技术转让与扩散机构、咨询与评估机构、风险投资机构，以及学会与待业协会等。中介机构通过与各创新主体的联合，进行有效沟通，加速知识的生产与传播，提高各创新主体的创新能力。当务之急是：需要创建和发展促进海峡两岸创新主体互相联系和合作的中介服务体系。

四是宏观管理体系。宏观管理体系是指政府管理创新机构和制度。区域创新体系不仅属于经济范畴，而且属于行政管理范畴。区域创新体系的建设及其运行机制的监控是政府的重要职能。政府的高度关注和适度干预以及创新政策手段的运用对整个区域创新体系起着至关重要的作用。海峡两岸应放宽政策，在加大投入的同时，通过创新政策手段、规划指导协调好双方关系，实现创新体系的高效运行。随着双方合作体系的不断强大，应将从直接组织创新活动为主转向以宏观调控、创造创新环境为主。

二、创新系统的支撑体系

建立和完整的创新支撑体系，不仅要在科技全球化的大趋势下确立体系建设的主攻方向，还应建立资金投入系统、关键技术系统、科技人才支撑系统及海峡两岸产学研结合系统。

一是资金投入系统。从国际经验看，凡是科技领先或创新活动活跃的国家或地区，其科技投入的绝对量或相对量都居领先地位，除了地方财力雄厚、政府财政支持力度大之外，还在于资金来源渠道的多元化，以及由此建立起完整的资金投入系统。在资金投入系统中，风险投资举足轻重。目前，台湾风险投资机构超过80家，风险金额超600亿美元，2/3风险资本来自岛外。可以说，没有风险投资业的发展，也就没有台湾高新技术产业的崛起。就祖国大陆而言，在风险投资上，发达省份已有长足进步，但多数省份，包括福建省除了狭义的财政拨款外，至今仍无严格意义上的风险投资业。因此，应建立两岸共同的风险投资公司，由双方共同筹措资金，大力引进国外风险资本，并通过必要的优惠政策在财政预算、支出、税收等方面予以支持，建立起以转化两岸科技成果为主的社会化、多元化资金投入系统，建议在福建、广东、浙江等省先试行。

二是关键技术系统。关键技术，是指那些有利推进创业，提高产业国际竞争力起决定作用的技术。按照“有所为，有所不为”方针，围绕互补合作，引进国外或利用海峡两岸先进技术和前瞻性技术，并在此基础上进行合作与开发，走出一条创新之路。应该说，两岸科技合作虽有加强的趋势，但发展仍然比较缓慢，其瓶颈就在于：创新不足，创新与产业发展的需求脱节；在技术引进上，重复引进和低水平引进，导致技术与经济发展难以吻合。所以，海峡两岸应共同开发农业生物技术、基因医药卫生、防灾减灾、信息技术等一批既有现实意义，又有合作前景的关键技术；并建立一个软支撑体系，即科技创新服务系统，包括海峡两岸专家参加的关键技术合作信息系统、咨询系统、项目评估系统、与世界技术商品市场网络相连接的服务系统等。

根据现代科技发展趋势预测，下一步将是生物和信息技术将融合。也就是说，第三次浪潮的下一步将集中在生物、遗传等生物学领域，将是一个“人机世界”。信息科学家已宣布发明了一种建立在DNA代码基础上的计算机。在这之前，都是信息技术改变生物技术，现在则是生物技术更好地改变信息科学和技术。据报道，以色列科学家发明了这种基于DNA技术的计算机，非常小，细胞组织可以储存数以亿万计的信息，而且准确率达到99.8%。未来，这样的计算机可以在人体细胞内担当起一个监视器的作用，以观察人体内部是否有病变，并提出治疗方案，好让医生对症下药。所以，有的学者认为，第三次浪潮有两个阶段：第一阶段是数字阶段；第二阶段是生物和信息技术的融合阶段。

三是科技人才系统。人才创新系统的核心，是实现海峡两岸科技和教育创新，即把人才资源作为第一资源开发。祖国大陆应充分发挥现有博士点、硕士点和博士后流动站的作用，培养高级人才。双方都应以礼贤之心尊重人才，以优厚待遇聘用人才，以先进技术引进人才，并打破用人的地域界线，建立共同的人才档案库和人才资料互联网，建立一整套对海峡两岸科技交流与合作做出贡献的人才的鼓励措施，真正培养一批适应两岸科技和教育发展的科技和教育人才队伍，特别是培养一批既有专业技术知识和市场营销能力，又有创新意识、善管理的科技企业家和教育家队伍。

四是海峡两岸REP系统。所谓REP系统，即科研、教育、生产联合体。它是以产学研融为一体而建立的一种创新体制，又是海峡两岸产学研之间不同功能和相对优势的组合，形成一种相互依赖、相互作用的网络机制。海峡两岸REP系统，应以海峡两岸科技产业的发展与竞争力提高为目标，通过技术开发能力、生产能力、金融能力和市场能力的优化组合，形成在国际市场上具有竞争能力的新科技生产力。就目前来说,其目标类型主要有三方面:第一,技术扩散导向。以商业开发为目标,主要把先进、成熟、适用的科技成果转化为现实生产力,满足两岸产业、企业对科技的需求。第二,技术推进导向。研究与开发涉及应用研究及技术开发,应有重点地发展有相对优势的高附加值产品。第三,合作建立一批高科技企业。通过开发利用祖国大陆丰富的科技智力资源和政策环境优势,紧密结合台湾省灵活的市场机制和资金优势,运用多种合作方式创办一大批实力较强、拥有先进技术设备和知识产权优势的高科技企业。

第二节 海峡两岸协同科技创新策略

海峡两岸协同发展科技创新可以在多方面、多层次上进行,然而,在科技交流与合作的组织形式、科技产业对接和关联度、发展科技创业投资事业以及科技政策与环境等方面可以作为协同发展的重点。

一、创新科技交流与合作的组织形式

海峡两岸关系在政治优先于经济的现实因素主导下,现阶段科技合作交流主要是在民间与企业之间进行,并在市场需求拉动与科学技术发展推动下,创新两岸科技合作的组织形式。

科技经纪人。在两岸众多的专利与科技成果中,为企业介绍、选择所需的技术,并作为买方忠诚的技术顾问;向市场潜在客户推销卖方的专利与技术成果,宣传介绍这些技术的功能与效益,并协助买卖双方顺利转移技术;凭借熟练的专业技术与丰富的市场经验,提供买卖双方所需的技术与市场信息,并指导卖方进行技术包装使之商品

化的技巧，以及协助买方评估与使用新技术；科技经纪人可与专业投资顾问公司、会计师事务所、律师事务所、财务金融公司等在业务上进行结盟与合作。

科技贸易公司。作为技术与科技产品的交易代理商，协助台湾企业购买大陆技术与产品，同时也协助大陆研发机构出售技术与产品，并提供必要的交易服务；向研发机构提供两岸技术市场讯息，促使研发机构开发满足市场需求的技术产品；对两岸科技产品交易提供持续性售后服务。

科技创业投资公司。在两岸市场间寻找具潜力的技术产品和专业人才，并进行创业投资；购买研发机构开发的技术、专利、产品构想，经进一步改进，再出售给两岸企业；投资具有潜力的科技企业，提供专业技术和经营管理上的帮助，促其成功，而后出售股权获利。

中介服务组织。成立专门的、非营利性的两岸科技交流、咨询、服务中介组织。提供两岸有关科技与市场信息，以增进两岸科技交流与合作。巩固和发展海峡两岸关系协会、海峡两岸科技专业学会和行业协会。提供包括出版科技交流刊物、举办科技研讨会、促成共同关切的灾害防治、环境保护、气象研究、海洋资源开发等议题研究或对基础课题进行合作研究、协助制定标准以及提供相关咨询服务。

科技工程发展中心。以两岸科技人力资源为基础，企业在两岸分设科技工程发展中心，将两岸科技资源做最佳的配置与运用，并进行新产品开发与改进的研究工作；针对特定科技项目，由两岸相关研究机构与企业共设科技工程发展中心，进行技术开发、产品设计、定型制造，取得技术成果后，再移转给企业进行生产制造；还可接受外部委托进行有关技术与新产品开发的业务。

科技人才交流中心。加强两岸科技和教育人才的交流与合作；受企业委托协助借调或招聘科技人才；提供科技人才资源的市场信息与教育训练，派遣科技人才至对方进行短期研究与咨询服务；在两岸技术贸易与技术移转的活动中提供有关科技人才交流的服务；开展各种形式的海外华人科技人才的联谊活动，鼓励海外华人科技人才为推进两岸科教发展做贡献。

开放性实验室。两岸研究机构分设开放性实验室，提供设施、资料、场所与人员支持；鼓励两岸科技人员与学者到开放性实验室进行合作，并分享研究成果；鼓励台商在大陆研发机构投资设立实验室，有偿让外界使用仪器、测试、实验、工程设计、学习技术、移转技术等，并提供必要的技术支持。

跨区域产业联盟。建立两岸科技界交流、合作常态机制，确立联席会议制度；实行科技资源的开放和共享，加快推进科技文献、科技信息、专家库、动植物资源和水文资源等基础性科技资源的联网共享；相互开放重点实验室，工程技术研究中心、中试基地、大型公共仪器设备、技术标准检测评价机构；建立科技项目合作机制，鼓励和支持区域内联合承担重大科技项目和开展联合攻关；形成区域产业协作和战略联盟，制定科技产业发展规划，实行优势互补的科技产业链发展战略，形成区域内各具特色、分工协作的发展格局。

二、提高科技产业对接和关联度

20 世纪 90 年代以来，台湾十大新兴产业中，电子信息、精密器械及生物医药三类科技产业产值占九成，与祖国大陆在这三类产业产值中所占比重相当，这便是两岸协同发展科技产业的基础。但是，两岸三类产业的发展程度、特色又有显著差别，因此，如何促进两岸产业优势互补，实现产业对接和提高关联度成为两岸协同发展科技产业的重点。

以电子信息产业为例，两岸均将电子产业列为未来继续带动经济增长的重要产业。在祖国大陆电子产业中，计算机工业、电子通讯工业、电子元件工业等均有很大的发展潜力，尤其是近年来，计算机业和通讯广播电视业的增长速度明显加快。而台湾的电子产业则以电子零部件、电脑设备及零件较具规模，通讯电子类也有较快发展。因此，两岸电子工业有很强的互补性。在祖国大陆加入世界贸易组织后，台湾信息电子业对祖国大陆的投资明显加快。台湾转移到大陆的技术层次在不断提高，从家电产品到电源供应器、鼠标、键盘，再到数据机、网络卡等通讯产品。台湾桌上型电脑、主机板、扫描器、光碟机、监视器五家台湾资讯产业的厂商，争相到祖国大陆设点。另从空间布局上，台湾大同公司在福州兴建的中华映管（福州）公司与该公司在台湾、伦敦、新加坡三地建成的公司形成相同规模，构成该公司不可分割的组成部分。

生物技术产业是目前全球都看好的产业，被公认为是21世纪最具发展潜力的明星产业。为此，台湾将其列为未来的十大新兴产业之一，在人力、知识和资本资源等方面予以积极推动与大力扶持。据有关部门统计，台湾岛内前1000大企业中有七成已直接或间接地投资于该科技领域，从而使生物技术产业是台湾当局继电子资讯业之后，又一大力扶植的产业，不仅在园区、工业区建立五座生物技术产业基地，而且拟订了《生物科技专利保护计划（草案）》，使其更好地发展，并不断加大投入。据台湾有关部门统计，2000年的投资为100多亿元新台币，5年内，财政、银行、民间合投1500亿元新台币，生物技术产值从2000年300亿元新台币（占全球生技产值的3%），到2005年达900亿元（占全球生技市场总产值的6%）；2006年将达1010亿元新台币（占全球总产值的7%以上）。5年的年均增长率为25%。

祖国大陆生物技术及其产业的发展，其发展速度、实力和前景，可说是比台湾高出一筹。在对人类基因争夺进入白热化之时,祖国大陆已有基因药品12种,其中包括治疗糖尿病的胰岛素、治疗烧伤的表皮生长因子等,涉及五十多家企业。近年来,祖国大陆在基因研究、转基因技术和基因治癌方面捷报频传,在遗传性病症和癌症的致病基因、转基因植物种植等方面取得了显著成效。据中国农业大学校长、生物基因工程专家陈章良教授说,我国是世界上第四大转基因植物生产国,并有望在5年内成为继美国之后的第二大生产国。2000年,国家财政下拨5亿元开展相关专项研究。因此,如果说美国人在IT业已占尽先机,那么在基因领域,唯有中国有望与美国一比高下。在生物医药方面,"十一五"期间我国将重点发展两类产品,即中药和生物工程药物,加快由医药大国向医药强国目标迈进。

台湾加入世界贸易组织后,农业就面临着海外竞争压力,与大陆的往来也日益增多;而随着大陆市场的崛起,大陆已成为台湾潜在巨大外销市场。福建省福州海关以免税、项目绿色通关等方式,确保台湾农产品进入大陆时能快速、便捷地通关;厦门市将该市建设为一个台湾农产品进入大陆的主要口岸与运转中心。这不仅能促进两岸产业对接,而且能推进两岸产品和市场的对接。

当全世界都将注意力集中在IT业的时候,一直在这领域独领风骚的世界首富比尔·盖茨曾预言;超过他的下一个首富必定出自基因领域,他靠从事基因开发或者靠卖基因药起家。两岸生物技术产业界的同仁能否携手共夺呢?

可见,海峡两岸不仅在IT业上有发展的基础,在生物技术产业方面也有较好的发展势头和特色,携手并进,在产业对接和提高关联度上努力,可望在21世纪世界高技术产业市场上为"中华牌"产业占有应有的份额。

三、发展科技创业投资事业

台湾的创业投资事业发展相当成功，对于台湾科技产业的形成与发展贡献巨大。创投事业的介入，使科技专家的创意与创新技术得以开发和利用，加快了科技成果商品化的进程，培育和扶持了一大批新兴的具有活力的中小科技企业，并推动了新竹科学园区的发展，对台湾高科技产业的发展做出了贡献。创业投资事业、工业技术研究院及新竹科学工业园区被称为推动台湾科技产业发展的"三雄"。

制定优惠、稳定的创投政策。创投资本选择进入哪个产业领域，取决于整个市场环境与制度背景。当然，制度和政策在很大程度上影响创投活动的进展。发展创投事业的核心与关键在于构建一套有利于技术创新、企业创新和创投资本运作机制创新的制度基础，以及良好的政策环境与市场环境，并透过增加创新技术的商业收益（如补贴、税收优惠、政府采购等）来建立间接调控体系。定期制定风险投资项目（领域）指南，认真筛选符合风险投资要求的项目，供各类风险投资机构选择。抓住台湾高科技产业加速外移祖国大陆的机会，通过沟通与了解，在加强海峡两岸高科技产业合作的同时，可从台湾创投业者处寻求高科技产业发展的支援补足资金。同时，闽台两地有关部门应在前期划拨专项创投基金，以支持创投事业。

建立健全以两地政府投入为引导，企业投入为主体，各类风险投资机构和担保机构稳步发展的企业技术创新投融资体系。加大政府财政性资金的投入力度，发挥财政资金对企业技术创新活动的引导作用；共同引导和鼓励各类企业增加技术创新投入，使其成为技术创新投入的主体；鼓励两岸金融机构扩大企业技术创新相关活动的贷款规模；积极发展各类科技风险投资组织，为企业技术创新提供金融服务；充分运用证券市场工具，扩大企业技术创新资金来源渠道。

四、完善科技产业政策与环境

营造适合高技术产业发展的软硬环境不仅是科技产业发展的必需，而且是两岸协同发展高技术产业发展的保障，需要双方共同努力才能实现。

发展高技术产业，营造良好的软硬环境是必不可少的条件。就台湾情况来说，过去岛内高技术产业得以发展，在软件方面培养和造就了一大批高素质人才。重视教育投资，1992 年，台湾每千人中受过高等教育的有 24.9 人，居全球第五位，同时向美、日、欧选派大量留学生；还以政策引导，采取优惠产业政策予以扶植，诸如促进资讯业的发展；台湾修订了《资讯电子工业发展执行计划》、《资讯软件工业辅导要点》，并通过修订《奖励投资条例》等措施将资讯业的生产和产品研发列入重要生产事业特别奖励适用范围，指定专业银行对其施以中长期低息贷款和短期融资等便利。为促进资讯业研发，还设立研究发展基金、研究信用保证基金等。在硬件方面，台湾创立较为完善的社会基础设施，包括公路运输为主干，铁路、海运、空运等相结合的综合运输网络。邮电通讯业网点密集、电信网络密布，在多方面创造良好的软硬环境保障其发展。

祖国大陆为打造和促进高技术产业快速发展的软硬环境也做了大量工作，从创新人才的培养着手，倡导创新文化，建立创新氛围，加速技术资本化进程，支持留学人员回国创业，营造良好便捷的创业环境，建立风险投资，培育资本市场以及加快体制创新等。为促进技术创新和高技术产业化，建立新体制等，为高技术产业的迅速发展提供了环境保障。

可见，海峡两岸发展高技术产业都在营造良好的环境条件，因此，两岸协同发展高技术产业则更需要携手共创良好的发展环境。

在这方面,祖国大陆做出了极大努力,特别是包括台胞投资法律保障体系日趋完善,从而为台胞投资大陆提供了更好的法治环境。祖国大陆在宪法、基本法律、行政法规及地方性法规,都为台胞投资者提供了切实的法律保护,建立了一套比较完善的台胞投资法律保护体系。1999年12月,祖国大陆颁布了《中华人民共和国台湾投资保护法实施细则》,针对台胞投资者普遍关心的人身安全和自由、子女上学和国有化征收等问题作了详细明确的规定,为台胞在祖国大陆投资提供了良好的法律环境,随着科技和产业政策的不断完善,从而为两岸协同发展高技术产业提供了良好发展环境。然而,协同发展需要双方的努力,在揭露和抵制"台独"政治图谋的同时,台湾应进一步营造适合于两岸协同发展的政策与法律环境则是首先要解决的问题,对此,我们在真情地期待。

最近,厦门市两岸交流协会与金门两岸交流协会在厦门举行商讨会,就加强厦门与金门民间合作的有关问题进行了协商,并达成协议。双方一致认为,厦门与金门同属一个中国,双方共同追求国家统一目标。两门对开,同胞相携,共创未来。

第三节　协同发展科技园区

高技术产业的聚集效应显著,科技园区则是这种聚集效应的最佳聚集地。把科技园区作为两岸协同发展的策略重点,起码有两个方面的理由:其一,科技园区是发展高技术产业的基地,科技园区日益显示出高科技产业特区的功能和作用,国际上出现的园区热就是一个很好的证明;其二,海峡两岸在建设科技园区上有15~25年的历史,积累了不少经验,而且都在不断扩展和推进。因此,把两岸协同发展科技园区作为重点并加以推进是理所当然的。

台湾模仿美国加州硅谷，于1981年在新竹设立了科技工业园区。经过二十多年的努力，创造了一个得天独厚的学术环境，建立了一流的园区设施与服务，培养了一支高素质的研发队伍，实行了注重研发和激励创新的举措，从而加速发展了台湾高技术产业。新竹科技园区是台湾发展高科技产业的摇篮。截至1999年底，该园区的高科技公司已达28家，到2000年，园区产值达20000亿新台币。新竹科技工业园区的成功，为台湾发展高技术产业提供了经验。接着，台湾当局决定设立台南科学工业园区、南港软件园区、云林科技工业园等。民间投资也纷纷创建一些规模较小、专业化较强的工业园区，如宏棋科技园、龙港科技园区，以至在园区的带动下，加速高新技术产业发展，进而把整个台湾建成一个“科技岛”。

祖国大陆自1991年以来兴办了53个国家级科技工业园区，即高新技术产业开发区（简称高新区）。它既是改革开放的产物，也是构建国家创新体系的一个重点。虽然起步较晚，但发展较快，取得巨大的经济和社会效益，越来越显现出其无限的生命力和特有的优势。据科技部火炬办对全国53个国家级高新区的统计数字，技工贸总收入将保持在平均年增长30%的速度，2005年达到3.5万亿元，工业产值3万亿元，工业增加值8000亿元，税收15000亿元，出口创汇600亿美元；创造就业岗位500万个，人均产值60万元；亿元以上高新技术企业达到3000家以上，50亿元以上的高新技术企业达到200家以上，百亿元以上高新技术企业20家；将北京中关村、上海、深圳、西安和杨凌高新区建设成为具有国际水平和具有强力示范、带动作用、能够代表中国形象的科技工业园区；各种类型的企业孵化机构达500家以上，在孵企业3万家，累计孵化企业6000家。一批知名的高新技术企业、著名企业和品牌，几乎都是在科技园区孵化成功的。

高新区已经成为所在省市经济增长快、投资回报率高、创新能力强、极具发展潜力的新的经济增长点，已成为我国新时期经济发展的亮点。

高新区和企业孵化被认为是持续产生高新技术企业和企业家的“流水线”，是高新技术产业发展生生不息的源泉。进入新世纪，国家强化市场机制作用，发挥集中力量办大事的优势，打造中国的“硅谷”——中关村等一批有代表性的科技园区，使之在“十五”期间达到国际水平，2010 年前达国际一流水平，以带动全国高新区的发展。同时，科技部、教育部把建设大学科技园作为加快高新技术产业发展、深化科技和教育体制改革的一项重要措施而被纳入火炬计划。“十五”期间，国家确定 100 个纳入火炬计划的大学科技园，并实现技工贸收入超过千亿元。农业部门也提出建设 50 个国家农业科技园的计划，许多省市也纷纷提出省级科技园建设的设想和工程，从而在不同层次、不同领域和不同方式上推进祖国大陆科技园建设和发展。科技园区成为祖国大陆科技产业化突出的亮点，促进了高新技术产业更快地健康发展。

科技园区是发展高技术产业的基本途径和基地，既然海峡两岸在建设科技园区上都取得了巨大的成就和丰富的经验，因此，把协同发展科技园区作为策略重点是顺理成章之事。事实上，两岸已经在沈阳、南京、苏州三地筹建三个海峡两岸科技工业园，厦门等地两岸科技工业园的筹划工作也在积极进行。通过园区建设，紧紧地把两岸高科技产业联在一起，互利互惠，共创世界一流的国际高新技术投资环境，孵化出一流的企业和企业家。

可见，加强两岸科技园区合作有着良好的基础。以闽台两地科技园区为例，福州、厦门高科技园区经过十余年的建设，已创造了良好的软硬环境条件，形成了以电子信息产业和光机电一体化为主体的产业体系，在区域经济增长中起到举足轻重的作用。但由于基础还较薄弱，受资金和体制的制约，自主创新和成果商品化、实用化能力还较差，且缺少市场信息、营销技术和国际市场渠道，期待台湾的资金投入，以及营销、产业化管理技术等方面的合作。

一、园区重点产业的对接

加强两岸科技园区合作，以海峡西岸为例，福州、厦门园区可以选取软件及其相关技术产业的发展作为突破口，并以海峡软件园项目作为试点，让台湾科技界、企业界更大程度上参与软件技术园区的建设，增加资金、技术、人才、市场和管理的投入；还可以通过互联网建立虚拟软件园区的概念，争取更多的闽台两地企业联合开发新产品和开拓海内外市场。

通过签署跨区域创新科技合作备忘录，推动两地在科技、人才与产业化方面的合作。探索跨区域创新科技合作新模式，促进科技、人才与产业化方面的技术支持、资源共享和市场开拓。成立联合服务平台、互动信息平台，建立技术支持和资源共享机制，以扶持两地科技园区入驻企业的成长，逐步实现深港两地的“三通”——信息通、人流通、业务通，建立海峡两岸的紧密合作关系。

二、建立两岸产学研互动关系

新竹科技园区之所以能取得较大成功，其中一个重要因素是有台湾重点高校和科研院所的支持。为园区发展提供了强有力的科技保证和科技人才，台湾工业研究院在促进科研成果转化为生产力方面起到了极为重要的作用，并为各类科技产业输送高级主管或科技中坚力量。因此，福州和厦门两个高新技术园区应借鉴台湾新竹园区的经验，加强园区内部管理，强化产学研合作，并把合作视野扩大到全国,注意与全国知名高校及科研院所的合作,建立和发展两岸产学研互动关系。

三、建设闽台合作创新园区

共建厦门——新竹科技园区。力争与台湾将要形成的北、中、南三大核心科学园区为主干的高新技术产业带对接,将福建已初步形成的通信设备、计算机软件、消费类电子产品、新材料、生物制品、机电一体化产品、海洋高技术产品等高新技术产业与台湾相关产业进行合作研究与产品开发。

建设闽台高校合作园区。大学科技园区作为教学、科研与产业相结合的重要基地,成为高校科技创新的基地、高新技术企业孵化的基地、创新创业人才培养的基地和高新技术产业辐射催化的基地。我国大学科技园充分发挥产学研合作、区域创新、集群创新三大功能,从而探索出了一条独特的创新之路——产学研创新集群模式。因此,依托福州大学和厦门大学等高校的人才和技术,将科技园区建成由各类专业技术孵化器组成的企业孵化器集群,成为闽台区域科技合作战略实施的重要阵地,成为国内外高新技术和科技人才交流的重要渠道,成为吸引国外资金、企业与技术的有效途径。

第四节　协同教育创新的策略

海峡两岸在教育创新方面各有长短。就福建和台湾的具体情况来说,由于特殊地理位置和血缘关系,使得两地在教育方面有着许多相似相通之处,诸多因素为闽台两地教育合作与交流提供了有利的条件。大量事实证明,闽台两地教育创新具有潜在的发展空间和后发优势,但各自单独发展势单力薄,有必要借助得天独厚的地理和人文环境,积极发挥各自优势,协同起来进行发展,以增强竞争实力,积极抢占国际教育市场的份额,同时,为海峡两岸科技与科技产业的合作提供人才支撑。

一、提高协同教育创新起点

作为一个特殊区域,闽台两地要进行教育协同创新,就必须首先摆脱封闭模式,互相取长补短,并力争在经济和科技全球化背景下树立全新的教育发展理念,增强全球意识,大胆吸收人类社会创造的一切文明成果,积极借鉴世界各国发展教育的成功经验,进一步扩大教育创新的渠道与领域,不断加强人才培养的交流与合作,共同加速中华民族教育事业的伟大复兴和发展。

闽台两地协同教育创新起点,要以人才交流作为协同发展的突破口,并辅助于人才的培养、科技和教育项目的合作与交流等作为铺垫,加大协同规模,为以后更大范围的教育协同创新提供良好的条件。

二、台商投资教育是有效方式

由于台湾方面目前还不承认大陆学历,因此其他可能的教育创新协作将更加坎坷。与此相反,祖国大陆改革开放、加入世界贸易组织,国外将会有不同的教育机构进入福建,抢夺福建教育市场。因此,只有充分利用台湾投资福建教育的独特优势,并与福建教育协同发展,就能与国外强大教育机构竞争,并为协同抢占国际教育市场打好基础。台湾天福集团在这方面开了先河。据《经济日报》报道,台湾天福集团在福建省漳州市漳浦县将投资金额约人民币两亿元,创办的茶叶学院已破土动工，预计2007年起正式对外招生，初期将先设立四年制的天福专业学院，并逐步改制为大学，目标是成为全球第一所茶文化专业大学。天福集团董事长李瑞河表示，希望透过天福学院，传承中国传统的茶文化，培养专业人才，有助建立天仁及天福的向心力，未来将是台湾天仁及大陆天福扩充海外市场的先锋力量和重要人才的摇篮。天福学院初期将设立茶叶经营系、茶叶应用系、茶艺文化系，以及与茶叶相关的旅游系、园艺系。第一年各科系拟招生300名，逐年扩充，十年内在校生数将达到3000名。除了教学茶叶相关知识，天福学院将特别要求培养的学生具有实务经验与语言能力。李瑞河表示，天福茶叶学院的学生一定要精通三种语言才能毕业。他更期望培养的学生将茶文化推广到全世界。

三、大力发展高等教育事业

1. 建设一批高水平大学

高校是国家创新体系的重要组成部分，是教育创新的主体，也是国家科技创新队伍的孵化器。在实施科教兴国战略中，高校担负着培养创新人才和研发创新成果的双重历史使命，是推动科技创新与教育创新的主力军，教育创新和科技创新则是高校，特别是研究型大学的首要任务。国内外高等教育的实践表明，创新是大学持续发展的根本动力，大学的进步是教育创新和科技创新协同发展的结果。

推进高校教育创新和科技创新协同发展的主体是教师。高校作为培养人才，生产和传播新知识、新思想的基地，拥有一支高水平的富有创新精神的教师队伍是学校工作的立命之本。高校教师，特别是研究型大学的教师在推动教育创新和科技创新协同发展过程中担负着重要使命，教师富有创新精神，才能培养出创新的人才，才能做出创新的科研成果。因此,两岸要协同促进科技创新与教育创新,首先要建设一批高水平的研究型大学。在研究型大学里,尤其是注重高水平的教师队伍建设。

2. 抓好学科建设

学科建设是科技创新与教育创新的协同发展的另一个重要落脚点。学科建设是学校各项工作的龙头,学科建设的状况不但反映目前的办学水平,更代表今后发展的前景。没有创新的学科,要实现科技创新,特别是原始性创新是不可能的。同样,只有通过不断科技创新,才能保持学科发展的活力和动力,才能不断培养创新人才,才能很好地为经济建设和社会发展服务。学科建设的重点是抓好学科的重组、综合、交叉、渗透、融合,形成具有特色的一流学科和学科群。要重点支持国家级和省级重点学科建设。

3. 推进重点实验室建设

重点实验室建设是科技创新与教育创新协同发展的又一个重要落脚点。重点实验室是培养高级创新人才的重要阵地。在国家创新体系建设中,国家重点实验室是最重要和核心的力量,是国家创新体系建设的基础。目前,国家重点实验室共有164个,其中依托于高校的有106个,占大约2/3。经过近二十年的建设,国家重点实验室取得了一批重要科研成果,并培养了一大批高层次创新人才。重点实验室建设与学科建设也是密切相关的,因此必须把学科建设与重点实验室建设统筹安排,协同推进。

4. 大力发展职业技术教育

从1983年起,台湾职业教育系统每年向社会输送大量受过高等专业技术教育的劳动者,这是台湾产业升级的一支重要人力资源。充分利用当前的大好时机,通过吸引台商到福建投资建厂的方式,鼓励与支持台湾教育机构到福建投资办教育,不断提高职业技术教育的质量与层次,为福建省经济的发展培养更多的应用型高级人才。

四、构建闽台教育创新发展的体系

闽台两地协同教育创新最初是台商到福建投资,随着时代的发展逐步实现两地在教育上互为投资、相互促进的格局,以实现两地教育优势互补,构建闽台教育创新发展的新体系,最终形成闽台教育产业一体化。

闽台两地在教育创新方面存在着许多互补性,同时已经具备了交流与合作的必要性和可能性。教育创新为科技创新提供支持和准备,因而积极进行有效教育创新的交流与合作,努力实现两地教育协同发展,必将对闽台两地经济快速发展和社会全面进步起到不可估量的作用。

如何推进两岸教育创新和协同发展呢?就高等教育创新而言,从两岸高等教育改革的文化取向来看,应切合两岸高等教育实际,在协调中西文化、传统与现代文化、教育与社会文化的关系,注重教育的民族性、开放性、互补性的统一中推进两岸高等教育的改革和创新。主要包括:融会中西大学精神,保持高等教育的民族特色;把握中外合作办学的文化导向,促进中外教育的优势互补;提高中文学术地位,维护中外语言文化平衡;加强传统文化教学,培育和弘扬中华民族精神;选择适宜的留学政策导向,提高留学教育的效益。留学教育是高等教育对外开放的重要组成部分,具有经济、文化的双重效应。为了应对国际高等教育的冲击,在《服务贸易总协定》下,两岸需要调整留学政策导向,注重留学教育的实际效益。对于留学人才和本土培养的专门人才应一视同仁,用其所长,相互补充,更显留学教育的好处。

第五节 加大民间科教交流与合作

2005年4月胡锦涛总书记对发展两岸关系提出四点主张，提出鼓励两岸民众加强交往，增进了解，融合亲情。认真贯彻和落实胡锦涛总书记的四点主张，需要进一步扩大两岸交流与合作，努力把两岸交流与合作落到实处。

一、丰富民间科技交流与合作内容

两岸科技交流最早从民间开始，民间科技交流较之官方科技合作，在一定程度上不受或较少受政治形势变化的制约，且机制灵活，活动方便，不拘泥于繁杂的手续，也不机械地强调项目对等。所以，在进一步加强两岸科技界参观访问、学术会议、专题研究、互聘教授等交流合作外，还可以共同培养研究生、联合研究与攻关，定期与不定期举办各种主题的培训，以优惠条件吸引台湾硕士生、博士生及优秀科技人才到大陆企业、高校、科研机构学习、工作和创业。

二、探索两岸民办教育联办模式

教育是培养人才最根本的途径，高度发达的民办教育是台湾教育的一大特色，特别是高等民办教育。以民办教育联办模式较之官方科技合作，具有机制灵活，活动方便，不拘泥于繁杂手续，不机械地强调项目对等特点。目前，台湾私立大学占高校总数的60%左右，台湾私立与公立大学学生数之比为14:11，出现了“淡江”、“辅仁”、“东海”、“静宜”等著名私立大学，而且台湾的职业教育非常成功。因此，大陆教育界可以学习与借鉴台湾的教育体系，加强与台湾教育界的合作，吸收台湾教育人才与机构来大陆办学。

三、创新两岸民间科教交流与合作形式

通过两岸民间科教机构或组织，经过友好协商，共同签订两岸科教交流与合作的协议，建立两岸科教交流与合作的基金，定期举办两岸科教创新论坛，协同组织项目攻关，两岸大学之间、研究院所之间建立友好关系和联系，定期进行学术交流，互派访问学者和研究人员，开展两岸学生夏令营、科技竞赛和辩论赛等，把海峡西岸经济区作为共同市场、科教交流与合作的最佳实验区。在不断创新两岸民间科教交流与合作的活动中，促进两岸科教界加强交往，增进了解，融合亲情。

第六节　协同培养和延揽人才

人才是区域经济发展的最重要资源。20 世纪 90 年代以来，人才资源变成了一种稀缺资源，人才队伍建设已经成为许多国家和地区的战略重点。随着经济与科技全球化趋势的进一步发展，人才国际化的趋势进一步增强，世界范围内的人才争夺进一步加剧。因此，培养和延揽创新人才已经成为国家创新发展战略的重点。发展大计，人才为本，借鉴发达国家或地区培养和延揽创新人才的经验，海峡两岸有必要在国际竞争环境下，协同培养和延揽创新人才。

一、创造优良的环境吸引优秀人才

海峡两岸都要搞好公共设施建设及普及英语能力，并提供十分

优良的待遇，在吸引海外科教人才上创造优势。并借鉴我国香港及韩国的做法，减免所得税。香港的所得税率相对较低，而韩国对于海外科教人才的薪资亦采取免税政策，以增强对人才的吸引力和聚集力。

应注重引进学科学术带头人和领衔人才。给付较高薪资，创造合适的发展空间，委以组织管理重任，创造优越的工作环境和生活条件，制定优惠政策，以吸引“重量级”学者参加海峡两岸科教创新工作。

可参照韩国 Brain Pool 计划，允许民间中小企业申请专利，引进海外科教人才到海峡两岸合作企业中工作，并提供海外科教人才生活补助费，中型企业则可以得到50%的补助。对大型企业延揽海外科教人才，虽不予补助，但可提供其他方面的服务。同时，注重对俄罗斯、印度及东南亚国家科教人才以及欧美发达国家相关人才的吸引。

二、完善和利用留学政策广纳人才

积极创造条件，采取多种方式，吸引和联合欧美著名大学在海峡两岸设立分校，争取留学生前来就学。一方面学习发达国家的做法，对于外国优秀留学生提供奖学金，以及放宽留学生的就业限制。另一方面通过完善博士后人才的培养计划，对博士后学者提供薪资，也鼓励他们到境外去做研究，以增加其研究经验与国际视野；同时，积极建立研究人员科技合作网络。海峡两岸与世界知名大公司如AT&T、IBM以及与日本、法国、德国等国合作设立训练中心，通过设立培训中心吸引所需专门科教人才。

培养与引进高素质的创投人才。台湾创投业最早从美国引进，但创投失败率却低于美国的70%，只有20%，这与台湾创投策略及人才息息相关。台湾一些主要创投公司都在硅谷设点,创投业者频频往来台湾与美国硅谷之间,负责为岛内公司寻找技术、项目、人才和募集资金。海外技术与人才加上岛内的资金与工业基础,两股力量形成互补创造了相乘效果。祖国大陆一方面要创造宽松环境吸引更多海外学人回国创业,增加留学人员与台湾创投业者互动的机会;另一方面要尽快建立两岸创投专业人才的交流合作及人才引进机制。

放宽对科教人才引进的规定。海峡两岸科技、经济、社会发展急需的人才,在引进上没有数量上和续聘次数上的限制。在两岸工作一年以上的科教人才可申请居留权。只要能在海峡两岸觅得工作且居住五年即可成为永久居民;对科技移民者或专业技术人才其任职一年者即可获得永久居留权。

吸引海外留学生返国服务。海外留学生是一支极大的和宝贵的人才资源。在祖国大陆,教育部设有春晖项目、长江学者奖助计划、留学回国人员科研启动基金;而人事部制定了有关资助留学人才短期回国到非教育系统工作暂行办法;国家自然科学基金会设有资助留学生短期回国工作讲学专项基金、国家杰出青年科学基金作为科技人才延揽之资助。

20 世纪 80 年代以来,台湾出现了人才回流增长的趋势,近几年形成了一股回流高潮。在重要科技领域,集中了一大批人才,成为台湾经济发展、产业升级和技术创新的重要源泉。目前,台湾留美学生回台率达 95%。究其原因,与其积极实施人才交流计划,坚持“走出去”与“请进来”相结合的引进人才策略是分不开的。祖国大陆要有效地引进人才、技术、设备,首先必须拓宽引进概念,除引进人才、技术、设备外,还要重视“走出去”战略,加强与国际的科技合作,人员要走出去,学习国外先进的技术与管理经验。

三、创新人才交流与合作机制

要尽快达成海峡两岸科技人员交流协议，进一步完善政策、法规，从政策、法规上为扩大两岸人才交流创造良好条件，实现两岸科技人才交流的制度化。

目前，大陆经济技术交流中心与台湾“国科会”两个单位进行技术交流，但由于两个单位不是对口单位，无法做到直接对谈，因此都是各做各的推展，即使如科技人员互访，都得绕弯民间基金会来代为安排。只有在达成两岸科技人员交流协议后，才会建立联络协调机制，也才会有经费分担，交流合作才能做到长期化及制度化，双方互惠互利才会真正出现。

把科技产业合作作为重要切入点。双方可以本着互惠互利的原则，在产业界加强合作。因为产业界合作毕竟与政治牵扯不多，有利于双方在这方面达成共识。以福建为例，福建省科技产业界拥有大量优秀的基础研究人才，但是，目前福建省科技产业发展存在着制约因素，包括产业标准制定与核心技术匮乏、需要培训大批技术工人、产业链条分工协作能力薄弱等。台湾企业长期积累的经验、人才与相关知识，可为福建省众多企业提供所需的中上游产业的有效支持；在若干高科技领域，特别是在电子信息产业，台湾企业具有国际化经营和管理经验，能将科研成果迅速转化为产品，这些都对福建省企业有很好的帮助。

四、广辟协同开发人才的途径

科技人才已超越了其他资源，成为最重要的资源，为此，两岸都为造就与吸引高级科技人才做出巨大努力。然而，在世界高技术产业快速发展和高科技人才争夺日益激烈的今天，寻求两岸合作开发人力资源具有突出的意义。为进一步搞好协同开发人才，这里提出几条供选择的途径：

一是随着台湾产业向祖国大陆转移，台湾企业或企业集团派遣的管理人员和高级技术人才随企业在大陆投资后，就逐步举家迁移，进而在大陆落地生根，既为台湾科技企业发展，也为推进祖国大陆科技产业发展做贡献。从近年看，由台湾母公司派遣的管理和专业技术人才是最大的族群。

二是台湾高科技企业集团在祖国大陆以其投资企业为依托，参照美国微软、IBM 等大公司的做法，成立研究与开发中心，培养适合企业发展需求的管理和专业技术人才。

三是联合办学，培养发展高科技产业需要的相关专业人才。以两岸重点高校和优势专业为依托，根据科技研究和产业发展的需要，有计划、有重点地合作培养两地需求的高科技人才；同时，加强职前训练与在职进修，不断提高员工的科技水平和文化素养。

四是建立创业园和实验区以吸引和聚集人才。以台湾学者和台资企业为创业主体的泉州创业园，就是一个以台湾专家学者为智力和技术支持，以台湾学者和台资企业为创业主体园区，建成后将是一个以新型陶瓷材料和电子技术、数字化设备为主导产品的特色产业园。为适应两岸农业合作不断扩大的新形势，2005 年，福建省又获准将海峡两岸农业合作实验区范围从福州、漳州扩大到全省，从而在更广泛的范围内吸引和聚集人才。

五是促进两岸人力与智力交流。据台湾泛亚人力资源顾问公司调查，近年来，随着“产业西进”和“大陆热”的兴起，台湾专业人才到大陆就业的意愿逐年攀升，“人才西流”呈现潮涌势头。为适应这一趋势的发展，创造吸引和聚集人才的环境是当务之急。

第七节 协同实施知识产权战略

在经济、科技全球化进程不断加快的今天，知识产权与货物贸易、服务贸易一起，已经成为世界贸易的三大支柱。国际间的竞争归根结底是科技竞争，而科技竞争从根本上说是知识产权的竞争。发达国家和地区已将知识产权战略作为发展经济、增强竞争力重要支撑。因此，两岸协同加快、深化自主知识产权发展战略研究已经刻不容缓。

一、增强全社会的知识产权意识

首先要共同加大对知识产权的宣传和培训力度，增强全社会的知识产权意识。在不同行业、层面要加大资助经费的投入力度。其次要建立健全各级工作体系，强化政策引导和激励机制。要完善健全激励机制，加大降低专利申请门槛的力度，包括增加专利申请资助经费，鼓励企事业单位的专利申请；同时，加大政策引导，在检查中加入自主知识产权和技术创新方面的定量要求。

二、协同开展专利战略研究

继续加大自主知识产权司法保护力度。两岸协同开展行业和企业专利战略研究，使企业在参与国际竞争中能够有更多的自主权。两岸共同优化知识产权发展的环境，当务之急是加强和完善管理服务体系。健全知识产权网络机构，落实专职工作人员。加强两岸知识产权协调机制，建立涉外知识产权工作机制，监督检查政策措施落实情况等。

三、加强知识产权保护和管理

要研究制定《两岸促进行业协会发展规定》、《两岸行业协会管理暂行办法》等，提高行业协会处理知识产权问题的水平和能力。建议成立两岸知识产权保护协会，使之成为两岸企业、科研单位、高校应对国际竞争"联盟"，成为推动两岸知识产权保护的重要助手。同时，建立知识产权行政执法工作体系，形成协同保护知识产权的工作机制。

在知识产权运用平台建设上也要加快步伐，使专利技术等能够更快、更好地与社会资本结合，并在平台运作的基础上，加强两岸知识产权学术交流，提高双方在这方面的工作水平。

四、两岸共创产业标准，以求双赢

20 世纪初期，以美国为代表的发达国家率先进行标准化生产，获得了在国际市场的主导标准地位。而祖国大陆改革开放后才开始系统建立生产标准化，但发展至今仍落后于发达国家，企业在进军国际市场时常受制于人。因此，2004 年 9 月，在北京召开第七届京台科技论坛上，两岸 IT 人士共同就两岸 IT 产业的发展与合作献计献策，呼吁两岸应携手共创产业标准，增强国际竞争力，以获得双赢商机。

祖国大陆较早进军国际市场的企业——中国联想集团总裁兼首席执行官杨元庆认为，中国是世界 IT 生产业的中心，已经成为 IT 大国，但不是 IT 强国。究其原因主要在于只有制造，少有技术，缺乏创新和知识产权。中国 IT 业在信息产业链条中陷于被动地位，若不改观，对进军国际市场不利。他说，两岸应该加快合作交流，加快技术创新的步伐，引领先进的技术标准。这需要经济实力、技术水平、国家政策合力打造而成。

台湾全球华人竞争力基金会董事长石滋宜也提出,创造两岸科技共同标准,加强竞争力,刻不容缓。他表示,两岸应真诚对话,互动关心,合作开发人才宝库,发挥集体智慧,透过情境学习,共创标准,达到双赢。

海峡两岸的产业要想进军国际市场,就得符合国际技术标准,而这些标准往往由西方发达国家的大企业垄断,在竞争过程中难言公平。两岸 IT 界给出了这样的答案:两岸携手,合作开发,发挥两岸集体智慧,创造先进的技术标准,进军国际市场。

可以认为,这一顺应历史潮流的新进展,势必为两岸协同科教创新创造更为有利的条件和更加美好的前景。两岸科技界、教育界和企业界应该携手并进,共创 21 世纪中华民族的伟大复兴。

参 考 文 献

[1]福州大学软科学研究所编:《两岸科教创新论坛论文集》2004 年 11 月。

[2]李涛:《"台独"情结的变迁及"新台湾人"意识的生成》,《重庆社会主义学院学报》2001 年第 1 期。

[3]叶志坚:《福建历史文化优势与福建经济社会发展》,《福建学刊》1996 年第 5 期。

[4]吴德进:《福建教育事业呼唤投入新机制》,《福建省社会主义学报》2001 年第 4 期。

[5]厦门大学高等教育科学研究所编:《两岸大学教育学术研讨会论文集》,厦门大学出版社 1995 年版。

[6]陈笃彬主编:《台港澳高师教育比较研究》,厦门大学出版社

2002 年版。

[7]宁顺兰:《福建产业结构调整与高教结构的政策选择》,《莆田学院学报》2002 年第 4 期。

[8]李宗尧、黄春麟:《对当前高等职业教育发展中几个问题的认识》,《天津职业大学学报》2003 年第 5 期。

[9]穆岚:《台湾高等教育发展论析》,《河南师范大学学报》1998 年第 1 期。

[10]张亚群:《全球化中高等教育改革的重要参数——海峡两岸入世后的文化取向》,《复旦教育论坛》2004 年第 2 期。

[11]姚同发:《试析中华文化在两岸关系中的地位》,《台湾研究》1999 年第 3 期。

[12]林炳承主编:《福建区域创新体系》,海潮摄影艺术出版社 2004 年版。

[13]黄鲁成:《关于区域创新系统研究内容的探讨》,《科研管理》2000 年第 2 期。

[14]柳卸林、胡志坚:《中国区域创新能力的分布与成因》,《科学研究》2002 年第 5 期。

[15]王素弯:《知识经济时代对我国人力资源的因应与挑战》,《经济情势暨评论季刊》(电子期刊)2001 年第 4 期。

[16]*Annual Research Report 2001*, *Center for Science and Technology Studies*, Universiteit Leiden, 2002.

[17]*Immigration*: *Internationalization in Accordance with the Rules*, Immigration Bureau, Ministry of Justice, 2003.

[18]*Immigration Control and Refugee Recognition Act*, Immigration Bureau, Ministry of Justice, 2003.

[19] *Ministerial Ordinance to Provide for Criteria Pursuant to Article 7, Paragraph 1 (2) of Immigration Control and Refugee Recognition Act*, Ministry of Justice, 2002.

[20] *Present Policies of Foreign Workers and Relevant Measures*, Ministry of Labor and Social Welfare, 2003.

[21] *Themes Plus Talent Strategic Plan 2002 - 2005*, Netherlands Organisation for Scientific Research, 2003.

[22] *Scientific Research Networks for National and International Co-operation on Postdoctoral Level*, Fund for Scientific Research—Flanders, Belgium, 2003.

附录1:海峡两岸科教交流与合作活动记(1996~2005年)

1996年

1. 1996年3月29日至4月1日,由台湾中流文教基金会董事长、台湾大学政治系教授胡佛带领,台湾中流文教基金会访问团一行11人到北京进行学术交流和工作访问。

2. 1996年6月,应台北律师公会的邀请,中华全国律师协会组成律师赴台访问团一行9人,赴台湾参加“两岸律师实务交流研讨会”。这是全国律协首次组团赴台参会,为两岸双向交流揭开了新的一页。

3. 1996年7月9日至16日,海峡两岸“弘扬中华传统文化”学术研讨会在山东省曲阜市举行,此次研讨会由中国社会科学院主办,台湾中流文教基金会协办。这是海峡两岸在人文社会科学领域召开的一次高层次和高水准的学术会议。与会的台湾学者以台湾大学政治学系教授、中流文教基金会董事长胡佛为首,共20人。

4. 1996年7月16日至19日,“第六届海峡两岸关系研讨会”在北京召开,这次会议以经贸为主题,与会的台湾学者44人。

5. 1996年9月3日至7日,海峡两岸“中国文化与中国宗教”学术研讨会在北京召开,会议由中国社会科学院宗教所和台湾中华宗教哲学社合办,与会的台湾学者台湾中华宗教哲学研究社理事长、淡江大学教授李子弋为首,共33人。

6. 1996年10月11日至16日,第四届海峡两岸中国现代化学术研讨会在上海召开，出席会议的台湾学者共25人，海峡两岸关系协会会长汪道涵出席开幕式并致辞，中国社会科学院刘吉副院长出席了会议，上海市领导会见并宴请了全体与会学者。会后，台湾学者到江苏省江南地区参观考察。

7. 为促进北京和台湾两地博物馆间的科普工作交流与合作，北京自然博物馆与台湾台中自然科学博物馆文教基金会联合于1996年11月1日至1997年4月30日在北京自然博物馆举办《鲸的故事》展览。

8. 为促进海峡两岸地矿资源开发合作交流，北京市科学技术研究院与台湾地区石矿制品工业同业公司合作于12月9日至10日在京举办了第一届海峡两岸地矿资源开发合作研讨会。会议以“海峡两岸地矿资源开发与合作”为主题进行了广泛研讨。研讨会议题是：祖国大陆矿产资源开发现状和未来展望；台湾石材产业现状与需求；两岸在地矿资源开发、加工、贸易、研究等方面的合作方向；鼓励台商投资的政策与保障；两岸合作的方案与对等条件。

9. 12月17日至26日，由国家科委海峡两岸科学技术交流中心与北京高科技产业化研究会联合组织的高科技产业会专家访问团在台湾进行了为期10天的参观访问。访问团主要考察了台湾生物技术中心、菁英创业公司、台湾工业技术研究院、台湾大学等十几家产学研单位。

10. 12月20日至23日，由中国社会科学院学术交流委员会、云南省社会科学院和台湾孙文学术思想研究交流基金会联合举办的海峡两岸孙逸仙思想与民族发展学术研讨会在云南省昆明市召开，海峡两岸专家学者共40余人参加了这次会议，共提交论文18篇。

1997年

1. 应台湾石油情报出版社邀请,上海石油商品应用研究所《石油高技》和大连石化公司《润滑油》编辑部一行五人于1997年初赴台湾进行期刊和润滑油信息方面交流。这是海峡两岸民间团体进行润滑油交流的首次合作。

2. 应台湾前瞻政策研究中心邀请,由国台办海峡经济科技合作中心组织的"海峡经济科技合作中心团"于3月27日至4月4日赴台湾访问。访台期间,海峡经济科技合作中心与前瞻政策研究中心共同举办了"海峡两岸科技管理研讨会"。

3. 由南京东南大学与台湾《远见》杂志社共同主办的海峡两岸经贸与信息传播学术研讨会于4月18日至19日在南京东南大学举行。来自台湾的二十多名专家学者与祖国大陆数十位专家学者就"两岸经贸的发展与合作"、"两岸高新技术开发区发展与合作"、"两岸信息传播及信息产业发展与合作"等议题进行了学术交流与讨论。

4. 由台湾农村发展规划学会执行秘书杨垣进教授率领该会大陆农牧参访团一行五人,在中国工程院以及相关单位,国家食物与营养咨询委员会,青岛海洋大学,山东省文登市畜牧和乳品局,山东鹏程食品集团公司安排接待下,于7月29日至30日到山东省文登市奶山羊基地进行参观、访问、交流。

5. 由中华民族史研究会、海南省政协文史委员会、琼州大学、通什市人民政府联合主办,海南置业集团协办的"海峡两岸史学家合撰中华民族史第四次学术研讨会"于8月2日至8日在海南省通什市举行。会议期间,海内外学者针对中华文明的起源、海南岛黎族等问题进行了深入的探讨。

6. 第二届海峡两岸计量科技学术研讨会于11月16日至18日在台北市举行。中国计量测试学会组织了全国各地21名专家赴台参加会议。会议按长度、力学、电磁和温度等专业领域分四个小组进行研讨。共宣读了53篇文章。

1998年

1. 1月21日至25日，在台北举办了亚太经合组织(APEC)第二届技术博览会(Technomart II)。国家科委与外经贸部联合组团参加了此次活动。大陆展团赴台展示祖国大陆近年来科技经济发展成就，增强两岸相互了解，推动两岸经济技术合作。通过参展极大地促进了两岸科技、经贸交流，增进了相互了解，达到了预期目的。

2. 4月2日，台湾《投资中国》杂志社发行人程伶辉女士及随行人员到科技部拜访了科技部办公厅副秘书长黎懋明，以及科技部海峡两岸科学技术交流中心负责人杨君苗、徐昆明。黎懋明副秘书长向台湾客人介绍了科技部的职能、发展战略、方针、政策、计划等，双方还就各自感兴趣的问题进行了交流与探讨。

3. 应海峡两岸科技交流中心邀请，台湾李国鼎科技发展基金会于5月下旬组织科技考察团到祖国大陆访问。考察团在京期间拜会了科技部、中科院、自然科学基金会等单位，并与祖国大陆同行就两岸科技交流合作、信息技术科技名词和地球物理科技发展等问题交换了意见。

4. 7月17日，在台北召开"两岸科技成果交流研讨会"，应台湾工业技术研究院邀请，科技部部长朱丽兰率由科学家组成的代表团，携数百项科技成果，赴台参加交流研讨会。标志着两岸科技交流与合作进入了一个新的发展阶段。

5. 由北京市台办、北京市科委和北京市新技术开发试验区管委会共同主办的“京台科技成果商品化研讨交易会”,9月16日在北京国际饭店隆重开幕。为期三天的会议,主要安排了专题报告、成果交易、学术研讨和参观考察等四部分内容。

6. 由国家自然科学基金委员会和中国科协主办的“首届海峡两岸植物生物分子学研讨会”于10月12日在北京举行。这是两岸生物技术界学者殷切期待的一次学术性聚会。

7. 福建省科学技术协会于11月4日至5日在福州市举办了“走向21世纪的闽台经济与科技合作论坛”。代表们提交会议的论文37篇,涉及农业、信息产业、电子、科技园区、交通、气象、地震、商检、经贸、可持续发展等多学科和综合领域的闽台科技与经济的交流合作。

1999年

1. 应台湾李国鼎科技发展基金会的邀请,科技部惠永正副部长以教授身份,于2月14日至3月4日对台湾进行了访问。惠副部长此行在于推动香港及海峡两岸中医药界合作的深入进行,宣传祖国大陆中医药现代化发展成果。

2. 第三届海峡两岸纺织工业研讨会在厦门举行。台湾方面在“纺拓会”董事长徐旭东带领下,共有60位纺织业人士参加。

3. ’99海峡两岸产学研合作研讨会4月8日在厦门市举行。海峡两岸经贸界、科技界、教育界人士相聚一堂,共同探讨海峡两岸产学研合作的新途径。

4. 应科技部部长朱丽兰的邀请,台湾工业技术研究院史钦泰院长一行12人于6月19日至29日来祖国大陆参观访问。史钦泰院长一行既是对去年7月朱丽兰部长访台的回访,也是进一步加强两岸科技交流与合作的活动。

5. 由海峡两岸食品业工程科技界共同发起，经中国工程院农业轻纺与环境工程学部近一年筹备的“海峡两岸东方食品研讨会”于8月16日至19日在北京科技会堂召开，有27篇论文在研讨会上进行交流。其内容从宏观的“中国农业与东方食品”、“东方食品的企业化经营”到具体的大豆食品、“传统美食”等论题。

6. 为了推动海峡两岸农业合作的发展，由百余名两岸农业专家学者参加的“海峡两岸（海南）农业合作试验区发展研讨会”于11月1日在海口市召开。在为期5天的研讨会上，两岸农业方面的专家学者将围绕“两岸农业合作的潜力、方式”、“试验区如何建设”、“两岸农业如何因应加入世界贸易组织的机遇和挑战”等共同关心的问题进行探讨。

7. 11月1日，以李庆华先生为团长、冯沪祥先生为副团长的台湾地震救助与重建考察团访问国家地震局。

8. 由中华全国台湾同胞联谊会、美国洛杉矶华夏策略研究会主办，中华海外联谊会、中国海外交流协会、中国和平统一促进会、海峡两岸关系协会、珠海市人民政府协办的第五届中华民族振兴学术研讨会，于12月27日至29日在珠海市隆重召开。

2000年

1. 由国家自然科学基金委员会组织的祖国大陆制造科学技术代表团于1月17日至23日在台湾参加了“第一届海峡两岸制造科学技术研讨会”，并进行了学术交流活动。研讨会的主题为：快速原形制造与逆向工程、微机电系统、精密制造与设备、制造系统与控制。

2. 由上海市科学学研究所主办的“2000年沪台技术转移研讨会”于4月11日至13日在上海举行。来自台湾亚太智财科技服务公司、政治大学、中山大学等机构的12位学者与祖国大陆三十多位研究人员,围绕技术转移与风险投资、技术转移与研发、技术转移与知识产权等几个专题展开了热烈的讨论。

3. 4月21日,科技部海峡两岸科技交流中心、海南省科技厅和海南省台办在海口市联合举办了“海峡两岸高效农业科技合作研讨会”。研讨会上,海峡两岸农业科技界人士畅所欲言,对加强两岸农业科技合作、农业种植与管理、水产养殖与加工等进行专题研讨。

4. 5月7日,“2000京台科技合作研讨洽谈会”在北京召开。会议期间,双方签订多项投资合作协议,协议金额1.12亿美元。

5. 5月9日,“海峡两岸昆虫学会名词学术讨论会”在北京举行,来自台湾的8位昆虫科学家和祖国大陆二十多位昆虫科学家聚集一堂,就海峡两岸昆虫学名词的统一(对照)进行研讨。

6. 6月1日至9日,在北京举行了“第二届海峡两岸祁连山及邻区地学研讨会”。研讨会由中国地质科学院地质研究所主办,国家基金委员会和国土资源部协办。会议的主题是“祁连山及邻区的物质组成与地质演化”,分为祁连山及邻区的变质基底;高压—超高压变质岩;蛇绿岩、火成岩及有关矿产,以及区域地质构造4个专题。

7. 6月12日至14日,“海峡两岸农业高新技术产业化研讨会”在陕西杨凌举行。两岸专家学者进行了学术交流和经贸洽谈,有14位农业专家作大会发言,五十多位农业专家在小组会上介绍了自己的学术研究成果,对农业产业化、农业技术、农业经济等问题进行了探讨和交流。

8. 应朱丽兰部长的邀请,台湾工业技术研究院孙震董事长于6月18日至6月30日来祖国大陆山东、北京参观访问。6月26日下午,朱丽兰部长会见了孙震先生一行3人,对台湾工业技术研究院在科技产业化方面的卓有成效的工作表示称赞,并表示在科技领域两岸合作前景广阔,双方应多做务实的合作,共同为实现中华民族伟大复兴而努力。

9. 6月19日至22日,以会长张耀煌为团长的“台湾青年创业协会总会访问团”一行近百人访问北京。两岸青年企业家进行了座谈,畅谈创业之路。

10. 6月27日,“台湾工业总会大陆经贸考察团”一行36人在科技部多功能厅拜会了朱丽兰部长。

11. 6月30日至7月2日,以台湾工业总会新任理事长林坤钟先生为团长的“台湾工业总会大陆经贸考察团”一行二十多人,到江苏进行了为期3天的考察活动。

12. 由国家自然科学基金委员会委托中国科学院上海硅酸盐所承办的“第一届海峡两岸陶瓷基和金属基复合材料研讨会”于7月18日至21日在上海举行。双方代表分别介绍了各自材料科学研究成果。

13. 由四川省台办和省科技厅与成都、德阳、绵阳市政府共同举办的“四川——台湾经济科技合作洽谈会”,于8月8日至11日分别在成都、德阳和绵阳举行。洽谈会期间,代表们分别考察了成都市温江区、德阳市和绵阳市,同当地的企业界人士进行了广泛洽谈和交流。签订30项合作协议,协议金额达25亿元人民币。

14. 由国务院台办、农业部、外经贸部、黑龙江省人民政府联合举办的“海峡两岸农业合作研讨会”于8月6日至9日在哈尔滨举行。与会代表一致认为,海峡两岸农业各有所长,在资金、技术、市场、劳动力、自然资源等方面具有明显的互补性。加强两岸农业交流与合作,将祖国大陆的农业资源、劳动力、科研成果与台湾的资金、应用技术、农产品运销的优势结合,促进两岸生产要素的合理配置,有利于提高农业生产的竞争力,有利于联合拓展国际农产品市场,实现两岸共同发展,促进中华民族农业的振兴。

15. 应海南现代工业集团有限公司的邀请,台湾承启科技股份公司董事长董钟权先生一行4人,8月14日至15日到海南省,进行了为期两天的投资考察,并与海南现代工业集团有限公司签署了生产电脑主板、显示卡、信息家电项目等合作协议。

16. 9月20日,江苏历史上规模最大、层次最高的"海峡两岸高科技产业发展研讨会",在新落成的南京国际展览中心隆重开幕。来自海峡两岸近500名科技界、产业界的专家学者和知名企业家相聚一堂,共同就"面向经济全球化的21世纪,促进科研成果产业化,推进两岸科技产业互补,提升海峡两岸科技企业的竞争力"进行了广泛的交流与研讨。

17. 9月4日至6日,来自台湾和祖国大陆的近一百六十多位城市建设专家、学者和实业家聚集大连,参加"海峡两岸城市建设发展(大连)研讨会"。这次会议由大连市人民政府主办。与会代表围绕面向21世纪的城市管理、城市建设的规划与设计、城市建设的运行机制、生态城市建设、城市建设与城市文化及社会因素对城市建设的影响、城市建设的产业构成及综合开发等议题展开研讨。

18. "以基因科技与人类未来"为主题的第四届海峡两岸青年学术交流会于9月29日至10月7日在台湾隆重举办。

19. "首届海峡两岸高等教育跨世纪论坛"于10月23日在武汉召开,由海峡两岸31所大学联合发起,华中科技大学和台湾大学共同主办。有台湾三十多所大学、祖国大陆六十多所大学的二百多位校长、专家、教授参加。

20. "第五届海峡两岸水利科技交流研讨会"于10月13日至15日在四川都江堰市召开,出席会议的代表共101位,其中台湾代表28名,美华水利学会和其他海外代表11名,祖国大陆代表62名。

21. 11月1日至3日,由南京中医药大学、江苏省抗衰老学会、金陵之声广播电台、安徽省百寿制药有限公司、江苏扬子江药业集团公司、中国经贸画报社等单位联合举办的“海峡两岸新世纪养生文化学术研讨会”在南京举行。来自台湾地区、香港、澳门特别行政区和全国其他省市的一百多位知名中医药养生保健专家和学者欢聚一堂,共同探讨了祖国传统养生文化的发展和应用。

2001 年

1. 中国科技情报学会与台湾中华图书资讯馆际合作协会于1月9日在台湾成功大学联合举办“第三届海峡两岸信息技术学术研讨会”。祖国大陆代表团团长梁战平和台湾“国科会主委”翁政义分别介绍了祖国大陆与台湾近年来信息技术、网络建设及信息资源开发利用情况。双方共同希望利用网络技术加强祖国大陆、台湾馆际合作,以建立中文文献资源的共建共享系统。

2. 2月5日至9日,台湾屏东科技大学农企管理系主任、教授段兆麟博士率领台湾农业科技考察团考察了海南省。双方达成了琼台两地农业科技交流与人才培训、休闲农业、园林合作与规划的合作意向。

3. 2月27日,由科技部海峡两岸交流中心主办的“海峡两岸暨香港高技术合作研讨会”在北京举行,来自海峡两岸及香港高技术领域的专家学者百余人参加了研讨会。与会代表介绍了各自的研究成果;探讨了海峡两岸及香港特区在生物技术、信息技术等高技术领域合作的可行性,为加深了解,促进合作奠定了基础。

4. 台湾《工商时报》应岛内工商实业界人士的要求,于3月10日至4月5日组织科技、商业、工业3个台商投资考察团,先后到苏州、无锡、常州等地参观考察,寻找投资合作机会,取得了预期效果。

5. “第五届海峡两岸光电子学术研讨会”于4月1日至4日在

厦门大学举行。研讨会议题覆盖了光电子材料的外延生长与检测、半导体激光器和探测器、光波导开关和耦合器等无源器件、光纤通信系统及其他光电子器件的应用。这次研讨会是祖国大陆、台湾、香港及海外学者交流和展望光电子及光通信领域发展的一次盛会。

6. 4月29日是清华大学建校90周年纪念日,海峡两岸的清华大学将首次携手共庆母校建校90周年。4月22日,清华大学校长王大中率团赴台湾,参加那里的清华大学校庆。4月26日,台湾清华大学校长率团赴京参加清华大学举行的活动。此外,台湾清华大学校友团也将一同前往大陆,举行海峡两岸两校的学术交流和一些体育比赛。

7. 由北京市人民政府台湾事务办公室、北京市经济委员会、北京市科学技术委员会、中关村科技园区管理委员会、台湾"全球华人竞争力基金会"共同主办的"第四届京台科技论坛暨京台科技合作研讨洽谈会"于5月8日在京开幕。会议期间,京台两地科技界、学术界和工商界知名专家学者和企业家围绕京台两地、海峡两岸高新技术产业,特别是通信产业、计算机和软件产业、风险投资产业三大领域交流与合作问题,设置三个论坛。

8. 有志于开拓中华传统医学的海峡两岸的专家、同行5月19日至20日聚集上海,参加由科技部海峡两岸科技交流中心、上海科技开发交流中心和台湾孙运璇学术基金会联合主办的"两岸中医药学术研讨会"。研讨会共收到两岸学者论文38篇,重点讨论了中医药发展的过程和现状,寻找发展契机。

9. 5月24日,"第五届京台科技论坛暨京台科技合作研讨会"在北京举行。五百多名京台两地科技界、学术界和工商界知名专家学者和企业家再次相聚北京,就加强京台两地计算机与软件、微电子、知识产权、现代物流和电子商务等高新技术领域的交流进行了为期3天的研讨和洽谈。

10. 以信息产业部、国台办、中科院、北京大学、清华大学、台湾电机电子工业同业公会为支持单位，福建省人民政府主办、福州市人民政府承办的“海峡两岸信息技术与微电子产业发展研讨会”于6月6日至7日在福州召开。海内外信息技术与微电子产业的著名专家和企业家、投资家共同交流海峡两岸信息技术与微电子产业发展的经验，探讨发展微电子产业的思路，以及加强闽台两地信息技术和微电子产业合作的对策，开展技术专题研讨、学术交流和投资环境考察。

11. 由陕西省人民政府主办，省台办、省科技厅和西安高新技术产业开发区承办的“西安科技论坛暨海峡两岸高新科技园区发展研讨会”于10月14日至18日在西安举行。

12. 由台湾李国鼎基金会、资讯工业促进会、东南大学、南京大学共同筹划举办的李国鼎纪念会，于10月28日上午在东南大学举行。苏台两地有关单位和个人赠送花圈，李国鼎先生的生前好友及亲属一百余人参加了安厝仪式。

13. 为了应对加入世界贸易组织对两岸农业发展的影响，加强两岸科研教学单位之间的合作交流，11月14日至18日，应福建省农业科学院谢华安院长的邀请，台湾中兴大学农学院徐世典院长一行3人来福建参观访问，商定合作计划。双方就进一步加强农业科技合作事宜进行了认真讨论，达成了5个方面的合作意向。

14. 11月27日至28日，来自海峡两岸、香港、澳门的学者聚首台湾空中大学，就远端教育、成人教育、社区教育、网络教育的合作与交流等进行了广泛深入的研讨，课题涉及课程规划、媒体运用、教师专业发展、创造性思维训练、教学活动以及教学机制、学习者特质、学习行为、学习成效、学习瓶颈的克服等教学环节。

15. 12月7日,苏州大学校长钱培德应姊妹校——台湾东吴大学邀请赴台,主要洽谈两校在祖国大陆合作为台商开设EMBA高级企管硕士在职专班,以及两校师生互访和教师相互兼职等事项。

2002年

1. 由福建省人民政府主办、漳州市人民政府和福建省林业厅承办的"第四届海峡两岸(福建漳州)花卉博览会",于1月8日到13日在漳州市漳浦县马口"花卉大世界"隆重举行。本届花博会充分体现了"花牵两岸,拥抱绿色世纪"、"田园风光,人与自然和谐"的主题,成为影响深远、辐射海峡两岸的花事盛会。

2. 应台湾中华齐鲁文经协会于宗先理事长的邀请,以烟台市芝罘区教育学会名誉会长魏秀田为团长的"烟台芝罘教育交流团"一行11人,于2月27日至3月8日赴台进行教育交流活动。就鲁台两地教育等多方交流与合作事宜进行研讨交流。

3. "第三届海峡两岸祁连山地学研讨会"于2002年3月18日至26日在台湾省台南市成功大学举办。国家自然科学基金委员会将海峡两岸祁连山地学研究列为重大合作项目,促成了此次研讨会成功举办。

4. 4月1日至2日,"海峡两岸新世纪全人教育论坛"在云南大学举行。来自海峡两岸二十多所大学的五十多位校长、学者出席了本次论坛。与会者就加入世界贸易组织后高等教育面临的机遇、挑战和应对措施,新世纪世界教育和文化发展的态势,以及高等教育如何培养符合社会发展需要的全新人才及其教育模式等议题进行了研讨。

5. 由江苏省台办、东南大学、台湾中央大学、台湾李国鼎科技发展基金会共同主办的"海峡两岸经济与科技产业比较研讨会"于5

月30日在南京举行。会议围绕苏台两地经贸、科技合作，两岸科技产业的合作与发展、两岸高科技工业园区的比较及互动发展等主题，就经济全球化和加入世界贸易组织背景下两岸IT产业发展、两岸IC产业的发展、两岸光电产业的发展、两岸农业生物技术的发展、两岸高科技工业园区的发展等问题进行了专题研讨。

6. 应台湾"中国医药研究所"所长陈介甫教授的邀请，以青岛大学副校长、医学院院长谢俊霞教授为团长的青岛大学医学教育交流团于6月12日抵达台北，进行为期一周的交流访问。

7. 清华大学台湾研究所所长刘震涛6月28日抵达台湾访问，进行为期12天的学术参访，由于刘震涛曾任国务院台湾事务办公室经济局局长，目前仍具有大陆海峡两岸关系协会副会长的身份，此行备受瞩目。

8. 7月5日至11日，由台湾"中华商业教育学会"理监事组成的考察团一行41人在该学会连胜产理事长带领下到山东省访问交流。考察团访问了青岛市旅游学校，并与青岛市教育部门有关人员就职业教育进行了交流座谈。

9. 7月15日，来自台湾逢甲大学、台北科技大学、龙华科技大学、台中技术学院、东吴大学、台北公共利益基金等二十余所院校的二百三十多名师生与清华大学、人民大学、北京科技大学、北京工业大学、北京工商大学、北京民族文化交流中心的师生们欢聚在清华大学，隆重举行亲情、友情、世纪情——2002年京台两地青年交流周开幕式。

10. 由山东省科学技术协会、台北市交通文教基金会、香港工程师学会、澳门工程师学会、山东大学、山东公路学会、山东建筑学会主办，山东省海峡两岸经济文化发展促进会等团体联办的"海峡两岸四地21世纪交通与物流学术论坛"于8月14日在山东省济南市圆满结束。

11. 由江苏省昆山市人民政府和清华大学台湾研究所联合主办的“2002两岸(昆山)专题论坛”,于10月20日至21日在昆山市举行。来自祖国大陆和台湾的50位专家、学者共同探讨了昆山、台湾经济发展的过去、现在和未来,为进一步推动两岸经济合作和发展献计献策。

12. 10月25日至11月1日,中国科学技术信息研究所副所长赵力新博士应邀参加了由台湾中华管理科技研究基金会与中国企业投资协会在台北共同举办的两岸经贸高峰论坛。本次论坛分为八大主题,即“两岸银行体制改革与银行管理新思维”、“加入世界贸易组织后两岸证券及保险事业发展新契机”、“两岸传统产业之机会与挑战”、“两岸科技产业全球布局之策略与管理”、“加入世界贸易组织后两岸通讯产业之竞合与影响”、“两岸生技产业发展之远景”、“从两岸关系变革看两岸媒体事业发展”、“两岸经济贸易政策与两岸产业发展”。

13. 由上海同济大学、台湾成功大学共同主办,海峡两岸38所大学的校长于11月2日至3日齐聚台湾成功大学,研讨新世纪科技教育的创新理念,签署共同声明,宣布以学术合作迎接21世纪,携手推动科技教育在两岸扎根。

14. 应台湾彰化师范大学校长康自立博士的邀请,以山东师范大学副校长王志民教授为团长的山东师范大学学术交流团一行6人,于11月20日至29日在台湾进行教育学术交流活动。

15. 来自北京、上海、香港、台湾和澳门五地的教育专家们于11月23日聚首濠江,参加由澳门中华教育会等机构主办的第八届海峡两岸暨港澳地区教育学术研讨会,就21世纪的教育改革与发展进行研讨。

16. 辽宁省教育代表团于11月25日至28日在台湾世新大学，与台湾八所公私立大学举行“社会遽变下高等教育发展研讨会”，针对大学教育面临新世纪的挑战及两岸学术交流展望交换意见，并考察了台湾多所大学。

17. 应台湾财团法人海棠文教基金会董事长朱凤芝的邀请，以山东省教育学会副会长刘向信为团长的山东省文教交流团一行10人，于12月9日中午抵达台北，进行为期10天的文教交流和考察访问。通过交流访问，了解台湾高等教育、职业教育、中等教育在管理机制、经费渠道、合作办学等方面的情况，就双方在教育交流方面的合作等进行商谈。

18. 由漳州市人民政府和福建省林业厅主办的海峡两岸（福建漳州）兰花迎春展销会，于2002年12月30日至2003年元月5日在漳州市海峡两岸园举行。漳州市人民政府还在花博园同源堂举行海峡两岸（福建漳州）兰花迎春座谈会，商讨今后如何进一步办好海峡两岸花卉博览会、兰花迎春展销会等事宜，以进一步推动两岸花卉产业的合作、交流发展。

2003年

1. 来自香港、澳门、台湾和内地的22所高等院校的六十多位代表，于1月11日在哈尔滨参加了由哈尔滨工业大学承办的“第五届海峡两岸继续教育论坛”。本届论坛为期3天，主题是“区域经济发展与继续教育”。

2. 上海市浦东新区学前教育协会赵国雯等7人应台湾“中国儿童潜能发展协会”的邀请，于1月20日至29日赴台进行沪台两地学前教育交流。

3. 2月11日至12日，“2003年海峡两岸（天津）高等职业教育研讨会”在天津召开。台湾技职教育参访团与天津高职院校和教育研究机构的专家,以“高职教育的质量与发展”为主题进行了深入的交流与研讨。

4. 应台湾大学陈振川教授和润泰集团总裁尹衍先生的邀请,陈厚群院士、叶可明院士、廖鹏院士、周锡元院士及上海建工集团总公司范庆国总工、清华大学冯乃谦教授、中南大学余武教授和中国工程院王海博士组成的中国工程院土木专家代表团一行8人,于2月12日至18日在台湾参加了“两岸高性能混凝土工程与耐震设立研讨会”,进行了学术交流与考察活动。

5. 2月13日至23日,四川大学校长卢铁城等11人应台湾台中文教基金会的邀请赴台交流。

6、应台湾阳明大学校长吴研华教授的邀请,以中国工程院医药卫生学部副主任赵铠院士为团长的医药卫生学部代表团,于3月10日至17日在台湾进行工作访问。

7. 应台湾景美医院院长郭耀聪的邀请,以山东省卫生厅副厅长、山东省医学会副会长于富华教授为团长的山东省医学教育交流团,于3月11日赴台进行医学教育交流。

8. 3月17日,首都经济贸易大学财会学院院长刘大贤等19人,应台湾淡江大学会计系的邀请赴台进行会计审计高等教育的交流。

9. 3月25日,辽宁省科技厅副厅长杨忠华等12人,应台湾“中国生产力中心”的邀请,赴台参加“辽台两地科技管理学术研讨会”。

10. 3月26日,清华大学、北京大学、浙江大学14名教授,应台湾清华大学积体电路设计技术研发中心的邀请,赴台参加“2003年海峡两岸系统晶片设计与测试技术研讨会”。

11. “潍坊坊子文教交流团”一行7人,应台湾“台北市教师会”理事长叶庆龙的邀请,于3月27日抵达台北进行为期10天的文教交流活动。在台期间，与台北市教师会等相关团体及学校举行“中学教育交流研讨会”，并访问东势高级职业学校等院校及教学机构。

12. 3 月 31 日，北京市教育学界管理工作者赴台交流团今日从北京出发，前往高雄、台北与当地教育界交流。两岸专家、学者就高等学府的学生管理、教育改革等问题进行了学术交流，祖国大陆学者将了解台湾地区教育改革的状况与经验。

13. 4 月 1 日，西安联合大学副校长王学民等 22 人，应台湾企业大学文教基金会的邀请赴台进行文化教育交流。

14. 5 月 9 日，祖国大陆首家以台湾学者为专业服务对象的孵化器——台湾学者创业园在厦门成立。

15. 由中华全国台湾同胞联谊会主办、四川省台湾同胞联谊会承办的第八届全国青年台胞传统文化教育夏令营于 7 月 25 日至 31 日在四川举办。来自祖国大陆各省、自治区、直辖市的台湾籍大学生和台商子女共 60 人参加了夏令营。

16. 9 月 4 日至 10 日，中科院地理科学与资源研究所等单位邀请 18 位台湾有关专家及研究生访问哈尔滨、长春和沈阳等地，考察区域经济的发展情况，并在北京召开了“海峡两岸新经济地理学研讨会”。

17. 应台湾海棠文教基金会董事长朱凤芝的邀请，以山东省教育交流协会副会长马庆水为团长的山东省教育交流团一行 19 人于 9 月 9 日至 19 日在台湾进行教育交流。

18. 中国生产力中心促进中心协会程凌华等 21 人应台湾中华青年交流协会的邀请，于 9 月 10 日至 9 月 19 日在台湾参加“企业技术创新与信息化建设应用研讨会”。

19. 应台湾明志技术学院的邀请，浙江省嵊州市教育学会会长何国英等 13 人，于 9 月 12 日至 19 日在台湾进行交流访问。在台期间,访问团主要参加了“浙台两地基础教育交流研讨会”,参访了明志技术学院、长庚技术学院及科学工业园区。

20. 应台湾“中华两岸文经交流发展促进会”理事长廖天福的邀请,青岛市中学校长交流团曲宏斌等10人,于9月23日至10月2日在台湾进行教育交流。

21. 来自北京大学、清华大学、中国人民大学、中国政法大学、北京中医药大学等十余所高校200名台湾新生与首都大学生一起,在清华大学共同参加由北京市台办、北京市教委和全国台联文宣部举办的“2003年北京地区高校台湾新生欢迎仪式暨金秋北京一日游活动”。

22. 应台湾美语教育协会的邀请,江西省出版工作者协会吴运金等9人,于12月10日至12月20日在台湾与台湾同行就提升海峡两岸英语教育出版的品质,强化两岸教育出版等进行了交流,共同研究英语教育出版的发展方向,进行了学术考察及经验交流。

23. 12月19日,北京市人民政府台湾事务办公室举办第二届“北京对台工作论坛”。在京有关部门领导,专家学者及台商约一百二十余人出席了本次论坛。本次论坛以“优化涉台发展环境、推动京台交流合作”为主题。

24. 中国关心下一代工作委员会应台湾企划人协会的邀请,组派李幼林等24人于12月19日至12月27日在台进行教育交流,与台湾同行就两岸“关心下一代”、“妇女人才与儿童”等问题进行座谈。

25. 中国大学出版社协会彭松建等30人应台湾省五南图书出版公司的邀请,于12月17日至12月27日赴台参加“2003年海峡两岸出版社暨学术出版研讨会”。

26. 宋庆龄基金会应台湾“中华少年及儿童福祉关怀协会”的邀请,组派冯玉环等27人于2003年12月26日至2004年1月4日在台湾进行幼教教育交流。

2004 年

1. 无锡市成人教育协会秦蕴石等 9 人应台湾中华文教经济发展学会的邀请,于 1 月 29 日至 2 月 5 日赴台参加“成人教育创新方法研讨会”。

2. 海峡两岸科技交流中心、清华大学台湾研究所、昆山市人民政府共同主办的“海峡两岸产业创新研讨会”,于 2 月 10 日至 11 日在昆山市举行。来自海峡两岸的专家学者、科技产业界人士近百人出席了研讨会。

3. 应台湾中华工商经贸科技发展协会的邀请,中国电子科学技术交流中心王小延等 14 人于 2 月 12 日至 21 日赴台参加“二十一世纪两岸电子科技发展趋势研讨会”。

4. 北京电影学院院长张会军等 23 人应台湾世新大学的邀请,于 2004 年 2 月 16 日至 2 月 27 日在台湾进行电影教育学术交流。

5. 由中国科协支持,福建省科协、中国科协青年科学家福州活动基地、福建省农科院、福建省博士创业促进会等单位联合主办的“第二届海峡两岸科技与经济论坛”于 3 月 13 日在福州开幕,来自海峡两岸的有关专家学者一百多人出席了论坛。

6. 6 月 13 日,海峡两岸广告学者与业内人士汇聚北京大学探讨华人广告教育的现状和趋势,“成长中的中国广告业如何处理结构不尽合理、优秀人才匮乏问题”引起关注。

7. 中科院植物所研究员韩兴国等 10 人应台湾东华大学邀请,于 5 月 26 日至 6 月 9 日在台湾参加研讨会。

8. 中科院合作局高级工程师邱举良等 33 人应台湾“中研院”邀请,于 5 月 31 日至 6 月 6 日在台湾参加研讨会。

9. 6月17日,"第二届海峡青年论坛"在福州开幕。来自两岸四地的六百多位人士参加了本次论坛。本届论坛主题为"海峡西岸经济区·青年创业"。

10. 由中国信息协会CIO分会承办的"2004年海峡两岸金融信息化交流论坛"于6月18日在北京召开,海峡两岸从事金融行业信息化工作的官员、专家、CIO们和业界厂商共七十多人汇聚一堂,就国际国内金融信息化的新发展,信息技术在金融行业的新应用等热点话题进行了深入探讨。

11. 7月初,"非典"影响刚刚散去,由台湾前"立委"冯沪祥相继率领两个台湾大学教授团共一百四十多人到北京、上海、南京等地进行访问交流。

12. 应山东省高级中学协会的邀请,以台湾"中华中等教育学会"理事长林昭贤为团长、台北市教育局督学廖进安、台北南华高中董事长李端端、"中华中等教育学会"秘书长黄浴沂为副团长的"中华中等教育学会山东省教育参访团"一行18人于8月14日至21日在山东进行交流访问。

13. 中国人民大学副校长马俊杰等38人应台湾中医大学邀请,于8月25日至31日在台湾进行交流。

14. 厦门市税务学会、厦门大学经济学院与台湾逢甲大学于8月28日至29日在厦门共同举办"2004年海峡两岸租税学术研讨会"。五十余名台湾学者及专业人士与会。会议主题是:两岸税制改革趋向;两岸重复征税与纠纷处理;两岸经济交往中的避税与税收筹划;审议评税与税收认证;电子商务中的税收问题和税收征收中的科技运用;两岸税收教育与学科建设。

15. 由北大光华管理学院、中国企业投资协会、台湾中华经济研究院等发起主办和马鞍山市人民政府独家协办的"首届海峡两岸高新技术产业发展论坛”，于9月20日至23日在北京大学和马鞍山市举行。大会围绕“海峡两岸高新技术产业合作与发展”的主题展开讨论。

16. 广东省粤台经济文化交流中心边程15人应台湾“中国两岸经贸发展促进会”邀请，于9月3日至12日在台湾参加了“粤台两地机械工业的现状与未来发展交流研讨会”。

17. 9月9日，来自乌克兰沃夫州政府代表团、中国台湾两岸交流协会、中华农业交流协会、台湾财团法人农友社会福利基金会等社团、农业公司的专家学者、董事长共一百五十多人，参加了在泉州市开幕的“第二届海峡两岸（泉州）农业合作交流洽谈会”。

18. 宋庆龄基金会应台湾“中华少年及儿童福祉关怀协会”的邀请，组派邵宝祥等15人于9月12日至21日在台湾进行教育交流。

19. 北京大学副校长迟惠生等10人，应台湾“十大杰出青年基金会”的邀请，于9月19日至27日赴台进行交流。

20. 由北大光华管理学院、中国企业投资协会、台湾“中华经济研究院”等发起和主办、马鞍山市人民政府协办的“首届海峡两岸高新技术产业发展论坛”，于9月20日至23日在北京大学和马鞍山市举行。论坛围绕“海峡两岸高新技术产业合作与发展”的主题展开讨论。

21. 山东老年大学校长李延良等17人应台湾“中国老人教育协会”的邀请，于2004年9月20日至29日在台湾进行老年教育交流。

22. 中国科技大学校长朱清时院士一行11人应台湾新竹清华大学的邀请，于10月5日至10日在台湾参加研讨会。

23. 10月11日至18日，台北县特殊教育参访团在京津两地参访交流。

24. 10月21日至22日，由昆山市人民政府、科技部海峡两岸科技交流中心、清华大学台湾研究所共同主办的“2004海峡两岸产业合作与发展论坛”在昆山市举办。来自两岸的IT产业界专家学者、企业家一百六十多人会聚昆山,回顾昆山与台湾合作历程及取得的成果,分析合作现状,展望合作前景,围绕进一步加强科技合作、打造“IT昆山”进行深入研讨,共同谋划昆山与台湾合作的美好未来。

25. 由国务院台办、四川省人民政府主办,国家科技部、国务院西部地区开发办支持,成都市人民政府、四川省台办承办的“2004中国西部海峡两岸经济科技交流会”于11月8日在四川省成都市温江区举行。来自海内外客商八百多人参加了开幕式,国务院台办副主任王在希,以及科技部、西部开发办、国家发改委、商务部、四川省市各级领导,部分省、自治区、直辖市台办负责人共一百多位嘉宾出席了开幕式。

26. 由福建省科技厅、福建省教育厅、中国自然辩证法研究会、中国科学学与科技政策研究会及福州大学等单位共同主办的“两岸科教创新论坛”于11月27日至29日在福州大学举行。两岸科技、教育界的知名专家学者于光远、何祚庥、冯之浚、方新,以及来自台湾中央大学和台湾中山大学的教授等八十多人参加了论坛。论坛就两岸从科技创新到教育创新,以及协同科教创新等问题进行了研讨。

27. 中科院生态中心研究员曲久辉一行27人应台湾交通大学的邀请,于12月6日至11日在台湾参加了学术研讨会。

28. 中国图书馆学会李春来等15人应台湾世新大学的邀请,于2004年12月22日至29日在台湾参加了“2004海峡两岸公共图书馆实务研讨会”。

2005年

1. 由哈尔滨工业大学主办的“第五届海峡两岸继续教育论坛”

于1月11日在哈尔滨举行。论坛主题为“区域经济发展与继续教育”。来自香港、澳门、台湾和内地的22所高等学校的六十多名代表参加了本次论坛。

2. 兰州大学副校长李发申一行6人应台湾清华大学的邀请，于2005年1月16日至20日在台湾进行学术交流。

3. 南开大学党委书记薛进文一行5人应台湾民主文教基金会的邀请，于2005年1月17日至25日在台湾进行了学术交流。

4. 福建省集美大学校长辜建德等2人应台湾嘉义大学的邀请，于2005年2月12日至21日在台湾进行了交流。

5. 海峡两岸科技交流中心高级顾问冯记春一行15人应台湾工业策进会的邀请，于3月20日至29日在台湾参加了学术研讨会。

6. 3月22日，应台湾资讯工业策进会邀请，科技部海峡两岸科技交流中心组织科技部、信息产业部、中国标准化协会及南京高新区等单位从事电子标签（RFID）研究、管理的12名专家学者参加了台北市举办的“2005RFID技术与最佳应用研讨会”。

7. “海峡两岸高等教育学术研讨会”于4月12日在中国人民大学举行，来自台湾高等教育界的近三十名代表和祖国大陆高校的近四十名代表参加了研讨会。“必须改革和创新高等教育”成为两岸学者的共识。

8. 北京大学副校长陈文申一行11人应台湾慈济大学的邀请，于4月20日至26日在台湾进行了交流、访问。

9. 中国科学院研究员张春光一行29人应台湾“中研院”的邀请，于5月13日至24日在台湾参加了研讨会。

10. 5月24日，“海峡两岸电子标签技术应用研讨会”在北京召开，这是两岸在RFID（电子标签）方面召开的第三次研讨会。本次研讨会由科技部海峡两岸科学技术交流中心、科技部高新技术发展和产业化司、台北市电脑商业同业公会联合举办。两岸一百多位从事RFID研究与开发、生产与应用的有关人员参加了会议。

11. 5月26日,由科技部海峡两岸科技交流中心主办、中国民营科技实业家协会承办的“海峡两岸人力资源开发及合作研讨会”在北京召开。海峡两岸科技人力资源界一百多位代表参加了研讨会。其中,来自台湾中国青年创业者协会、台湾大学以及台湾科技企业界五十多位代表参加了研讨会。

12. 6月13日至16日,首届鲁台两地科技交流合作周以“交流合作、创新共赢”为宗旨,以电子信息技术、机械制造技术、生物(制造)技术及其他高新技术产业交流合作为主要内容。合作周主要活动有:高新技术产业市场和项目推介;山东省高科技成果、产品展览、展示;投资项目、研发项目洽谈、签约等。

13. 中科院地理所刘卫东研究员一行22人,应台湾大学的邀请,于6月19日至27日进行了交流、访问。

14. “湖湘文化之旅”是湖南与台湾交流的一个重点项目。7月7日启幕的第五届“湖湘文化之旅”共邀请了台湾东吴大学、台湾大学、政治大学等36所大学的百余名青年学子到湖南来考察学习,并与大陆学子进行文化交流。

15. 应宋庆龄基金会邀请,由台湾“中国文化统一促进会”组织的2005年台湾台中县、台中市教育交流团一行40人,于7月15日至17日在北京与北京市中小学教育工作者共同探讨教育问题,交流了经验。

16. 浙江大学副校长朱军一行26人,应台湾新竹清华大学的邀请,于7月15日至28日赴台交流。

17. 7月17日,由中国叶圣陶研究会主办、中国教育学会高中教育专业委员会承办的“海峡两岸中学校长教育论坛”在京开幕,为期两天。来自海峡两岸的六十多所著名中学的校长以及教育界人士汇聚一堂,就海峡两岸中等教育的改革与发展展开交流与研讨。与会者表示,希望以论坛为平台,利用两岸优势,共同打造两岸优质的基础教育。

18. 在金门有关部门组织下,90 名大中学校师生组成 3 个交流团于 7 月 26 日开始经厦金航线上"陆",参加在厦门举办的两岸青年交流活动。

19. "2005 两岸青年七彩云南联谊活动"于 7 月 26 日起在昆明举行。自 2004 年以来,由昆明市台湾同胞联谊会及台湾中国青年大陆研究文教基金会共同举办的两岸青年七彩云南联谊活动周,旨在推动两岸青年文化教育交流工作,扩大彼此的认识与了解、建立互信合作机制,拓展两岸青年的视野,建立两岸长期良好互动关系。

20. 中国地震学会秘书长郝记川一行 59 人,应台湾中央大学地球物理研究所的邀请,于 8 月 12 日至 19 日赴台交流。

21. 由新疆大学、台湾清华大学、大连理工大学主办的"海峡两岸 STS 暨可持续发展研讨会",于 8 月 24 日至 25 日在乌鲁木齐市举行。两岸学者六十余人就循环经济与可持续发展、资源、能源与环境,以及产业发展等问题进行了研讨。

22. 9 月 27 日至 28 日,"第八届京台科技论坛暨京台科技合作研讨洽谈会"在北京召开。五百多位来自京台两地科技界、学术界、工商界的知名专家学者和企业界人士齐聚北京,共同商讨京台两地科技与产业合作,寻求扩大科技、产业以及经济贸易方面交流与合作的渠道。

23. 中国科学院院士孙九林一行 31 人,应台湾清华大学的邀请,于 10 月 15 日至 24 日赴台参加研讨会。

24. 10 月 20 日,"2005 海峡两岸产业合作发展论坛"在江苏省昆山市召开,论坛由昆山市人民政府、科技部海峡两岸科技交流中心和清华大学台湾研究所共同举办。全国人大教科文卫委员会主任委员朱丽兰、国家发改委副主任张晓强、民建中央副主席黄关从,以及来自有关部委、科技界、企业界代表共二百多人出席,其中台湾代表50人。本次论坛围绕“中国制造”走向“中国创造”这一主题,分别就“经济全球化形势下的科技创新与中国创造”、“昆山高科技产业迈向创新高起点之内涵”、“发展高科技服务业之探讨”三方面内容进行了广泛深入的探讨。

25. 北京工业大学教授彭永臻一行66人,应台湾弘光科技大学的邀请,于10月23日至29日赴台参加研讨会。

26. 两岸文教界沟通交流的年度盛事——“2005海峡两岸基础教育高峰论坛”于10月24日在上海开幕。来自台湾的五十多位教育界专家、中小学校长与大陆各省、自治区、直辖市教研院所的三百余名代表齐集一堂,发表真知灼见。与会者还就海峡两岸基础教育研究的合作模式、教研专著和期刊的交流等交换了意见。

27. 11月19日,海峡两岸大学校长论坛暨福建省外大学校友会联合会成立20周年庆祝大会在福州召开。来自北京大学、清华大学、中国科学技术大学以及台湾清华大学、交通大学等两岸二十多所名牌大学校长们欢聚一堂,纵论海峡两岸人才培养、校地经济合作、教科研协作与发展。

28. 应台湾财团法人海棠文教基金会董事长朱凤芝的邀请,以青岛市人大常委会副主任孔心田为团长、青岛市科学技术协会主席杨柏林为副团长的青岛市科学技术协会交流团一行12人,于11月22日至12月1日赴台进行科普教育参访交流。

29. 首都经济贸易大学副校长郑海航一行15人,应台湾淡江大学的邀请,于11月23日至30日赴台参加校际交流。

30. 中科院大气物理所教授石广玉一行33人,应台湾中央大学邀请,于11月28日至12月11日赴台交流。

注:以上内容主要根据《海峡科技与产业》杂志、国务院台湾事务办公室、人民网、中国台湾网、核科技情报研究所等网站发表的信息选辑和整理。

(陈雅兰、曾宪楼编辑)

附录2:两岸“三通”大事记(1979~2005年)

1979年1月1日

全国人大常委会《告台湾同胞书》中提出两岸实现通航、通邮,进行经贸交流的政策主张。

交通部、邮电部、外经贸部和民航总局负责人先后公开发表谈话,表示随时准备和台湾有关方面就两岸通邮、通航、通商问题进行协商,并为两岸“三通”提供一切方便。

1979年4月4日,蒋经国在国民党内一次会议上正式提出对大陆“不妥协、不接触、不谈判”的“三不政策”。

1979年2月

邮电部门率先开办经第三地对台湾的电报业务;3月开放对台湾的长途电话业务。

1979年5月

祖国大陆全面开放受理寄往台湾的平信业务;6月开始收寄寄往台湾的挂号信函,均经香港邮局转寄。

1980年

祖国大陆方面首先单方面向台湾产品开放市场,主动派出大型采购团赴香港采购台湾产品。开放台湾工商企业到祖国大陆投资,设立机构,开展业务。

1981 年 9 月 30 日

叶剑英委员长在向新华社发表谈话中,阐述了中国共产党和政府对两岸和平统一与两岸往来的一系列重要政策主张,再次呼吁"双方共同为通邮、通商、通航、探亲、旅游以及开展学术、文化、体育交流提供方便,达成有关协议"。

1986 年

针对台湾渔船自发与祖国大陆渔民进行的小额贸易,祖国大陆规范了对台小额贸易秩序,并制定了相应的管理办法。

1988 年 4 月

台湾通过红十字信箱 50000 号开办寄往大陆的航空邮件。

1988 年 5 月

台湾当局提出大陆政策的三个基本原则:(1)确保"国家安全"。(2)区分官方与民间,官方维持不接触、不谈判、不妥协,民间则渐次开放。(3)单向间接原则。

1988 年 7 月

国务院公布《关于鼓励台湾同胞投资的规定》。

1988 年 8 月

大陆煤炭首次运往台湾,打破了台湾当局禁止从祖国大陆输入能源性产品的限制。

1988年9月

台湾昌宏海运公司经营的“昌瑞”、“昌鑫”两岸探亲客船,从台湾基隆港经日本冲绳岛的那霸到上海,共运行了12航次,运送台胞1880人次,终因绕道亏损,两艘客船运营三个月后,于12月3日被迫宣布停航。

1989年6月

台湾国民党“大陆工作会报”宣布开放对大陆通话与通邮。台湾邮政部门开始直接收寄到大陆的航空函件,向上海直封航空函件总包,台湾电信部门通过第三地区或外国对祖国大陆开通了直拨电话和电报业务。

1990年3月

中国民航总局颁布了《中国大陆与台湾间民用航空运输不定期飞行的申请和批准程序的暂行规定》。

台湾远东、马公、复兴、大华、龙祥5家航空公司以台北市航空运输商业同业公会的名义首次组团访问大陆。

1990年7月30日

中国民航总局发言人表示,随时欢迎台北体育代表团包机直航北京,参加第11届亚洲运动会。因遭台湾当局的阻挠未能实现。

1990年11月

北京举办第11届亚洲运动会开始,北京开办寄往台北的特快专递业务。

台湾"陆委会"公布《开放台湾地区与大陆地区民众间接通话(报)实施办法》。

1991 年 1 月

北京、上海、广州、厦门四个邮局向台湾基隆邮局直封水陆路函件总包。

1991 年 2 月

台湾当局在制定《国家统一纲领》中,将"开放两岸直接通邮、通航、通商"列入中程阶段。

1992 年 7 月

台湾当局公布《台湾地区与大陆地区人民关系条例》,对两岸海上、空中通航问题设立严格禁止条款。

台湾"陆委会"公布的《两岸直航问题与展望说明书》,阐述了台湾当局在"三通"问题上的基本立场与原则,为两岸"三通"特别是直航设置了政治障碍。

1992 年 9 月

第一次海峡两岸海上通航学术研讨会在厦门举行,双方就航运经营、航海保障、航政管理、海难救助、船舶检验等问题进行深入研讨,并达成多项共识。

台湾船东联合会理事长杨景璇为团长的海运交通专家访问团首次组团访问大陆,并赴厦门参加首届两岸海上通航学术研讨会。

1993年2月

从上海举办第一届东亚运动会开始,上海开办至台北特快专递业务。

台湾邮局开办收寄大陆水陆平常函件业务。

1993年4月29日

海峡两岸关系协会与台湾“海基会”签署《两岸挂号函件查询、补偿事宜协议》。

1993年5月

中国民航协会在上海举办了第一届“海峡两岸航空运输研讨会”,双方业者和专家就两岸空中通航业务、技术和商务等问题进行了全面研讨。

1993年6月

根据海峡两岸关系协会与台湾海峡两岸交流基金会所达成协议,两岸开始互办挂号函件业务。

1993年9月

外经贸部、海关总署颁布《关于对台湾地区小额贸易的管理办法》。

1994年3月

全国人民代表大会常委会通过《中华人民共和国台湾同胞投资保护法》。

台湾“陆委会”再次公布“两岸直航说贴”，列举“法律、安全、秩序”等问题。

1994 年 11 月

第一次两岸通邮研讨会在北京成功举办，双方业者就两岸通邮业务进行广泛研讨，就台湾邮件总包直封厦门达成共识并实施，还就台湾快件寄往大陆、大陆小包寄台等项业务达成共识。

海峡两岸关系协会与台湾“海基会”在南京就两岸互办特快专递业务进行商谈，未能达成共识。12 月，台湾中止北京、上海至台北的特快专递业务。

1995 年 1 月

祖国大陆航运界人士发起成立“海峡两岸航运交流协会”。

1995 年 1 月 30 日

江泽民主席发表《为促进祖国统一大业的完成而继续奋斗》的重要讲话并指出：“早日实现两岸直接‘三通’，不仅是广大台胞、特别是台湾工商业者的强烈呼声，而且成为台湾未来经济发展的实际需要。”“两岸直接通邮、通航、通商，是两岸经济发展和各方面交往的客观需要，也是两岸同胞利益之所在，完全应当采取实际步骤加速实现直接‘三通’”。

1995 年 5 月

台湾经济部门提出《亚太营运中心计划》，其中要建立制造中心、航空中心、海运中心、电信中心和传媒中心。5 月 4 日，台湾“行政院”通过《境外航运中心设置作业办法》。

1995年8月

两岸的航空公司开展对往返两岸的旅客行李直挂业务。

1995年12月

澳门航空公司与台北航空运输商业同业公会代表签署《台澳航班运输安排协议》,澳门航空公司的飞机首航台北,实现经澳门机场换航班号,一机到底飞行两岸。

1996年3月

中国航空结算中心与台湾中华航空公司以互相换文方式签订了航空联运结算协议,两岸民航运输票证实现"一票到底"。

1996年4月

祖国大陆"中国海上搜救中心"与台湾"中华搜救协会"建立了热线联系,对在台湾海峡的遇险船舶实施救助进行合作。

台湾航运界人士成立了民间航运组织,即"台湾海峡两岸航运协会"。

1996年6月

香港国泰、港龙航空公司代表与台北航空运输商业同业公会代表签署《台港交换航权协议》。

1996年7月

中国电信与台湾中华电信公司就建立两岸直接通电业务技术问题进行商谈并达成共识。此后,双方建立了直达卫星通信和海底光缆的通信业务,逐步扩大两岸通电业务范围。

1996 年 8 月

香港港龙航空公司飞机首航台湾高雄,经香港机场换航班号,一机到底飞行两岸。

1996 年 8 月

交通部与外经贸部先后公布《台湾海峡两岸间航运管理办法》、《台湾海峡两岸间货物运输代理管理办法》。

1996 年 9 月

台湾当局采取"戒急用忍"政策,限制两岸经贸关系发展。

1997 年 1 月

大陆海峡两岸航运交流协会与台湾海峡两岸航运协会代表在香港就两岸试点直航问题进行协商,并签署会谈纪要,决定开通福州、厦门至高雄的试点直航航线,中转祖国大陆的外贸货物。4 月 17 日,厦门"盛达"轮首航台湾高雄港。4 月 24 日,台湾立荣海运公司的"立顺"轮从高雄直航厦门港。

台湾当局于 1997 年 7 月 1 日开放大陆权宜轮经第三地,可原船载集装箱往返两岸;同年 10 月 21 日,台"交通部"正式开放干线船舶经高雄港延伸至第三地。

1997 年 4 月

在厦门举办了首届对台出口商品交易会。

1997年8月

台湾复兴航空公司从法国购买一架ATR-72型客机,从法国经乌鲁木齐、西安、北京,从上海出境,再飞日本石垣岛到台湾,创下台湾航空公司飞机飞越祖国大陆的先例。

1998年5月

国家批准设立厦门大嶝对台小额贸易交易市场,该市场设有商品交易、仓储、简易加工和综合服务,为两岸民间交易提供了方便。

1998年6月

台“经济部”公告,开放船舶运送、船务代理、船舶出租、港埠、航空货运承揽、民用航空运输与电信等在大陆设立办事处。

1998年12月

外经贸部发布了《在祖国大陆举办对台经济技术展览会暂行管理办法》,允许台商单独到大陆举办展览会。

1999年12月

国务院发布《中华人民共和国台湾同胞投资保护法实施细则》。

2000年4月

1999年至2000年先后建成欧亚、中美和亚太海底光缆,建立了两岸直达路由,两岸电信部门互相开办直接通电多项业务。

台湾当局公布实施《离岛建设条例》。该《条例》第十八条规定:“在台湾本岛与大陆地区全面通航之前,得先试办金门、马祖、澎湖地区与大陆地区通航。”

2000 年 12 月

外经贸部公布了《对台湾地区贸易管理办法》。

台湾“行政院”公布《试办金门马祖与大陆地区通航实施办法》。

2001 年 1 月

金门、马祖客船首次直航厦门、福州马尾港，实现海上客货直航。

1 月 28 日，福州马尾经济文化合作中心代表与马祖地区代表在福州签署了《福州马尾——马祖关于加强民间交流与合作的协议》。

台湾当局开放金门、马祖与福建沿海“小三通”。

2001 年 2 月

2 月 6 日，厦门“鼓浪屿”号客船载着 75 名居住在厦门的金门籍同胞，从厦门首次直航金门探亲。

台湾银行金门分行由原简易外汇银行分行升为功能齐全的外汇指定银行，自 3 月 1 日起办理各项海外汇款业务。

2001 年 3 月

厦门市海峡两岸交流协会代表与金门地区海峡两岸关系交流协会代表签署了《关于加强厦门与金门民间交流交往合作协议》。

2001 年 7 月

福建省组织了晋江市 50 家知名企业、两千多种产品首次赴金门举办“晋江市名优特产品金门展销会”，这是祖国大陆产品首次在台湾地区展销。

福州马尾经济交流合作中心组团赴马祖考察,这是福建船舶首次直航马祖。

台湾召开“经发会”,在两岸“三通”方面达成如下共识:(1)配合加入世界贸易组织进程,开放两岸直接贸易及两岸直接通邮、通讯等业务。(2)整体规划两岸“通航”事宜,并通过两岸协商予以落实推动。(3)扩大“境外航运中心”功能及范围,开放货品通关入境。(4)积极评估建立“经贸特区”。此后,台湾当局以“积极开放、有效管理”取代“戒急用忍”政策。

2001年11月1日

海南三亚飞行责任区改由大陆空中交通管制部门负责,台湾5家航空公司的飞机飞行东南亚地区的航班均使用该航路,大陆航管部门为台湾航空公司提供了安全、优质、高效的空中交通服务。

台湾当局开放银行赴大陆设立代表处。

2001年11月

两岸先后加入世界贸易组织(WTO)。

台湾扩大境外航运中心功能,允许大陆货物进入出口加工区、工业园区、科技园区、保税区加工后再出口。

2002年1月

台湾当局开放两岸直接贸易,允许双方直接签订贸易合同,台商可直接到大陆投资,开放台湾外汇银行与大陆银行间办理通汇业务。

2002年2月

民航总局与台湾中华飞航管制员协会达成协议,相互交换航行通告和航空气象情报。

2002年5月

台湾“金航二号”直航福州马尾港,接运2300吨自来水运抵马祖。

2002年6月

国务院台湾事务办公室主任陈云林在会见台湾政商界“三通”参访团时指出,“三通”不能实现,受影响最大的是台商,对台湾经济发展也是不利的,同时还造成台湾民众每年无谓的经费、精力和时间的浪费。这种状况不应该再延续下去了。当前,只要把“三通”看做是一个国家内部的事务,就可以通过民间对民间、行业对行业、公司对公司进行协商的办法,尽快通起来。

2002年7月

澎湖257名信众乘台湾“超级星”号客船首次直航福建泉州港。

2002年8月

台湾当局开放大陆资本投资台湾的不动产。

2002年11月

江泽民同志在党的十六大报告中指出:实现两岸直接通邮、通航、通商,是两岸同胞的共同利益所在,完全应该采取实际步骤积极推进,开创两岸经济合作的新局面。

2003年1月24日

钱其琛副总理在纪念江泽民主席发表《为促进祖国统一大业的

完成而继续奋斗》讲话八周年座谈会上指出,尽早实现两岸直接"三通",是大势所趋,人心所向,也是当务之急。"三通"作为经济性事务,理应以两岸同胞的切身利益和实际需要为优先,而不应受到任何政治因素的干扰和影响。以民为本、为民谋利,应当是解决"三通"问题的立足点和出发点。"三通"是两岸之间的事,是经济问题,"三通"商谈不是政治谈判,可以不涉及一个中国的政治含义。为早日通起来,协商方式可以尽量灵活,解决办法应当简单易行。在两岸的民间行业组织就"三通"的技术性、业务性问题达成共识后,由各方自行取得确认,就可以通起来。

2003年1月26日至2月10日

近四千名台商及眷属从福建省厦门、福州分别乘客船至金门、马祖,转乘飞机返台湾本岛过春节。

祖国大陆方面对台商春节包机经金门、马祖返乡过年给予大力协助,做到周到服务和妥善安排。

台湾中华航空公司飞机经停香港飞抵上海接运台商返乡过春节。台湾六家航空公司飞机先后经香港、澳门机场飞抵上海,飞行16班、32架次,往返运送2478名台商及眷属。这是台湾民航飞机首次以正常方式航行大陆。

2003年3月20日

国务院台湾事务办公室和民政部联合颁布《台湾同胞投资企业协会管理暂行办法》。

美国发动伊拉克战争,祖国大陆允许台湾航空公司飞机飞越祖国大陆空域。

3月27日,台湾中华航空公司飞机飞越祖国大陆上空抵达欧洲国家。

2003年5月21日

中国民用航空协会海峡两岸航空运输交流委员会副理事长浦照洲表示，我们主张，应本着“直接双向、互惠互利、利益共享”的原则，推动两岸货运包机业务。希望货运包机比春节台商包机更进一步，不必舍近求远经停第三地，两岸的航空业都能公平参与。

“非典”疫情使港台和澳台客运航班减少，直接影响两岸航空货物运输。5月6日，国民党“立委”章孝严推动“两岸货运包机直飞”提案，获朝野129名“立委”联署支持。台“陆委会”进行了政策评估，并将作出决定。

2003年8月13日

陈水扁提出“一个目标、三个阶段”的两岸直航时间表。一个目标是建立两岸和平稳定的互动架构；三个阶段是：两岸货运便捷阶段，2004年“大选”后为协商阶段，实现阶段则在2004年年底。

2003年8月15日

台湾“行政院”公布《两岸直航之影响评估》。这份报告全文两万余字，64页，分为六章，包括直航与“三通”的关系、经济影响评估、安全评估、技术面评估、必须考量的关键问题及应有的方向与准备工作等；提出了三个条件和四项原则。

2003年9月8日

厦门航空港货站开始运营。该航空港货运站是两岸民航业首次合资项目，总投资2.2亿多元人民币，总建筑面积3万平方米，一年可吞吐货物 15 万吨以上。

2003 年 9 月

中国民用航空协会常务理事浦照洲 15 日针对台湾当局公布的两岸间接货运包机规定发表谈话,指出无论是定期航班还是不定期包机运输,均应本着一个国家内部事务,直接双向、互惠互利的原则处理相关事务。

台湾“陆委会”宣布了“两岸间接货运包机”政策:开放台方航空业者以“单向、中停港澳往返上海”的方式,进行两岸货物运输。这项措施办理期间为期一年,台“交通部”、“民航局”自 9 月 25 日起受理业者申请,准备每天一架全货机。

2003 年 10 月 8 日

中央电视台国际频道播出《两岸三通》六集电视证论片,包括“三通”由来、通邮通电、通商、海上通航、空中通航、结论等内容,全方位、多视角、历史性地展现了两岸“三通”的全貌。

台湾“立法院”对《两岸人民关系条例》部分条款进行修改,即建立协商复委托机制,直航许可及管理办法须在一年半内拟定。

2003 年 11 月

国务院台办新闻发言人和民航总局台办负责人针对明年台商春节包机分别发表谈话表示,两岸空中通航应该在直接双向、互惠互利的基础上进行,但是台湾方面仍坚持经停港澳,只允许台湾的飞机飞大陆,不允许大陆的飞机飞台湾,这样就没有互惠互利可言,与我们一贯原则相违背。但考虑到春节是中国人传统的节日,台商希望回家过年,若台湾当局作出下一次可以对飞的承诺,祖国大陆方面可允许台湾的航空公司以单方面不经停第三地的方式飞行2004年春节包机,从台北、高雄至北京、上海、广州、厦门,并欢迎两岸的航空业者就技术等问题进行协商。

台"陆委会"、"交通部"公布2004年春节大陆台商返乡专案的相关规定:两岸间接包机与"小三通"适用对象扩大到"经济部"核准大陆投资之台商;间接包机大陆降落点将增加北京,中停点则在港澳之外也增加韩国济洲岛和马尼拉等第三地,且同意在两岸协商后,让大陆航机参与经营春节间接包机,执行时间为2004年1月9日至2月2日。由"海基会"与"海协"进行协商。

2003年12月17日

国务院台湾事务办公室发布《以民为本,为民谋利,积极务实推进两岸"三通"》的政策说明书。全文约9500字,除前言及结束语外共有四部分:(1)两岸"三通"现状及面临的问题。(2)实现"三通"符合两岸同胞切身利益,是两岸实现互利双赢的根本途径。(3)大陆方面关于两岸"三通"的基本立场和政策主张。(4)两岸"三通"若干问题的说明。

商务部台港澳司负责人提出,两岸间有非常明显的经济互补性,我们曾经明确提出建立两岸经济合作机制的倡议,现在我们非常欢迎两岸之间建立更紧密的经贸关系安排进行协商,当前最紧迫的问题是实现两岸直接"三通",这是建立两岸CEPA关系的前提条件。

2004年1月5日

中国民用航空协会致各地台湾同胞投资企业协会会长的公开信。信中对春节台商包机的双向对飞、不经停第三地,以及协商机制等问题加以说明,指出台湾当局在春节包机问题上所设置的种种障碍。尽管如此,大陆民航和交通部门采取多项措施,满足在大陆的台胞回台湾过年的需求。

2004年1月19日

国务委员唐家璇在江泽民同志对台重要讲话发表九周年座谈会上的讲话中指出,我们希望尽快实现两岸全面、直接、双向"三通",开创两岸经济合作的新局面,造福两岸同胞。早日实现两岸全面、直接、双向"三通",将大大提高两岸经济的竞争力,加快共同发展,促进两岸经济的全面提升和振兴。这是以民为本、为民谋利、互利双赢的大好事,不应受到任何人的拖延和阻拦。

2004年3月1日

台"行政院"扩大"小三通"十项措施:(1)同意以项目审查方式,准许自大陆进口砂石,可经福澳港查验后,原船运抵东引中柱港、西犬表帆港及东犬猛澳港。(2)规划开办金马中转旅客行李直挂业务。(3)在总量管制及建立管控机制下,输入小额小量大陆农、渔产品免税及简化通关、检疫程序。(3)放宽华侨于重要节日,得以团进团出方式项目申请许可由大陆地区入出金门、马祖。(5)鼓励台商子弟返回金门、马祖接受基础教育。(6)台湾地区民众经申请许可,由金门、马祖入出大陆地区者,查验证件将调整以"护照"代替"金马入出证"。(7)适度开放人员中转。扩大开放对象包括大陆各地台商、福建籍老兵及眷属以及相关商务人员。(8)建立大陆人民来金马观光旅游审查及管理的完整配套。(9)金门水头港及马祖福澳港,得依"免税商店设置管理办法"规定,向海关申请登记为"免税商店"等各项措施。(10)放宽澎湖的大陆配偶,纳入得由金、马入出大陆地区的适用范围。另放宽大陆配偶得由金门、马祖进入大陆地区,经申请定居取得“台湾地区居民身份”者,仍得经金、马入出大陆地区,其台湾地区配偶或子女亦得同行。

2004 年 4 月 1 日

福州市、厦门市公安部门开始办理五年期的《台湾居民往来大陆通行证》。

2004 年 5 月

台湾当局开放“两岸海运便捷化”,即允许国际班轮在同一航次直接挂靠两岸港口。8 月,对“境外航运中心设置作业办法”部分条文修正加以说明,指定基隆港和台中港(不得与福建港口通航)为“境外航运中心”,可载运大陆与第三地的进出口货物,经指定的外籍船舶能航行。

2004 年 12 月 7 日

首批祖国大陆旅游团 55 人从厦门乘“同安号”客轮直航金门,在金门度过 3 天 2 夜。这是祖国大陆居民第一次以“游客”身份乘船直航金门。

2005 年 1 月

海峡两岸航空运输交流委员会副理事长浦照洲等,与台北市航空运输商业同业公会理事长乐大信等在澳门就 2005 年台商春节包机相关技术性、业务性问题进行了沟通并达成共识。双方商定:2005 年台湾春节包机采取双方对飞,飞经香港不落地的方式,包机时间自 1 月 29 日至 2 月 20 日;航点为北京、上海、广州、台北、高雄,两岸各

6家航空公司共同参与,双方各24个往返航班。由于台湾方面的限制,乘客都是台商及其家属。

2005年1月29日至2月20日

在2005年台商春节包机过程中,祖国大陆民航飞机56年首次直航台湾。海峡两岸12家航空公司共执行了48个往返班次,运送旅客10773人。其中,大陆6家航空公司运送旅客5224人,台湾6家航空公司运送旅客5549人。2005年台商春节包机安全、顺利、圆满落幕。

2005年3月14日

温家宝总理在十届全国人大三次会议记者招待会上表示:只要是对台湾同胞有利的事情,我们都会去做。第一,要尽快将海峡两岸的客运包机由“节日化”转向常态化;第二,要采取措施,解决台湾特别是台湾中南部地区农产品到大陆的销售问题;第三,要尽快恢复和解决大陆渔工到台湾劳务合作的问题。

(资料来源:国务院台湾事务办公室网站)

附录3:台商投资园区、海峡两岸科技园区和农业合作试验区简介

一、台商投资园区

(一)厦门海沧台商投资园区

厦门海沧台商投资园区是1989年5月经国务院批准设立的,规划开发面积100平方公里,分为港区、新阳工业区、南部工业区和新市区。是厦门面积最大、批准最早的台商投资区。

海沧港区

海沧港区规划面积约12.4平方公里,主要发展港口、能源工业及仓储保税业等。规划建设36个泊位,一期规划10个万吨级码头,已建成博坦10万吨级油码头,嵩屿电厂3.5万吨专用煤码头、3万吨级集装箱泊位及2万吨级散杂货码头各一个。1999年,港口吞吐量5万个标箱货运量,计448.8万吨。贯穿港区的铁路专用线已于1999年底建成通车,与鹰厦铁路联接。

新阳工业区

新阳工业区是海沧台商投资区目前重点开发区域和厦门市的重点工业区,地处海沧蔡尖尾山北部、杏林区马銮湾以南,规划开发面积29.6平方公里,近期规划开发12平方公里。重点发展资金技术密集型的中小型工业,产业布局以机械、电子、精细化工、塑胶、新型建材等为主。区内道路、供水、供电、邮电、排洪、排污等基础设施已基本建成。同时引进了一百多个工业项目,其中三十多个项目已建成投产,这些项目建成后,产值可达100亿元以上。

南部工业区

南部工业区规划面积17.7平方公里,紧邻港区,地势平坦,是投资区地理条件最为优越的开发分区,主要发展化工特别是石化中下游等技术、资金密集型的大型现代化工项目。海沧高科技园区位于该区域内,现已正式招商。目前,已有一批欧美、台湾和东南亚跨国公司正洽谈在该区投资大型化工厂建设。

海沧新市区

海沧新市区规划面积27.6平方公里,主要发展商贸、金融、房地产、旅游以及娱乐休闲业。目前,已完成房地产建筑面积70万平方米,配套建成了金融、商贸、公共交通、中、小学、幼儿园、职业培训中心及医院等社会服务设施。娱乐城、大酒店、东北虎园等游乐项目正在建设,沿海景观规划设计正在逐步实施。

(二)厦门杏林台商投资区

1989年5月20日,国务院批准杏林为台商投资区。杏林台商投资区规划面积19.36平方公里,至2002年年底,开发总面积由原来的3.5平方公里扩大到12.5平方公里,包括杏林西工业区、杏南工业区、马銮工业区、前场工业区、杏滨和杏南生活区及中亚工业城等。

杏林是厦门市行政辖区之一,位于厦门岛的西北面,九龙江出海口,距厦门市中心18公里。全区总面积234.2平方公里,人口近二十万人。区内有杏林、海沧两个国家级台商投资区。

杏林具有优越的地理位置。杏林距厦门高崎国际机场仅8公里,鹰厦铁路、厦漳泉高速公路、324、319国道横穿全区,交通十分便利;投资区三面环海,是两岸直航试点口岸之一厦门港的重要港区;海沧大桥、新阳大桥将杏林、海沧两个台商投资区与厦门本岛连成一体,可全方位接受厦门岛各种功能的辐射。

杏林具有完善的基础设施。区内纵横交错的一、二级公路及环城路联结着每个工业小区和村镇，水、电、通讯、污水处理等基础设施和学校、医院、娱乐场所等生活配套设施均已具备，投资环境日臻完善。

杏林具有良好的投资服务。各金融机构、海关、商检等均在杏林设有分支机构；全区建有一套精简、高效的办事程序和运行机制，实行项目联合审批制度和一个窗口统一收费制度，收费项目能免则免，收费标准能低则低。

经过10年的开发建设，杏林发生了历史性巨变，国民经济持续快速、协调发展，社会各项事业蒸蒸日上，已从一个工业集镇发展成为充满活力的以外向型出口工业为主的台商投资区。

（三）厦门集美台商投资区

厦门集美台商投资区1992年12月经国务院批准成立。集美区是厦门市行政辖区之一，位于厦门岛西北部，是进出厦门经济特区的重要门户。全区面积227平方公里，人口十万多人，下辖三个镇。区政府所在地集美镇，是著名爱国华侨领袖陈嘉庚先生的故乡，也是闻名的文教风景旅游区。享誉海内外的集美学村，于1994年组建集美大学。区委、区政府充分利用区位优势和国家、省、市给予的优惠政策，坚持以规划为龙头，以基础设施建设和新区开发为重点，实施优化提高第一产业，调整壮大第二产业，着力发展第三产业的发展战略，经济建设取得了长足发展，逐步向先进的轻型工业区、发达的科教文化区和繁荣的商贸旅游区迈进。

集美区具有十分明显的区位优势，区内高等级公路四通八达，泉厦、厦漳高速公路与集灌路、集同路、324、319国道，厦漳电气化铁路和孙坂公路纵横交错，成为全省高等级公路最密集的地区。集美区距厦门高崎国际机场仅2.5公里，距厦门东渡码头6公里，距厦门铁路运输站2公里,交通运输十分便利。此外,通讯、供水、供电、污水处理等基础设施完善,适合大规模投资办厂。

作为台商投资区之一,几年来,区委、区政府重点做好对台招商引资工作。截至2002年底,集美台商投资区累计引进台资项目208个,投资金额5.6亿美元,占引进外资总额的54%。除台资企业外,投资者来自香港、东南亚地区和美国、德国、日本、新加坡、菲律宾、韩国等国,一些世界著名企业和跨国公司纷纷在集美落户,集美区外向型经济格局已初步形成。集美区人民竭诚欢迎海内外投资者前来投资兴业。

(四)福州台商投资区

福州台商投资区位于福州经济技术开发区内,于1989年5月经国务院批准设立,是台湾海峡两岸定点直航的试点口岸和对台贸易基地。由于原区域范围内已全部摆满项目,1997年1月,福建省人民政府决定将台商投资区向闽江入海口亭江段延伸扩大6平方公里。

福州台商投资区依托福州经济技术开发区、保税区、高科技园区的政策优势和近台的区域优势,吸引了众多台商进区投资,至今已成为台商在祖国大陆投资最集中的地区之一。截至2002年底,全区累计审批台资项目202个,总投资15亿美元,合同利用台资6.77亿美元。

面向21世纪,福州台商投资区以闽台经贸合作为重点,港(港口)区(投资区)合一,联动开发,使之成为海峡两岸率先局部"三通"的先行口岸和贸易航运中心;两岸经贸合作的重要窗口和招商引资中心;闽台产业分工协作的重点区域和加工中转集散中心;福州市外向型港口经济发展的新增长点。

扩展的新区是一块未开发的处女地。新区的基础配套设施工程已率先启动并具备前期开发条件:先进的通讯设施、充足的水电供应、便捷的水陆空立体交通、完善的外商投资服务体系、优惠的政策等。

福州台商投资区将一如既往热忱欢迎台商进区投资兴业,洽谈商务,共同发展。

二、海峡两岸科技园区

(一)成都国家海峡两岸科技产业开发园

成都国家海峡两岸科技产业开发园创立于1992年。1998年经国务院台湾事务办公室、国家科技部正式批准纳入成都高新技术开发区,享受国家级高新技术开发区的各项优惠政策,是国家级海峡两岸科技产业开发园区之一,也是我国西部唯一的国家级海峡两岸科技产业开发园区。

科技园位于成都市城市空间的第二层次地带和经济发展的第二产业圈,是全市发展工业的重要区域,距成都市中心仅14.6公里,交通十分便捷。科技园地处成都市西郊,"上风上水"乃都江堰灌区的首泽之地,空气质量主要指标优于成都市中心区5倍,是成都市发展生物制药、食品深加工的工业基地。

科技园的规划、建设是借鉴台湾新竹科技园和高雄出口加工区模式,按国际二类工业区标准设计和建设的。通过10年建设发展,园区内水、电、气、讯、路等"八通一平"基础设施已配套成型。园区内服务保障设施一应俱全。科技园管委会10年来积累了丰富的管理经验,管理日趋规范、成熟。

区委、区政府将科技园定位为温江的"一号区域、政策特区",入园企业全面享受国家级高新技术开发区的各项优惠政策、国家西部大开发的专项政策、四川省、成都市鼓励外商投资的相关政策,同时还享受区政府给予的特殊优惠政策。

(二)武汉吴家山海峡两岸科技产业开发园

2000年1月19日,经国务院台湾事务办公室和国家科技部批准成立武汉吴家山海峡两岸高科技产业开发园。产业开发园区执行国家关于鼓励台胞和外商投资的有关政策,根据客商的投资强度、生产经营规模、年度实现的税收总额,给予多方面的优惠待遇。

投资区位于武汉市区西部,规划面积20平方公里,首期开发8平方公里。目前,首期开发的基础设施已全部完成。投资区管理体制独特。投资区管理委员会由当地政府和台湾、香港知名财团代表联合组成,实行国内首创聘请境外投资者参与行政管理的全新体制。

开发园交通便捷。开发园距市中心12公里,距汉口火车站7公里,距武汉天河国际机场18公里,距武汉港码头25公里,园区内拥有八大通道,即107国道(北京至深圳)、京珠高速公路(北京至珠海)、汉渝铁路(武汉至重庆)、汉江航线(陕西至武汉)、市外环路、市中环路、天河机场高速公路、金山大道,构成了以投资区为中心的“蛛网式”立体交通网络。园区管理机构及法律保障体系健全,金融保险、文化教育、生活娱乐等社区服务设施完善。保税加工区以及海关、商检机构均在筹建。

投资区将竭诚为中外投资者提供最优良的服务。

(三)沈阳海峡两岸科技工业园

1995年10月,国务院批准在沈阳建立海峡两岸科技工业园。建立科技园是贯彻落实江泽民同志提出的:面向21世纪世界经济的发展,要大力发展两岸交流与合作,以利于两岸经济共同繁荣,造福整个中华民族的重要战略部署举措之一。科技园将成为沈阳未来发展的一颗璀璨的新星。

沈阳是东北地区的交通、通讯枢纽,公路四通八达,沈阳桃仙国际机场可通往国内各主要城市和香港，以及俄罗斯、日本、韩国等国的其他城市；沈阳铁路网的密度、年货运量及客流量居全国之首。沈阳也是东北地区最大的物资集散地和贸易中心。商品流通规模宏大，市场容量和社会商品的流转量居东北地区各主要城市之首，中心市场作用突出。

沈阳市人民政府为了支持科技园的发展颁布了《沈阳市关于加速海峡两岸科技工业园建设的若干规定》，制定了27条优惠政策。此外，进入科技园的台商投资企业同时享受国家给予高新技术产业开发区的各项优惠政策。

沈阳海峡两岸科技工业园本着“同等优先，适当放宽”的原则，竭诚欢迎海内外客商，特别是台湾投资者来园区考察、投资兴业，工业园将提供优惠的政策及优质的服务。

（四）南京海峡两岸科技工业园

南京海峡两岸科技工业园于1997年9月经国务院台办和国家科委批准，在已经建区五年的南京经济技术开发区内设立的国家级科技工业园。园区设有高新产业、教学科研、保税仓储、金融贸易等四个功能区，重点发展电子信息、生物医药、新型材料、精细化工四个高新支柱产业。目标是：用10年时间建成江苏的“硅谷”。

南京海峡两岸科技工业园位于江苏省南京市东北郊的乌龙山路，南京长江大桥南端，沿区内主干道五公里可进入市区路网，毗邻亚洲内河第一大港——南京新生圩外贸港区。该港海关商检等涉外服务机构一应俱全，拥有万吨级泊位9个，千吨级泊位7个和万吨级筒11个。紧靠园区边的绕城公路与沪宁高速公路和4条国道相连，将科技工业园和南京国际机场与正在建设中的南京长江二桥联成一体，形成了全方位、立体化的交通运输网络。南京现有各类大专院校48所、科研院所463个，其数量在全国各大城市中仅列北京、上海之后,位居第三。目前,园区与南京大学、东南大学等多所大学建立联系。南京大学还在园内设立了面积600亩的精细化工园。

作为国家级海峡两岸科工园之一,科技工业园享受国家级高新区的一切优惠政策,同时,作为高新区的区中园,对高科技方面的特定产业、特定项目的政策将比高新区更优惠。

三、海峡两岸农业合作试验区

(一)福州海峡两岸农业合作实验区

福州海峡两岸农业合作实验区于1997年7月经国务院台湾事务办公室、商务部、农业部批准正式成立。

福州地处闽江下游,背山临海,耕地肥沃,河网密布,林木茂盛。福州海域辽阔,海岸线长达1137公里,占福建省1/3,水质良好,是祖国大陆重点渔区之一。福州海峡两岸农业合作实验区以优高农业为重点,包括水产、蔬菜、水果、食用菌、畜禽、花卉、林竹七大产业,建设六个区(南亚热带优高农业合作区、山区综合农业合作试验区、城郊农业观光合作区、沿海渔区合作区、海岛综合开发合作区、绿色食品生产合作区)和一个加工营销信息中心。

福州海峡两岸农业合作实验区成立以来,当地各级政府和实验区管理机构积极采取各种措施,在审批办证、通关验收、投资领域、投资形式、用地方式、产业扶持、税收减免等方面为投资实验区的台商提供法律保障和优惠政策,建立完善项目基建联合审批,联合年检、口岸联检、统一收费、统一受理投诉、重大项目领导联系服务、"一条龙服务"、"中国电子口岸"等规范化服务制度,为台商提供良好的投资环境和社会服务体系,促进闽台两地农业交流与合作的不断发展。

截至2004年11月,实验区累计引进台资农业合作项目382个,合同利用台资3.76亿美元,实际到资2.8亿美元。

福州海峡两岸农业合作实验区将一如既往地为台湾同胞提供创业的乐园和优质的服务。

(二)福建漳州海峡两岸农业合作实验区

福建漳州海峡两岸农业合作实验区于1997年7月经国务院台湾事务办公室、商务部、农业部批准正式成立。

漳州地处闽南金三角,是祖国大陆首批14个沿海开放城市之一,也是台湾同胞主要祖籍地。漳州海峡两岸农业合作实验区以外向型农业为重点,包括粮、果、菜、菌、花卉、水产、畜禽、林竹八大产业,设立2828工程,即建设两个中心(农业科技交流中心、闽台农产品集散中心),八个合作区(农业良种引进下蔡隔离区、长桥农业科技园区、南溪流域农业综合开发合作区、东山湾水产养殖合作区、芗江流域山地综合开发合作区、角美农产品加工合作区、东山水产品工贸合作区、云洞岩—三坪观光休闲农业合作区)以及包括台资农业企业和漳州市农业龙头企业在内的28个重点企业带动项目。

漳州海峡两岸农业合作实验区自设立以来,漳州市人民政府和实验区管理机构对台商投资提出了"优先审批、优先融资、优先验放、优先办证照;放宽投资领域、放宽投资形式、放宽经营方式、放宽用地方式"的"四个优先、四个放宽"优惠政策,为漳台两地农业交流与合作营造良好的投资环境和服务氛围。漳台两地农业合作形成了由点到面,由单项零星向产业整体配套,由沿海向内陆山区梯度推进的全面发展态势。漳州已成为祖国大陆地市一级利用农业台资最多的城市和台商投资农业的密集区。

截至2004年11月,实验区累计引进881个合作项目,合同利用台资13.7亿美元,实际到资6.6亿美元。

漳州海峡两岸农业合作实验区将进一步优化投资环境,推进"一站式"、"一条龙"便捷服务,竭诚欢迎广大台湾同胞到实验区投资兴业。

(三)海南海峡两岸农业合作试验区

海南海峡两岸农业合作试验区于1999年3月经国务院台湾事务办公室、商务部、农业部批准正式成立。

海南省位于我国最南部,是我国大陆海域面积最大,陆地面积最小的省份,属热带、亚热带地区,光、温、热及土地自然资源十分丰富,四季常绿,有"天然大温室"之称,是发展热带高效农业的理想地区。

海南与台湾作为我国两大宝岛,同属岛屿型经济,有相似的自然条件和人文环境,生活习惯和语言相通,在农业方面也有着许多相似性与互补性。海南海峡两岸农业合作试验区自设立以来,已初步在全省范围内形成四大台资农业发展集中区域。南部以三亚、陵水、乐东为主要区域,形成水果种植、花卉种植、反季节瓜菜、海水养殖及海产品加工为主的生产基地;东部以万宁、琼海为主要区域,形成了以贝类加工、海水养殖、观光农庄和高科技生物工程为主的生产基地;东北部以海口、文昌、安定、澄迈为主要区域,形成以瓜菜种植、淡水养殖、家具制造和农副产品加工为主的生产基地;西部以儋州、昌江、临高、东方为主要区域,形成了以芒果、香蕉、菠萝等热带水果为主的生产基地。

截至2003年底,海南海峡两岸农业合作试验区累计引进台资农业企业366家,投资开发土地面积近二十万亩,投资金额3亿多美元,涉及种植业、养殖业和农产品加工业等多个领域。

发展热带高效农业是海南省产业发展的重要战略目标,支持农业发展的优惠政策为台资农业企业壮大创造了良好的条件。真诚欢迎台湾同胞到海南观光考察,来海南发展创业。

(四)黑龙江海峡两岸农业合作试验区

黑龙江海峡两岸农业合作试验区于1999年3月经国务院台湾

事务办公室、商务部、农业部批准设立，范围包括哈尔滨市、牡丹江市、佳木斯市、大庆市和农垦总局。

黑龙江省地处我国东北边疆，是一个农业大省，也是国家重要的商品粮、畜牧业和林业生产基地，农业资源综合开发与农副产品精深加工潜力巨大，发展农业具有得天独厚的优势。

设立黑龙江海峡两岸农业合作试验区的五个地区资源丰富、交通便利、经济实力较雄厚，区位优势明显，农牧业发达。试验区积极采取各种措施，推动海峡两岸农业合作。对在试验区投资的台资农业企业，实行优先审批、优先融资、优先验收、优先办照的“四优先”制度和“一站式”联合办公服务，同时给予相关优惠政策。

截至 2004 年 10 月，共有 10 家台资农业企业在试验区落户，实际利用台资 287.46 万美元。

黑龙江海峡两岸农业合作试验区将竭力为台商提供宽松良好的投资环境和各种制度保障，欢迎广大台湾同胞到黑龙江投资创业。

（五）陕西杨凌海峡两岸农业合作试验区

陕西杨凌海峡两岸农业合作试验区于 2000 年 7 月经国务院台湾事务办公室、商务部、农业部批准在陕西省杨凌农业高新技术产业示范区内建立。

杨凌是我国农耕文明的发祥地，以中国农科城著称于世，地理位置优越，交通条件便利。杨凌农业高新技术产业示范区成立于 1997 年 7 月，是祖国大陆唯一的国家级农业高新技术产业示范区，也是国家重点支持的五大高新区之一，在小麦育种、旱作节水农业、家畜生殖内分泌与胚胎工程、水土流失综合治理等方面研究居全国领先水平，部分研究达到国际先进水平。

杨凌海峡两岸农业合作试验区依托杨凌农业高新技术产业示范区科技优势，以高科技为先导，突出引进、出口贸易、科教、示范和推广辐射五大功能,重点发展产业和出口贸易。试验区依托示范区,享受国家级高新技术产业开发区的各项优惠政策、国家西部大开发各项优惠政策和国家对农业的倾斜扶持政策。对投资杨凌的台商,试验区还实行降低土地价格、设立企业发展基金、简化工商登记、保护知识产权、推行服务承诺等一系列优惠政策。

试验区成立以来,先后举办过海峡两岸植物病理、土壤水保、经济贸易、畜牧兽医、水土保持与生态环境等学术研讨会;接待台湾农业访问团组近三十个,二百余人次;组织经贸、文化、教育、科技等二十余个专家团组赴台交流;一批以技术改进和新技术试验、示范为内容的合作项目正在杨凌顺利开展。

杨凌海峡两岸农业合作试验区将进一步优化投资环境,促进两岸农业交流与合作。

(六)山东平度海峡两岸农业合作试验区

山东平度海峡两岸农业合作试验区位于山东省青岛平度市,于1999年3月经国务院台湾事务办公室、商务部、农业部批准正式成立。

平度海峡两岸农业合作试验区规划总面积3166平方公里。2001年12月,在平度市南村镇建立试验区中心区,规划面积22.4平方公里,并加挂“青岛市农业高新技术产业开发区”牌子。

试验区坚持以出口食品加工为方向,以科技为支撑,以引进国内外粮油、果品、蔬菜、畜牧等农副产品精深加工企业为重点,形成农副产品精深加工企业集聚地和先进技术成果的吸纳、消化中心。试验区内分设出口食品加工区、综合工业项目区、观光农业示范区三大分区,并特别在中心区开辟了青岛市台商食品加工园区,方便台湾食品加工企业落户试验区,投资兴业。

依据试验区总体规划和项目发展需要,青岛、平度两级政府已累计投入基础设施建设资金两亿元人民币,重点实施了10平方公里启动区的道路、供水、排水、电力、通信和土地平整的“五通一平”。在项目用地上,试验区对大项目特别是高技术规模项目用地给予特殊政策;在税费上,进区落户的企业,除享受国家对农副产品加工重点龙头企业的优惠政策外,还享受试验区的特殊优惠政策。

截至目前,试验区累计引进台资企业一百二十多家,引进农业新技术21项、优良品种一百多个,合同利用台资2.16亿美元,实际利用台资1.09亿美元,其中许多企业已发展成为当地农业生产龙头企业。

平度海峡两岸农业合作试验区拥有完善的配套基础设施和优质的服务环境,欢迎台湾同胞到试验区投资、发展。

(资料来源:国务院台湾事务办公室网站)

附录4:科教创新:海峡两岸的共同追求

——"两岸科教创新论坛"会议综述

初冬的福州已有浓浓春意。在阳光明媚的日子里,榕城迎来了前来参加"两岸科教创新论坛"的两岸与会代表。本次论坛由福建省科技厅、福建省教育厅、中国自然辩证法研究会、中国科学学与科技政策研究会与福州大学等单位共同主办,福州大学软科学研究所承办,于11月27~29日在福州大学举行。著名学者于光远、何祚庥、冯之浚等,以及来自台湾各高校的学者共八十多人参加了本次论坛。

本次论坛的主题是:随着经济全球化的发展,世界经济激烈竞争日益取决于科技创新,特别是创新人才的培育和聚集,而造就创新人才又有赖于教育的创新和发展。因此,科技创新与教育创新有着密不可分的关联性。海峡两岸在科技、教育方面有着共同的追求,也共同面临要加速科技创新和教育创新的任务,同时也存在管理体制上科技和教育分离的制约,很需要两岸专家学者根据当代经济和科教发展的新趋势,以新的视角,探讨如何解决从科技创新到教育创新的论题,并通过科教创新和创新人才的培育与聚集,来促进海峡两岸经济、科技和教育的发展。

围绕着这个主题,与会代表从经济全球化与科技全球化的发展趋势对海峡两岸科教创新的影响,现代科技创新到教育创新对区域经济发展的推动,两岸科技、教育创新的现状与发展趋势,海峡两岸协同推进科技、教育创新的可能性和制约因素,两岸科教人才的交流与合作的现状与趋势，以及推进两岸科技、教育创新的相关政策与措施等诸多方面，以不同的视角，进行了高水平的学术研讨和交流。现将会议研讨的主要观点和有关情况综述如下。

一、关于科技创新与教育创新

科技创新与教育创新是与会的两岸学者最为关注的问题。与会代表们认为，尽管我国在科技、教育上取得了长足的进展，但教育依然落后，科技体制改革仍然没有完成，随着改革的不断深入，涉及到更多利益的重新调整和分配等更深层次的问题，改革难度也越来越大。科技、教育观念的陈旧、落后，体制的僵化等已经严重制约着创新的进行。现在的科技、教育创新已经到了必须冲破制度缺陷的时候，必须从观念、体制、运行机制、方法等方面不断进行创新和突破，大力推进教育创新和科技创新，并促进科技、教育创新的协同发展。

著名经济学家、教育学家、中国自然辩证法研究会名誉理事长于光远在发言中从他的专著《我的教育思想》说起，阐述了他的教育理念和教育思想。他认为，教育既要讲质量，也要讲数量。发展教育事业，没有数量做基础，质量也没有意义。教育事业的重要性，无论如何强调都不会过分，如果说历史上，“教育救国论”因为与当时的现实不协调而受到批判，那么到了今天，就应该主张教育救国论、教育兴国论、教育富国论。搞创新不能无视继承。要在继承的同时，破旧布新。他提出“创旧”这个概念，主张在“创旧”中培养创造精神。教育创新和科学创新是一种相互促进的关系，因此要以科学创新推动教育创新，促进两岸教育事业的发展。

坚持以人为本是科学发展观的本质和核心。全国人大环资委副主任委员冯之浚在题为《中长期规划的核心——以人为本，构建和谐社会》的发言中认为，我国能源有限，应改变过去忽略自然资本的经济模式,不能完全以经济增长为主了,应进入到以人为本阶段,全面以人为目的,要把以人为本理念贯彻到中长期发展规划和科技创新当中。搞规划第一要考虑以人为本;第二要考虑法治宪政;第三要考虑公正;第四要多元化;最后还要考虑人与自然的和谐。国家中长期规划的灵魂是以人为本,和谐发展和可持续发展,构建和谐社会。

制度是制约创新的重要因素,特别是科技体制已经成为影响创新的关键要素。中国科学学与科技政策研究会理事长方新研究员在发言中从科技体制改革的角度谈了她对我国今后科技体制改革如何进一步深化的思考。她认为,我国经过多年的科技体制改革,取得了一些成效,但科技体制改革仍未完成,国家宏观科技管理制度改革已成为当务之急。她提出进一步深化科技体制改革的思路是:确保一个权利:科技机构和科技人员的财产权利(有形与无形资产,重点是保护知识产权);理顺一个关系:政府、市场与研究机构的关系;建立一种机制:学科、领域自觉调整更新机制;塑造一种文化:有利于创新、有利于科技事业健康发展的社会环境;培育一种能力:创新可持续的能力;达到一个根本目标:推动科技事业快速、持续发展,进而推动国家现代化建设。

科技创新与教育创新密切相关,科技创新的发展强烈呼唤着教育创新。中央教育科学研究所蒋国华教授认为,我国科技创新上不去的原因不仅仅是科学家本身的事,也与我国的教育水平落后有关。因此,需要我们对现行的科学观念、科研体制、科技人才培养与使用方式等进行反思,大胆进行科技创新;同时,科技创新要求教育创新,同样要求我们对现行的教育观念、教育体制、教育内容与教育方法等进行深刻反思,进行教育创新。这是我国在新世纪所面临的巨大的挑战。

国际一流大学是研究型大学,是科技创新和教育创新的重要基地。创建一流大学对于推进科教创新具有重要意义。清华大学薛澜教授从对美国大学联合会(AAU)所属的一流研究型大学群体的研究与比较分析中谈到了对于我国创办一流大学的思考。一流大学是雄厚实力和卓越贡献的统一,一流大学的声誉来自优秀的教授和学生,一流大学与国家的发展息息相关,但大学发展的战略目标不能盲目照搬。一流大学的制度因素是建设一流大学的核心,应当加以重视。一流大学实际产生于一流的高等教育体系,如果整个高等教育行业体系是比较糟糕的,一流大学就难于产生。因此,我国要建设若干所世界一流大学,必须继续深化教育改革,积极推动教育创新,特别是教育观念、教育体制、教育机制等各方面的创新。

高等院校是国家科技创新体系的重要组成部分,为科技创新体系建设中做出了很大贡献,但是,就总体而言,参与的力度还很不够。福建行政学院徐刚教授认为,原创性是充分发挥高校科技创新潜力和作用的一个十分重要的中心观念。为凸显原创性这个高校科技创新的中心观念,提高高校科技创新的能力,他建议采取以下一些措施作为突破点:加快建立开放的科研机制和宽松的科研环境;提高研究人员自由度和支持力度;相对集中研究队伍;营造一个民主、自由的学术环境;进一步提高基础性研究的地位;加强知识产权的保护和管理工作;改革科技评价机制;寻找适宜高校科技创新的契入点。

科教创新是与思维密切相关的。中央民族大学于祺明教授和华南理工大学彭纪南教授从思维的角度来探讨如何推动科教创新。于教授认为,目前,两岸的教育创新都关注于“探究式教学”的探讨,这种教学模式的实践缺乏思维科学视角的研究与论证。科技创新是与创造性思维密切关联的,为了造就新世纪人才,就是要在教育过程中最大限度地提高受教育者创造性思维的素质和能力,重视形象思维培养、加强发散性思维训练。而彭教授则认为,我国目前存在着忽视思维方式创新的问题,因此提出要在科教创新中倡导思维方式的创新,以思维方式的创新来推动科技、教育创新。

中国科学学与科技政策研究会常务副理事长张碧晖教授指出,我国的教育问题很多,但是最主要的问题在于教育观念陈旧落后,教育体制僵化,创新环境缺乏,以及各种学术腐败等不公平、不公正现象一直在将创新扼杀。因此,要推进教育创新,必须真正做到党政分开、政企分开。只有多元化和公平、公正,才会有利于创新环境建设。

二、关于海峡两岸合作与协同发展

海峡两岸合作与协同发展问题是与会代表关注的另一个焦点。在目前情势下,两岸的合作与协同发展特别是科教协同创新受到政治因素的影响很大,但仍然是不可阻挡的潮流和趋势。作为本次论坛承办方的福州大学软科学研究所,在进行福建省科技厅重大课题《海峡两岸(闽台)协同推进科技教育创新研究》的长达两年多时间研究的基础上,推出了一批科研成果,重点就两岸协同推进科技、教育创新问题同与会代表们进行了研讨。

福州大学雷德森教授认为,现代科技发展、全球一体化新趋势的加强,使得在科学技术领域内要求建立起协同竞争的机制:一方面相互竞争;另一方面同舟共济。竞争与合作是统一的,竞争中的互利促进了联合,形成了竞争中的协同效应。协同作用的原则适用于指导海峡两岸高技术产业和科技、教育创新的发展。海峡两岸不仅具有协同发展高技术产业和科教创新的客观基础和条件,也呈现了协同发展的重点与方式,但也存在着困难。协同发展需要双方的努力,台湾进一步营造适合于两岸协同发展的政策与法律环境是首先要解决的问题。

福州大学张良强副教授从闽台两地在科技创新方面各具的优势

和劣势出发，探讨闽台两地在科技创新要素、体系、领域和科技产业关联等方面所具有的互补性，两地协同推进科技创新方式可以采取的各种模式，当前投资环境、产业发展基础、政治因素仍是制约闽台两地协同推进科技创新的主要因素。能否排除意识形态上的阻力，减少政治上的摩擦，通过经济上的交流与协作，缓和或化解两岸的政治对立态势，是两岸经济与科技合作能否顺利开展的关键所在。郗永勤教授在发言中以闽台两地教育创新现状、各自存在的问题以及所具有的优势进行了比较分析，探讨了闽台两地协同教育创新的可行性，提出了构建闽台教育创新发展的区域体系、形成闽台教育产业一体化的对策性建议。朱斌研究员在发言中分析了两岸高科技产业协作发展模式，提出两岸高科技产业协同发展在宏观上可以采取战略柔性模式、区位产业对接的“圈层式”模式、科技与经济整合的内涵、外延增长模式；而在微观上则可以采取官产学研联合模式、企业战略联盟模式、高科技园区运作模式以及产业协同发展的管理模式。这些宏微观模式在推进两岸高科技产业的协同发展中，将会产生深远的影响和积极的作用。

上海市科学学研究所的杨耀武研究员从上海与台湾的科技产业合作出发，指出沪台科技协同创新是时代发展趋势，具有很好的协同基础，应该在公益性领域加强交流与共享，在互补性领域达成分工与合作，在竞争性领域实现梯次与错位，内外统筹，系统推进。福建省台湾农业研究中心的曾玉荣研究员认为，闽台两地科技合作意义重大，闽台两地科技合作具有地缘和政策两大优势以及台资企业在闽投资取得巨大成功的经验、台湾岛内科技企业面临困境、福建省科技需求潜力巨大等三大基本背景，发展闽台科技合作具有巨大需求潜力和发展前景。他们从区域拓展、园区合作、民间交流、发展创投事业、扩大经贸合作、改革人才引进机制等方面提出扩展闽台两地科技合作的构想。

台湾的高科技产业发展很有特色,特别是其中的产学研合作对我们具有很好的借鉴意义。与会代表对闽台两地高科技产业合作进行了研讨。福建社会科学院亚太经济研究所林世渊研究员认为,在产学研(PER)领域加强区域合作机制的建设是当今经济区域化发展的一个突出现象,闽台两地产学研合作的本质是区域经济一体化,建构闽台两地产学研合作机制,不仅必要,而且更是对闽台两地经济合作趋势的客观要求。只有这样才能将闽台两地合作更有效地推向一个新的高度。福建省亚洲问题研究所刘晓宝代表在对两岸知识型经济发展演变进行回顾的基础上,对两岸高科技产业人才资源、产品产值和高科技产业政策进行了分析对比,提出了海峡两岸高科技产业的合作策略。而台湾学者谭以德、陈信宏等人则从育成中心(孵化器)的角度,以台湾育成中心发展的情况说明,两岸必须更紧密地协调合作,两岸因各自特有的环境背景,透过完整的环境、资源、产业分析,通过具有差异化竞争力的育成中心建设,借由投资、融资及补助等三方面架构和形成完整的创业环境,以促进产学研金优势的结合与融合,促进经济繁荣。

总之,海峡两岸进一步加强合作与协同发展,特别是协同推进科技教育创新,不仅是必要的,而且也是可能的,更应进行现实的努力。协同推进科教创新是海峡两岸的共同追求。

三、关于比较研究及发展趋势分析

他山之石,可以攻玉。对各国、各地区之间的科技、教育发展现状及其未来的发展趋势进行研讨是本次论坛另一大议题。海峡两岸学者也在这些方面进行了充分的交流。

中国自然辩证法研究会顾问、原副理事长何祚庥院士在会议上指出,中国的巨大能源需求将不能期望由化石能源来解决,而只能寄希望于可再生能源,因为煤炭、石油和天然气、水能、核能等资源不足。风力发电和大型锂离子储能电池是解决中国能源短缺问题的重要途径。我国拥有丰富的风电资源,但目前风电规模非常小,因此发展潜力巨大。确立能源领域的科学发展观,将风电提高到战略地位刻不容缓。他建议,海峡两岸携手合作,共同发展海上大型风电产业。

上海市科学学研究所李健民所长在发言中,从世界战略高技术发展态势与趋势出发,提出要把上海建设成"HEAD"上海,即健康(Healthy)上海、生态(Ecological)上海、精品(Accurate)上海、数字(Digital)上海,需要许多具体的高技术来支撑。

台湾中央大学单骥教授回顾了台湾教育发展所经历的几个阶段,提出了台湾教育未来的发展趋势和面临的挑战,介绍了台湾职业教育发展的经验。此外,从跨国比较的角度,他论述了对科技人才培养与罗致问题的研究结果,提出了在科技人才的培养与引进问题上,其他国家和地区可以为我们提供参考的 10 点做法:(1)充分利用优良的经济社会环境与一流的待遇吸引国外科技人才;(2)完善博士后人才培养计划,做到有系统、有计划地培养;(3)政府与企业结为一体,共同去做人才吸引工作。韩国的例子相当突出。吸引外国人才,政府给予很大的补助;(4)对特殊地区人才的争取;(5)利用留学政策以广纳人才;(6)吸引海外留学生返国服务;(7)松绑法规引进人才;(8)在海外设立训练中心以争取科技人才;(9)在海外就地利用当地研发人才;(10)引进重量级研究学者以带领相关研究。

台湾中山大学汪明生教授根据亚太经合组织(Asia-Pacific Economic Cooperation, APEC)2003 年知识经济指标,采用量化方式来评价世界部分主要国家在知识经济方面的现况与成效。他提出,在全球化知识经济潮流背景下,两岸未来教育的发展趋势将表现在企业专门知识培训、产业与学术结合创新等九个方面,可归纳为四点主要内涵:(1)满足企业在知识经济模式下之教育需求;(2)累积知识经济所需之丰厚人力资本;(3)普及信息与通讯的科技知识;(4)绵密教育管道组成整体教育体系。两岸可以针对评价较低的指标,采用两阶段改善方式,达到提升知识经济的目标。

浙江大学许为民教授通过对美、英、日、中四国研究生教育布局与区域经济发展的比较研究发现,美、英、日三国的区域经济与区域研究生教育是协调发展的。而我国区域经济与区域研究生教育存在一定程度的脱节现象。以此为基础,他选择华北、西部和华南三个地区讨论研究生教育发展的重点以及我国区域研究生教育布局调整中应注意的一些问题。

此外,青岛社会科学院隋映辉研究员在会上阐述了协调发展是一种新的增长战略的观点。福建省科技促进发展研究中心黄铁庄研究员在发言中结合福州实际,分析了福州市建设国际技术孵化器的基础条件,提出了建设福州国际技术孵化器的思路和建议。福建省科技促进发展研究中心高级工程师李阳成对福建省近年来科技成果转化与对接等方面存在的一些问题进行了分析。

本次论坛得到了中国自然辩证法研究会和中国科学学与科技政策研究会的全力支持,特别是两个研究会的理事长、副理事长与十几位理事到会,并作了十分精彩的发言。许多高校和研究机构也给予论坛大力支持,论坛共收到论文62篇,实际选入会议交流论文集的有52篇。出席论坛的代表有80位,参加会议的有四百六十多人。论坛期间,与会代表充分围绕论坛的主题进行了多方面、多层次的交流和深入研讨。由于两个研究会的大力支持和众多两岸知名学者的积极参与,“两岸科教创新论坛”取得了圆满成功,并体现出高层次、高规格、高水平的特点。

论坛的成功举办为海峡两岸科技教育界专家学者提供了一个相互沟通、加强了解，共同研讨从科技创新到教育创新以及协同科教创新等问题并发表真知灼见的平台，也为2006年在海峡东岸的台湾举办第二届“两岸科教创新论坛”奠定了良好基础。

（《国际学术动态》2005年第3期。林共市、黄柯整理）

后 语

本书是在福建省科技厅省软科学研究项目(编号:2001R022)资助下完成的。在书稿撰写过程中,我们得到了福建省科技厅、福建省教育厅、中国自然辩证法研究会、中国科学学与科技政策研究会及福州大学等单位领导和专家学者的关心、指导和帮助,得到了海峡两岸有关高校、研究机构的专家学者在智慧和资料方面的热忱相助,同时本书也是课题组全体同志共同劳动的结晶。

综合研究报告主要撰写人和撰写内容是:

雷德森:前言、第一章、第三章、第六章;

林共市:第二章;

张良强:第四章;

郗永勤:第五章。

全部书稿由雷德森审定。

全国人大常委、中国软科学研究会副会长冯之浚教授,福建省人民政府副省长汪毅夫等,从课题的设计、重点的把握和内容研讨,都进行了认真地指导和切实的帮助,还在繁忙工作中为本书写序。对此,我们表示深深的谢意。

在研究和撰稿的过程中,我们得到了许多单位的领导、专家、学者的热情指导和真诚帮助,并为相关的调研提供了方便和宝贵的资料。曾国屏、蒋国华、吴秀粼、陈奎、王开明、许斗斗等教授、研究员对本书的初稿提出了宝贵的意见。在此,我们谨向曾为本项研究和本书出版给予帮助的领导、专家、学者，以及有关文献的作者们致以衷心的感谢！

陈雅兰、曾宪楼编辑整理了附录1。闫伟、陈惦忠、曾宪楼、管海波等参加了调研工作。林筱文、杨广青为第五章的数据处理提供帮助。对诸位的参与和劳动，在这里一并表示感谢。

本书付梓之际，我们要衷心感谢人民出版社领导和责任编辑张连仲等同志的热情支持和帮助，由于他们的辛勤劳动，才使本书能够与读者见面。

雷 德 森

2006 年 6 月

责任编辑:张连仲
装帧设计:肖　辉
责任校对:夏学娟

图书在版编目(CIP)数据

海峡两岸科教创新探析/雷德森等著.
-北京:人民出版社,2006.11
ISBN 7-01-005766-4

Ⅰ.海…　Ⅱ.雷…　Ⅲ.①技术革新-研究-福建省、台湾省
②创造教育-研究-福建省、台湾省　Ⅳ.①F124.3 ②G525

中国版本图书馆CIP数据核字(2006)第101999号

海峡两岸科教创新探析
HAIXIA LIANGAN KEJIAO CHUANGXIN TANXI

雷德森等著

人民出版社 出版发行
(100706　北京朝阳门内大街166号)

北京集惠印刷有限责任公司印刷　新华书店经销

2006年11月第1版　2006年11月北京第1次印刷
开本:880毫米×1230毫米 1/32　印张:13.125
字数:310千字　印数:0,001-3,000册

ISBN 7-01-005766-4　定价:27.00元

邮购地址 100706　北京朝阳门内大街166号
人民东方图书销售中心　电话(010)65250042　65289539